D0734086

Pôle fiction

Leonardo Patrignani

Multiversum

Traduit de l'italien
par Diane Ménard

GALLIMARD JEUNESSE

Titre original : *Multiversum*

Conception de la couverture : Fernando Ambrosi, Stefane Moro

Édition originale publiée en Italie par Arnoldo Mondadori
Editore S.p.A, Milan, 2012
© Leonardo Patrignani, 2012, pour le texte
© Gallimard Jeunesse, 2013, pour la traduction française
© Gallimard Jeunesse, 2014, pour la présente édition

À mon père.
Dans l'un des infinis mondes parallèles
un jour ou l'autre,
nous nous retrouverons.

1

Alex Loria était prêt à marquer le panier décisif.

Avec son maillot jaune et bleu imprégné de sueur, son casque de cheveux blonds qui lui retombaient sur le front, il avait le regard de celui qui sait qu'il va marquer.

Il était capitaine de l'équipe. Il avait obtenu deux lancers francs à la dernière minute. Le premier était entré. Arceau-panneau-arceau-panier.

Il ne manquait plus qu'un point. Il ne pouvait pas rater.

Alex s'essuya les mains sur son short, et fixa l'arbitre pendant qu'il lui passait le ballon. Un rapide coup d'œil glacial à l'auteur de la faute – un garçon qui fréquentait l'école située en face de la sienne –, puis il se concentra de nouveau sur le lancer franc.

– Plus que ce panier et on gagne le match, vas-y, Alex..., s'exhorta-t-il à mi-voix, tandis que, tête baissée, il faisait rebondir la balle.

Ses camarades restèrent silencieux, tendus,

prêts à sauter. Les trois rebonds habituels pour conjurer le mauvais sort résonnèrent dans le gymnase de l'école. Ce n'était qu'un match amical, il n'y avait pas de banderoles brandies par les parents sur les gradins, ni d'enfants grignotant du pop-corn autour du terrain de jeu. Mais personne ne voulait perdre, et surtout pas le capitaine. Soudain, *cette* sensation de vide. Les jambes molles. Un frisson dans le dos. La vue qui se brouille. Tandis que son équipe et ses adversaires observaient la scène, stupéfaits, Alex tomba à genoux, posa une main sur le revêtement synthétique du terrain, et se mit à haleter.

Il le *sentait*.

Ça allait recommencer.

– Tu viens à table ? cria Clara depuis la cuisine.

– Une seconde, maman !

– Ça fait vingt minutes que tu dis « une seconde », dépêche-toi !

Jenny Graver soupira et secoua la tête, tout en commençant à fermer les différentes applications de son MacBook Pro. Elle leva les yeux vers la pendule murale. Huit heures un quart. Le ton de sa mère ne semblait pas admettre de retard supplémentaire.

Jenny se leva et croisa son propre regard dans le miroir au-dessus de son bureau. Ses cheveux châtains ondulés retombaient sur ses larges épaules de nageuse professionnelle. Jenny n'avait que seize ans, mais elle pouvait déjà s'enorgueillir d'un beau palmarès et d'une collection de médailles, toutes accrochées au mur du couloir, au premier étage de la petite maison des Graver. Ses victoires faisaient la fierté de son père, Roger, ancien champion de natation, et très connu à Melbourne en son temps.

Jenny sortit de sa chambre, traversa le couloir pour aller se laver les mains dans la salle de bains. Une odeur alléchante de rôti montait dans l'escalier.

Soudain, *ce* frisson. Elle ne le connaissait que trop bien, désormais.

Sa vue se troubla, elle fit deux pas en avant et essaya de se retenir au bord du lavabo pour ne pas tomber. Elle sentit son corps céder soudain, comme si, en dehors de ses bras, tous ses muscles étaient devenus incapables de répondre aux ordres de son cerveau.

Ça allait recommencer.

– *Où es-tu ?*

La voix retentissait, lui perforant les méninges.

Silence.

Quelques gémissements au loin, sinistres, inquiétants comme des pleurs résonnant du fond des abîmes.

– *Dis-moi où tu vis...*

– *Mel...*, essaya de répondre Jenny, mais le mot resta incomplet.

– *J'arrive à t'entendre... J'ai besoin de savoir où tu es.*

Chaque syllabe prononcée par Alex était comme une aiguille plantée dans sa tête. La douleur était lancinante.

La réponse arriva dans un bruit confus de cris et de rires d'enfants.

Tout tournoyait dans son esprit comme dans un tourbillon, un mélange d'émotions chaotiques.

Mais un mot était passé à travers et était arrivé à destination.

– *Melbourne.*

– *Je te trouverai* – fut la dernière phrase prononcée par la voix masculine, avant que tout devienne noir.

2

Clara Graver entendit le bruit sourd de la chute de Jenny, tombée de tout son poids. Elle enleva aussitôt ses gants de cuisine et courut au premier étage de la petite maison. Elle monta l'escalier, le souffle court, risquant de trébucher, et lorsqu'elle fut devant la porte entrebâillée, elle l'ouvrit en grand. Sa fille était allongée sur le sol, la bave à la bouche, un filet de sang coulant de ses lèvres.

– Jenny ! cria-t-elle en s'agenouillant à côté du corps évanoui.

La jeune fille avait les yeux écarquillés, le regard perdu dans le vide.

– Ma chérie, je suis là. Regarde-moi.

Clara donna deux ou trois petites tapes sur les joues de sa fille, et parvint à la réveiller. Une technique simple mais efficace, désormais devenue habituelle.

Roger monta les marches deux par deux et arriva en courant dans la salle de bains. Il regarda d'abord sa femme, puis sa fille, qui reprenait peu à peu connaissance.

– Comment va-t-elle ?

Clara ne lui répondit pas. Elle se contenta de hausser les épaules.

– Ça s'est encore produit ? insista-t-il, bien qu'il connût parfaitement la réponse à sa question.

Jenny vit le visage flou, le regard inquiet de son père se préciser lentement devant ses yeux. Elle le rassura :

– Je vais bien.

– Tu t'es cogné la tête ?

– Non, je ne crois pas.

Roger s'approcha d'elle et posa la main sur la nuque de sa fille. Ses doigts se teintèrent de rouge.

– C'est du sang, Jennifer.

Le ton de la voix de Roger n'exprimait pas d'anxiété, mais plutôt une certaine résignation.

– Oh, mon Dieu ! s'exclama Clara.

– Ne t'inquiète pas, c'est superficiel, la rassura-t-il, tandis que Jenny se massait la tête.

– Tu peux te relever ? demanda Clara, en lui tendant la main. Jenny pencha son buste en avant, et sentit une douleur aiguë du côté droit du front. Elle se leva.

– Maintenant, repose-toi tranquillement sur ton lit, je vais te préparer une tisane, lui dit affectueusement sa mère avec un sourire forcé.

Roger hocha la tête avec consternation.

– Mon Dieu, Clara, quand comprendras-tu

que nous ne soignerons certainement pas notre fille avec tes tisanes ? Le docteur Coleman a dit que...

– Je me fiche complètement de ce que peut dire le docteur Coleman !

– Si seulement tu voulais bien tenir compte du traitement...

– Nous en avons déjà parlé, la réponse est non ! l'interrompit Clara, d'un ton décidé. Jenny va... Jenny *ira* très bien.

Pendant ce temps, la jeune fille s'était approchée de la fenêtre, et restait là, le regard dans le vague. Derrière le rideau brodé à la main par sa grand-mère, on entrevoyait les toits des maisonnettes bien rangées le long de Blyth Street.

La dispute entre ses parents était un scénario que Jenny connaissait bien.

Ses évanouissements avaient commencé quatre ans auparavant. Elle venait de fêter l'anniversaire de ses douze ans, et jouait avec les cadeaux que lui avaient apportés ses amis, ses parents. Sa mère époussetait les meubles du salon, et Jenny était debout devant la télévision quand elle s'était écroulée par terre comme un poids mort. Elle avait juste eu le temps de murmurer « maman » en sentant sa tête devenir lourde et sa vue se brouiller. La dernière image qu'elle avait distinguée avant de s'évanouir était le diplôme de sa mère, encadré et accroché au mur du salon : « Clara Mancinelli, docteur ès lettres, mention très honorable avec les félicitations du jury ». En bas, à côté de la signature du doyen, il y avait le tampon de l'université de la Sapienza de Rome. Le diplôme était daté du 8 mai 1996. Exactement une semaine avant que Clara fasse la connaissance de Roger, en vacances dans la capitale italienne avec un ami, et qu'elle décide de changer le cours de son destin, en suivant Roger en Australie. Sa mère aimait souvent rappeler que si elle n'était pas entrée dans ce café du quartier de l'EUR, à cause d'un pressant besoin d'aller aux toilettes, Roger et elle ne se seraient jamais rencontrés. Et Jenny ne serait jamais née.

Aucun des examens médicaux auxquels Jenny avait été soumise n'avait révélé quoi que ce soit d'inquiétant. Elle n'avait ni tension ni problème cardiaque, elle était en excellente santé, comme en témoignaient ses résultats sportifs. Elle avait gagné deux années de suite la médaille d'or du championnat provincial et avait été sélectionnée pour participer aux jeux olympiques scolaires, à la grande joie de Roger qui l'entraînait personnellement quatre après-midi par semaine au centre sportif et aquatique de Melbourne.

Depuis l'anniversaire de ses douze ans, ce genre d'épisode s'était reproduit de plus en plus souvent. Parfois, ils ressemblaient à une crise d'épilepsie, d'autres fois à de simples évanouissements. D'après les médecins que Clara consultait, les symptômes justifiant un traitement contre l'épilepsie n'étaient pas réunis. La passion de Clara pour les Fleurs de Bach et l'homéopathie heurtait la vision traditionnelle de Roger, mais jusqu'à présent, elle avait réussi à l'imposer. Aucun médicament, aucun traitement.

Peu à peu, Jenny avait appris à vivre avec ce qu'elle appelait ses « crises ». Elle en avait eu dans les situations les plus diverses. Pendant un voyage scolaire à Brisbane, quand elle s'était évanouie dans le hall de l'hôtel au moment où le professeur faisait l'appel et choisissait les élèves à mettre deux par deux dans les chambres. Au cinéma, où même ses amies, absorbées par le film, ne s'étaient pas aperçues que Jenny s'était affaissée sur son siège, la tête inclinée sur son épaule gauche, les bras pendants. Et puis à la pizzeria, quand Roger l'avait emmenée fêter sa première médaille d'or, et au Burger King où l'équipe de natation se retrouvait le vendredi avec son entraîneur. Pour ne pas parler de toutes les fois où cela lui était arrivé chez elle, sur son lit ou dans n'importe quelle pièce de la petite maison de Blyth Street. Heureusement, pensait-elle souvent, elle n'avait jamais eu de crise à la piscine. Elle aurait risqué de perdre la vie.

Ce que ses parents ignoraient, et avaient toujours ignoré, c'était ce qui lui arrivait pendant ses évanouissements.

3

Le médecin de l'école donna une tape sur l'épaule d'Alex, puis lui dit de se lever après l'avoir rapidement ausculté. L'infirmerie, au fond du couloir du dernier étage, à côté de la bibliothèque, était une petite pièce anonyme meublée d'un bureau, d'un lit, et d'une armoire à pharmacie. Tout était blanc, froid, et peu accueillant, de même que le ton sarcastique et l'air supérieur du médecin.

– Capitaine, rappelle-toi que nous sommes tout près des matchs de qualification.

– Je sais bien, répondit Alex en regardant fixement le médecin sûr de lui.

– Tu es peut-être trop stressé par le championnat, insista l'homme, ou par le travail scolaire ?

– Je ne suis pas stressé, répondit Alex, en coupant court. Mais il savait que ce n'était pas vrai. Je peux y aller, maintenant ?

Teo, l'entraîneur de l'équipe de basket, l'attendait devant la porte de l'infirmerie. Le dos appuyé contre le mur du couloir, il tenait une biographie de Michael Jordan, le champion de basket qu'il avait l'habitude de citer comme l'exemple du sportif parfait.

Alex l'ignora et s'éloigna dans le couloir, mais l'homme le suivit.

– Arrête-toi, Alex !

– Qu'est-ce qu'il y a ? Tout va bien.

– Non, tout ne va pas bien. Si nous en sommes là, je ne peux pas te mettre sur le terrain lors des matchs de qualification.

Alex le regarda, et pendant un instant se concentra sur le verbe « sommes ». C'était une habitude du coach. Il pensait toujours à l'équipe. Si un garçon avait un problème, ça les concernait tous.

– Faites comme vous voulez.

– Tu es capitaine, tes camarades ont besoin de toi. Mais si tu t'effondres à un moment décisif, et si tu mets ta santé aussi en danger... nous avons un problème.

– Alors trouvez-vous un autre capitaine. Moi, je ne vois pas ce que je peux y faire. Les médecins disent que je n'ai rien.

– Oui, mais ce n'est pas ce que disent tes parents.

Alex s'arrêta et fixa l'entraîneur, qui soutint résolument son regard.

– Mes parents sont trop anxieux.

– J'ai plutôt l'impression que c'est toi qui me

caches quelque chose. Alex, bon sang, tu es le meilleur, mais je ne peux pas risquer que… qu'il arrive en finale ce qui est arrivé aujourd'hui.

– Alors mettez-moi sur le banc, comme ça on n'arrivera même pas en finale.

Alex descendit l'escalier à toute allure, et sortit enfin à l'air libre. Il parcourut le *viale* Porpora, remontant le col de son blouson pour se protéger de l'air froid et pénétrant de Milan. Ses pensées se cognaient dans sa tête sans lui laisser de répit.

Il continua de les ressasser jusqu'à ce qu'il arrive devant la porte de son immeuble. Il ne supportait pas l'idée de manquer toute la fin de la saison. Il était le meilleur marqueur du tournoi, il était capitaine de l'équipe, il avait donné tout ce qu'il pouvait. Mais si l'entraîneur avait décidé de l'exclure, son avis à lui ne servirait pas à grand-chose.

Il monta au premier étage. Une femme, qui habitait l'appartement voisin du sien, lui dit bonjour, il se contenta de répondre par un sourire machinal et un signe de tête.

– Je n'en peux plus…, murmura-t-il, en tournant la clé dans la serrure de la porte blindée.

L'appartement l'accueillit en silence, comme toujours. À cette heure, ses parents travaillaient. Sur le meuble, près de l'entrée, sa mère avait laissé un mot, comme d'habitude : « À côté du micro-ondes, il y a une tarte salée.

Et surtout, fais ton travail ! Bises, maman. »
Alex passa devant sans le regarder.

Dès qu'il fut dans sa chambre, il laissa tomber son sac à dos à côté de son bureau, enleva son blouson et s'assit au bord du lit. Heureusement qu'il ne s'était pas cogné la tête, pensa-t-il. Depuis peu, il parvenait à prévoir l'arrivée de la crise et à s'agenouiller juste avant pour rendre la chute moins dangereuse. C'était un expédient, qui ne résolvait pas le problème, mais qui pourrait quand même lui éviter de se fendre le crâne, un jour ou l'autre.

Il s'allongea sur son lit, les mains derrière la nuque, les yeux mi-clos.

Les premières fois, un bruit confus, dérangeant, bourdonnait simplement dans sa tête. Avec le temps, il avait appris à reconnaître ces sons. Le plus agréable était celui de vagues se brisant sur des rochers. D'autres, semblables à des cloches, faisaient un vacarme incessant et insupportable.

C'était ce qu'il avait éprouvé la première année où il avait commencé à s'évanouir, à l'âge de douze ans. Ensuite, il avait remarqué une évolution : pendant les crises, certaines images se formaient dans sa tête. Elles étaient confuses, se superposaient les unes aux autres, et paraissaient impossibles à mettre en rapport avec quoi que ce soit de réel. Elles n'avaient rien à voir ni avec sa vie ni avec aucun souvenir de temps lointains.

Dans une de ses visions les plus vives et qui revenaient le plus souvent, Alex était allongé sur un lit, entouré de murs blancs. L'ameublement de la pièce était quasiment inexistant. Il ne parvenait à distinguer qu'un crucifix accroché au mur d'en face, un vase de fleurs sur une petite table à sa droite, et une fenêtre au store fermé. Il essayait de bouger ses mains, mais elles semblaient immobilisées par quelque chose. Une corde, peut-être. C'était sans aucun doute le pire de ses cauchemars. À un certain moment, tout devenait obscur, et il commençait à entendre des plaintes entremêlées. Des voix indistinctes, échos de tourments sans fin.

Une autre image revenait assez souvent, au cours des premières années, celle d'une main. Elle était plutôt petite et potelée. Alex la prenait. Il tentait de l'attirer vers lui, sans y parvenir. Alors, il se contentait de l'effleurer. Il ne pouvait pas voir plus loin, il ne parvenait pas à distinguer les traits d'un visage, un contour défini. Dès qu'il essayait, la petite main commençait à se dissoudre, à se désagréger, et elle s'évanouissait, glissant comme du sable entre ses doigts.

Parmi les innombrables images qui s'étaient succédé dans son esprit pendant ces quatre années de crises, il se souvenait bien de celle d'une plage. Parfois, il voyait une petite fille au loin, toujours la même.

La dernière année, certains détails lui étaient apparus. Le visage restait flou dans l'image nébuleuse, mais les yeux ressortaient et se distinguaient avec précision. Ils étaient sombres, et si intenses qu'ils pénétraient dans sa mémoire. Ils revenaient chaque nuit. Alex ne se rappelait pas combien de fois il les avait vus et s'en était souvenu au réveil, mais cela avait dû lui arriver au moins pendant un mois.

Ensuite, c'étaient les voix qui avaient commencé.

L'évanouissement était toujours précédé d'un long frisson dans le dos et de l'engourdissement de tous ses membres. Un jour, cependant, Alex avait perçu une voix qui tentait de se faire entendre dans la myriade de bruits et de cris auxquels il s'était désormais habitué.

C'était une voix féminine, jeune, mais on ne comprenait pas ce qu'elle disait. Ensuite, Alex s'était mis à noter dans son journal les mots qu'il avait eu l'impression d'entendre. Le premier avait été « aide ». Il avait essayé de répondre, malheureusement, en dépit de tous ses efforts pour émettre des sons, il n'y était pas parvenu. D'après ce que disaient ses parents, il lui était arrivé, pendant qu'il avait perdu connaissance, de bafouiller quelque chose. Des questions, telles que « qui es-tu ? », « où es-tu ? ».

Alex avait décidé de ne mettre personne au courant, y compris sa mère et son père, de ce qu'il entendait ou voyait pendant ses crises.

Il n'aurait pas su expliquer pourquoi, mais il sentait que le contenu de ces expériences devait être protégé, gardé. C'était son seul secret.

L'expérience la plus significative s'était produite trois mois auparavant. Alex revenait de son entraînement de basket. Ses parents devaient rentrer peu après à la maison. L'évanouissement avait eu lieu dans sa chambre, et, profitant des quelques secondes de frissons qui précédaient la crise, Alex avait eu le temps de s'allonger sur son lit. Le mélange habituel d'images et de sons s'était présenté sur l'écran de son esprit, faisant naître un kaléidoscope de sensations.

Après les premiers instants, très confus, Alex avait distingué au loin le visage de la fille.

Les yeux étaient le seul détail qui ressortait nettement de ce qu'il voyait, comme d'habitude.

La voix, cependant, était plus claire.

– *Est-ce que tu existes vraiment ?*

Pendant un instant, il avait hésité, se demandant s'il avait vraiment entendu cette question, si claire, si précise. Il ne lui était jamais rien arrivé de semblable, et il était à la fois ému et effrayé.

– *Oui.*

– *Comment t'appelles-tu ?*

L'écho de ces quelques mots résonnait dans sa tête, et le transportait dans une dimension fantastique, lui donnant un sentiment immédiat de plaisir et de plénitude.

– *Alex. Et toi ?*

Une cacophonie de cris déchirants retentissait au loin.

– *Jenny.*

Puis la fille avait disparu, absorbée dans une spirale d'images confuses.

Dans le journal intime d'Alex, ce jour-là était souligné et mis en évidence. C'était le 17 juillet 2014. Il avait *senti* la présence de l'autre personne. Il avait perçu quelque chose de terriblement *réel*. Il ne s'agissait pas d'un rêve, il en était sûr, ni d'une hallucination, ni d'une vision.

Alex avait *communiqué* avec une fille qui se trouvait là-bas, quelque part dans le monde. Il ne savait absolument pas comment c'était possible, mais il en était convaincu : Jenny existait.

Et selon toute probabilité, elle devait être en proie aux mêmes pensées.

4

« Je le lui ai dit », pensa Jenny en s'asseyant à table, et en essayant de cacher son émotion. Son père lui lança un regard scrutateur, inquiet de savoir comment sa fille se sentait après cet énième évanouissement. À côté du réfrigérateur, la pendule à coucou achetée l'année précédente par les Graver à Noël dans une des petites boutiques d'Altona Coastal Park, indiquait huit heures quarante.

– Tu as l'air d'aller mieux, Jenny, constata sa mère en servant le rôti.

– C'est à elle de nous faire savoir si elle va bien, intervint Roger.

Clara soupira sans répliquer, et s'assit à table, comme si de rien n'était.

Mais Jenny, ce soir-là, ne s'intéressait pas du tout à ce que ses parents pouvaient raconter. Toutes ses pensées étaient tournées vers Alex.

« Je lui ai dit où je vis, j'y suis arrivée. »

Elle essayait depuis si longtemps ! Au cours de la dernière année, elle avait tenté plusieurs fois de lui apprendre autre chose sur elle que son nom, mais elle pensait ne jamais y arriver. En outre, elle n'avait jamais voulu admettre entièrement que la voix qu'elle entendait dans sa tête puisse appartenir à une personne réelle. Une autre raison l'avait également dissuadée d'essayer de communiquer : la douleur. Le garçon qui s'était présenté sous le nom d'Alex n'éprouvait peut-être pas la même souffrance physique pendant les crises, mais pour elle, c'était une torture. Chaque syllabe lui perforait le cerveau comme une vrille qui lui aurait transpercé la tête d'une tempe à l'autre. Cette fois, cependant, elle était sûre d'avoir prononcé clairement le nom de sa ville.

Jenny n'avait qu'une idée très vague de son interlocuteur. Son nom était le seul indice qu'elle possédait. La voix lui paraissait jeune, probablement celle de quelqu'un de son âge, et pendant les visions, elle avait aperçu ses yeux, elle avait entrevu une mèche de cheveux blonds sur le front.

Parfois, elle se demandait si elle n'était pas en train de construire un gigantesque château de cartes qui s'écroulerait bientôt, balayant toutes ses illusions. Or c'était justement ce qu'elle craignait : perdre cette sensation qui l'accompagnait à chaque instant de sa vie, l'espoir que cette voix appartienne à une personne en chair et en os.

Ce soir-là, elle alla se coucher d'humeur sereine. Elle souriait, l'air rêveur, en regardant le plafond. Les petites étoiles phosphorescentes que son père y avait collées bien des années auparavant étaient toujours là, brillant pour elle avant qu'elle s'endorme. Cassiopée, le grand carré de Pégase, Andromède, et puis la Grande Ourse et la Petite Ourse, séparées par le corps sinueux de la constellation du Dragon. Un firmament uniquement pour elle.

Jenny ferma les yeux.

Alex existait, elle en était sûre. Il était quelque part dans le monde. D'une certaine façon, ils parvenaient à communiquer. Et elle ne pouvait plus s'en passer.

L'après-midi, après avoir avalé la tarte salée et perdu une petite heure devant la télévision en buvant une bouteille de jus de poire, Alex décida de se rendre à la bibliothèque. Devant la porte d'entrée de l'immeuble, des travaux avaient commencé depuis le matin, et un groupe d'ouvriers en vêtements de travail orange creusait le sol à l'aide de marteaux-piqueurs. Il était impossible de se concentrer avec ce bruit. Une interrogation de philo était prévue prochainement, et il n'avait étudié qu'un tiers environ du programme que la professeure leur avait donné.

Son sac à l'épaule, il prit deux autobus et

arriva à la bibliothèque universitaire. Il y était déjà allé, c'était un endroit silencieux, fréquenté par des filles et des garçons plus âgés que lui, des étudiants d'écoles d'ingénieurs pour la plupart. Il entra dans la salle, chercha des yeux une table libre et alla s'asseoir.

Il feuilleta négligemment le cahier dans lequel il avait pris des notes, puis sortit son manuel de philo de son sac à dos.

Il était en train de souligner au crayon une phrase de Kierkegaard quand le frisson habituel lui paralysa le dos, touchant toutes ses terminaisons nerveuses.

Il y avait quelque chose d'étrange, cependant.

Il regarda autour de lui, attendant le moment. Il avait beau savoir qu'il allait tomber de sa chaise, il ne s'allongea pas par terre. Il resta immobile, assis, les bras sur la table. Il sentit son corps devenir de plus en plus lourd, mais il réussit à garder le contrôle de sa tête et des muscles de son cou. Soudain, il éprouva une sensation très forte de vide. Il avait l'impression d'être suspendu en l'air. Comme si un gigantesque précipice s'était ouvert sous ses pieds et qu'il flottait au-dessus, sans tomber dedans. Il ne parvenait plus à distinguer l'environnement familier de la bibliothèque. Il ne voyait plus que de la fumée, de la brume. Et le vide.

Son esprit, cependant, restait vigilant. Il sentait qu'il était toujours maître de son corps et qu'il ne s'évanouirait pas. Il restait éveillé : en partie ancré dans la réalité physique, et en partie plongé dans l'atmosphère abstraite de sa vision. Pour la première fois depuis quatre ans, cet après-midi-là, il n'y avait pas de bruit de fond. Seul un frémissement, tel un souffle de vent. Alex parvenait à percevoir l'air frais qui l'entourait.

– *Tu es là, Jenny ?*

Un moment de silence qui lui parut interminable. Puis la réponse :

– *Oui, Alex.*

Il éprouva alors un sentiment nouveau : un mélange d'incrédulité, de joie, de stupeur et de curiosité.

De l'autre côté du monde, pour la première fois, elle non plus ne ressentit plus aucune douleur physique pendant ce contact.

– *Je t'en prie, dis-moi que tu es réelle*, dit Alex.

– *Tu sais que j'existe. Et moi je sais que tu existes.* La voix de Jenny était légère et familière. Alex avait l'impression de parler à une personne qui lui était proche depuis toujours, de communiquer avec elle comme si les distances n'existaient pas.

– *Jenny, je dois te demander quelque chose qui va te paraître idiot.*

La jeune fille ne répondit pas. Alex continua de regarder dans le vide, ne voyant que du brouillard.

– *Tu es là, Jenny ? Je dois te demander…*

La voix sortant du brouillard l'interrompit :

– *Clever Moore.*

Alex en eut le souffle coupé.

– *C'est son nom, Clever Moore,* répéta Jenny.

Cette réponse paraissait incroyable à Alex.

– *Jenny… je ne te l'avais pas encore demandé.*

Leurs paroles furent bientôt suivies d'échos. Alex eut la sensation que la communication devenait plus difficile. Les voix s'éloignaient peu à peu.

– *Bien sûr que si…*, répondit-elle, et ses mots se multiplièrent dans la tête d'Alex avant de s'évanouir quelque part au loin, se dissipant dans le bruit du vent.

Alex écarquilla les yeux. Il serra les poings et renversa sa tête en arrière, ne sentant que le fourmillement causé par un léger engourdissement.

Dans la salle, deux petits groupes d'étudiants occupaient les tables à côté de lui, tandis que la bibliothécaire empilait des rames de papier dans une armoire.

Alex se répéta mentalement ce qu'ils s'étaient dit, Jenny et lui. Puis il se leva brusquement, et faillit tomber. Ses jambes étaient encore ankylosées. Il s'approcha de la bibliothécaire, qui était retournée à sa table et tapait paresseusement sur le clavier d'un PC.

– Excusez-moi, commença Alex, j'aurais

besoin d'un petit service. Est-ce que votre ordinateur est connecté à Internet ?

La bibliothécaire, une femme d'une cinquantaine d'années au visage ridé, orné d'un énorme grain de beauté sur la pommette droite, le regarda droit dans les yeux. Elle ne semblait pas vraiment disposée à l'aider.

– Qu'est-ce que tu veux ? demanda-t-elle, en baissant ses lunettes sur la pointe de son nez.

– Je voudrais simplement vérifier quelque chose. C'est important.

La femme soupira et haussa les sourcils, l'air irritée. Puis elle donna son accord d'un signe de tête.

– Est-ce que vous pourriez taper « Sydney » sur Wikipedia, et me dire quel nom vous voyez sur la fiche technique de la ville, à l'article « maire » ?

La bibliothécaire ouvrit une nouvelle fenêtre sur Google, et avec une lenteur exaspérante, tapa « Sydney Wikipedia » dans la petite fenêtre du moteur de recherche.

– Clever Moore.

Alex la regarda, incrédule.

– Vous êtes sûre ?

– Regarde toi-même, dit la femme, en tournant l'écran de l'ordinateur vers le garçon.

Alex lut de ses propres yeux le nom : Clever Moore.

– Elle existe... elle existe vraiment, murmura-t-il.

– Qui existe vraiment ?

Alex sourit sans répondre. Il fit demi-tour, prit son sac à dos, et se dirigea rapidement vers la sortie, le regard radieux.

Sur les marches qui descendaient dans la rue, Alex Loria laissa échapper un cri de joie, sans se soucier des passants qui le regardaient comme s'il était fou.

Jenny existait vraiment.

5

Lorsque la communication s'interrompit, Jenny resta allongée sur son lit, dans le noir. Des voix confuses montaient du rez-de-chaussée. Elles ne venaient pas de ses parents, mais de la télévision. Minuit était passé depuis peu, le ciel de Melbourne apparaissait par une fenêtre de la chambre. Limpide, sans nuages, un manteau noir orné de petits points lumineux. La Lune n'était pas dans son champ de vision. La Ceinture d'Orion, en revanche, était bien visible, avec ses trois étoiles caractéristiques, alignées les unes à côté des autres.

– La plus grosse étoile de la constellation d'Orion s'appelle Bételgeuse, lui avait expliqué son père longtemps auparavant. Elle est énorme. Son diamètre fait trois fois celui du soleil !

– Qu'est-ce que ça veut dire ? avait-elle demandé, toujours curieuse.

– Que si on remplaçait le soleil par Bételgeuse... ses bords effleureraient la Terre !

– Papa… mais quand nous ne serons plus là, comme grand-père et grand-mère… est-ce que nous irons dans l'univers ?

– Oui, d'une certaine façon. Quand tu observes les étoiles, tu peux penser à tes grands-parents, qui te regardent de là-haut.

– Peut-être qu'ils sont encore vivants ?

Roger lui avait caressé les cheveux.

– Non, ça, c'est impossible, ma chérie.

– Moi, je crois que c'est possible, quelque part.

Jenny fit glisser un élastique de son poignet, attacha ses cheveux, et se redressa. Il ne faisait pas chaud, mais elle aimait dormir avec des vêtements légers. Son tee-shirt sans manches sur lequel était écrit SURFMANIA et son slip laissaient apparaître des jambes athlétiques et une peau lisse, dorée. Au cou, comme toujours, elle portait son pendentif préféré au bout d'une petite chaîne, un triskèle, symbole d'origine celtique constitué de trois demi-lunes, formant comme un tourbillon. Au milieu du pendentif, la lettre V se confondait avec le centre de la spirale. C'était sa grand-mère qui le lui avait offert.

– Il te protégera, lui avait-elle dit en lui donnant le pendentif. Le triskèle brillait sur la peau douce de sa main.

– Que signifie le V ? lui avait demandé Jenny.

– Ton grand-père me l'a offert le jour où il

m'a demandée en mariage. C'est une amulette qui contient notre histoire. Ton histoire.

– Pourquoi la mienne ?

Sa grand-mère s'était contentée de sourire, en haussant les épaules.

Jenny secoua la tête comme pour chasser ce souvenir plein de douceur. Ses grands-parents n'étaient plus de ce monde, mais ils ne l'avaient pas laissée seule. Il lui restait ce symbole, qui racontait l'origine celtique de sa famille du côté de son père, Roger. Elle le serrait souvent dans ses mains, lorsqu'elle avait peur ou besoin de force et de courage pour affronter une situation, qu'il s'agisse d'une compétition de natation ou d'un examen.

Son attention revint rapidement vers Alex.

La crise ne s'était pas produite pendant qu'elle dormait, malgré l'heure tardive. Jenny était éveillée, couchée dans son lit, contemplant le vide, l'esprit occupé par la compétition qui l'attendait le samedi suivant, et pour laquelle elle ne s'était pas suffisamment entraînée à cause de son travail scolaire. Dès le premier frisson, Jenny avait senti une douce chaleur l'envelopper. C'était une sensation qu'elle n'avait jamais éprouvée auparavant. Elle s'était sentie en sécurité. Elle avait compris que son corps ne pouvait répondre aux ordres de son cerveau, mais elle avait eu l'impression très agréable de flotter sereinement dans les limbes, comme si elle était protégée. Les yeux clos, elle s'était abandonnée à la rencontre. Presque comme dans un rêve, mais elle savait, comme Alex, que ce n'en était pas un.

Pour la première fois, Jenny était convaincue. Elle s'était toujours demandé si toutes ces voix et ces images n'étaient pas dues à des troubles psychiques, à quelque forme bizarre de schizophrénie. Même ses recherches sur Internet, dans les forums et sur les blogs, d'une histoire semblable à la sienne, étaient restées vaines. À la fin, elle y avait renoncé. Elle avait craint pendant quatre longues années qu'Alex ne soit qu'une projection mentale et qu'il n'y ait personne *de l'autre côté.* Désormais, même si elle n'avait pas de preuves scientifiques de l'existence de ce garçon, la rencontre qu'elle venait d'avoir avec lui ne lui laissait plus aucun doute. Alex lui avait posé une question précise, tentative évidente de savoir si elle était une personne réelle. Et elle lui avait répondu.

– Tu existes, murmura-t-elle. Je sais que tu existes.

Jenny resta éveillée encore longtemps, avec une seule idée fixe pour lui tenir compagnie. Quoi qu'il arrive au-dehors, dans le monde, cela n'avait plus d'importance par rapport à l'événement surnaturel dont Alex et elle étaient les protagonistes. Un miracle qui dépassait toute imagination humaine.

Plongée dans le silence de cette nuit de fin octobre, Jenny ne pouvait absolument pas se douter du terrible destin qui attendait la planète, ni imaginer que la clé de tout était dans leur tête.

6

Pour Alex et Jenny, le mois de novembre fut plus riche en rencontres qu'ils n'auraient jamais pu l'imaginer. Tous les trois ou quatre jours, pendant une trentaine de secondes au moins, le contact s'établissait entre eux. Il était précédé par l'habituel frisson dans le dos, suivi d'un état de bien-être physique et psychique, d'une sensation de paix et de sérénité. Aucun bruit, aucune plainte ne troublaient ce calme. Aucune douleur non plus, juste un léger mal de tête à la fin de leur dialogue.

Dialogue qui, c'était désormais évident, n'avait lieu que par la pensée. Pour démontrer cette théorie, Alex emprunta le petit Caméscope numérique de son père et s'enferma dans une pièce pendant un week-end entier.

Monté sur un trépied à côté de son bureau, l'appareil était tourné vers son lit. Il suffisait de quelques secondes pour l'allumer et déclencher l'enregistrement. Pendant l'un des frissons coutumiers qui annonçaient son contact avec Jenny, Alex réussit à le mettre en marche.

– *Alex, c'est toi…*

Il sentit la chaleur l'envelopper. Quelque chose s'entrouvrait dans son esprit.

– *Alex*, répéta la voix féminine dans sa tête.

Un soupir souleva sa poitrine, juste au moment où toute sensation physique allait quitter son corps.

– *Jenny, il faut qu'on se voie.*

Alex eut l'impression de percevoir l'esquisse d'un sourire.

– *C'est impossible, comment pourrions-nous nous rencontrer, tu… Écoute, je sais que tu existes, je l'ai toujours su, mais tout cela est trop étrange… j'ai peur.*

– *Moi aussi j'ai peur, mais tant pis. Je ne sais pas comment te l'expliquer : je ne peux plus me passer de ta voix, ton sourire existe dans ma tête et je sais qu'il sera peut-être différent, que tu seras peut-être différente, mais je ne peux plus imaginer aller me coucher ce soir, ou n'importe quel soir de ma vie, en acceptant de ne jamais te voir, en acceptant que tu ne sois qu'un rêve.*

Les paroles d'Alex restèrent quelques instants en suspens dans le vide.

– *Mais peut-être que je le suis. Que je ne suis qu'un rêve.*

– *Oui, tu es le plus beau rêve que j'aie jamais fait.*

– *Les rêves sont destinés à s'évanouir.*

– *Alors, je ne veux pas me réveiller.*

Jenny ne répondit rien, mais à présent, non seulement son sourire, mais deux yeux brillants et son expression, celle de quelqu'un qui essaie de cacher son émotion en se mordant les lèvres, étaient apparus dans l'esprit d'Alex.

– *Je n'ai jamais rien éprouvé de semblable,* reprit-il.

Dans sa tête, il vit que ces mots illuminaient le visage de Jenny. Le profil de la jeune fille se dessina autour de ses yeux brillants, de ses lèvres tremblantes, de son front légèrement froncé.

– *J'ai l'impression de te voir,* dit Jenny. *Ton visage est apparu dans mon esprit.*

C'était exactement ce qui était en train d'arriver à Alex.

– *Et si j'étais différent ?*

– *Et si j'étais différente ?*

Pendant quelques instants, les deux questions jouèrent à se poursuivre dans leurs pensées.

– *Tu n'es pas un rêve, Jenny, tu fais partie de ma vie, à présent. Je veux te rencontrer, même si je dois aller au bout du monde.*

Ces derniers mots semblèrent avoir raison des réticences de la jeune fille, en proie à deux émotions contradictoires. D'un côté, elle éprouvait le sentiment qu'elle avait toujours eu, celui qui lui réchauffait le cœur, celui qui faisait qu'elle se sentait seule au milieu de ses amis, seule dans le monde réel où elle vivait chaque jour. De l'autre, elle avait peur d'être amoureuse d'un rêve, de se réveiller soudain en voyant disparaître cette illusion. Et cette crainte l'incitait à reculer.

Leurs pensées continuaient à se chercher sans que ni l'un ni l'autre puisse les en empêcher. Leur échange mental échappait à leur contrôle, exprimant leurs sentiments les plus profonds.

Quand Alex ouvrit les yeux un peu plus tard, l'image floue du plafond de sa chambre le ramena lentement à la réalité. La lumière s'était évanouie dans sa tête, la voix de Jenny n'était plus qu'un lointain écho. À côté de lui, cependant, il y avait le Caméscope. Le voyant lumineux rouge signalait qu'il était toujours allumé.

Il se leva doucement de son lit, les membres engourdis, et connecta le Caméscope à son ordinateur.

Sur la vidéo, il se vit d'abord apparaître dans le cadre juste après avoir appuyé sur « REC » derrière la caméra, alors qu'il s'allongeait rapidement sur son lit. Alex remarqua que ses paupières tremblaient quelques secondes avant qu'il entre en communication avec Jenny. Puis, il observa l'état de transe évident dans lequel il tombait, les muscles détendus et les yeux clos. Il ne comprit pas bien ce qu'il bafouillait avant de se réveiller. Il distingua uniquement les mots « rêve » et « monde ».

En fait, ce jour-là, le 23 novembre 2014, à la fin de leur dialogue, Alex avait promis à Jenny qu'il la trouverait, qu'il transformerait ce rêve en réalité, au prix même de sa vie.

Il n'avait pas le choix. Il devait le faire. C'était ce que lui commandait son cœur. Mais pas seulement.

Le matin précédent, en effet, Valeria l'avait envoyé à la cave. Il n'était pas descendu depuis des années dans cet espace de deux mètres sur trois, aménagé dans l'étroit et poussiéreux couloir souterrain auquel on accédait par la cour intérieure de l'immeuble.

La tradition voulait que, chez les Loria, on décore le sapin exactement un mois avant la veille de Noël. Alex était donc allé chercher les boîtes contenant les boules et les décorations, le long carton avec le sapin artificiel et une guirlande lumineuse tout entortillée dans un sac en plastique.

La porte en bois branlante grinça quand il l'ouvrit. Heureusement, l'interrupteur fonctionnait encore. À l'intérieur, c'était le chaos. Des boîtes entassées les unes sur les autres, une vieille planche à repasser, deux béquilles, divers éléments d'un VTT qu'il ne se rappelait même pas avoir eu, et tout un bric-à-brac.

Alex trouva le carton rangé dans un coin. Il dépassait d'un côté, et un arbre stylisé était représenté sur le dessus. Ensuite, il s'intéressa à la pile de boîtes. Sur celle qui était tout en bas, il lut l'inscription rouge en diagonale : CADRES.

Sur une autre, au-dessus, fermée par du ruban adhésif blanc, il vit un gribouillis bleu. C'était manifestement l'écriture de son père. Alex s'approcha et déchiffra le mot CARRELAGE.

Lorsqu'il leva de nouveau les yeux, il remarqua une troisième boîte sans inscription. Il pencha la tête pour essayer de voir un autre côté du carton.

– Ah, voilà ! s'exclama-t-il avec satisfaction, en lisant DÉCORATIONS DE NOËL.

Pendant que, sans trop y croire, il essayait de dénicher le sac contenant la guirlande lumineuse, Alex tomba sur une rareté qu'il avait enfouie dans un coin de sa mémoire. Il s'agissait d'un jouet qu'il adorait quand il était petit. Un robot de trente centimètres de haut, bleu, avec des mains et des pieds rouges et un écusson sur la poitrine, qui le ramena dix ans en arrière. Il avait du mal à se rappeler les détails de cette période, mais il n'avait pas oublié ce robot. Une de ses particularités était qu'il servait de boîte. Il suffisait d'appuyer sur un bouton derrière son cou, et le buste s'ouvrait en deux.

Alex appuya sur le bouton et fut sidéré.

– Qu'est-ce que c'est que ça ? dit-il en voyant une cassette vidéo à l'intérieur du robot. Il la sortit, et lut sur la bande adhésive collée au dos : « À REGARDER LE 22 NOV. 2014 ».

« Ça n'a aucun sens, pensa Alex avant de glisser la cassette dans sa ceinture, sous son sweat-shirt. C'est aujourd'hui. »

En rentrant chez lui, il laissa les cartons de Noël dans le salon, s'enferma dans sa chambre et prit la cassette VHS. Il avait les mains tremblantes.

Il ne pouvait plus attendre. Dès que ses parents descendirent faire les courses, il courut au salon chercher le vieux magnétoscope qui avait été remplacé depuis quelques années par un lecteur CD Blu-ray. Il était enfoui sous un tas de paperasses, mais il était là. Et en parfait état de marche, d'après son souvenir. Lorsqu'il le relia au téléviseur et inséra la cassette, cependant, la déception se lut sur son visage. Il haussa les sourcils tandis que la DeLorean de Marty McFly filait à quatre-vingt-huit miles à l'heure vers 1955.

– *Retour vers le futur.* D'accord... et alors ? dit-il en cherchant la touche STOP du magnétoscope.

Il allait appuyer dessus lorsque les images du film s'interrompirent brusquement. L'écran devint gris et brouillé, comme si on avait enregistré quelque chose par-dessus le film. Puis une image se forma. L'enfant qui apparut devant ses yeux, c'était lui. Il devait avoir quatre ou cinq ans.

Derrière lui, son vieux panier à jouets en rotin. À côté, un énorme ours en peluche gisait, la tête en bas, sur un vieux fauteuil bordeaux. Aucun de ces objets ne faisait plus partie de l'ameublement de sa chambre depuis une éternité.

Des posters de sportifs étaient affichés aux murs, de Ayrton Senna à Michael Jordan.

Le petit Alex était assis en tailleur. Il portait un short bleu et un tee-shirt où l'on voyait oncle Picsou sauter d'un tremplin pour atterrir sur une montagne de pièces d'or. Le casque de cheveux blonds d'Alex dessinait une calotte sur sa tête, sa frange retombant presque jusqu'à ses sourcils. Quand il leva les yeux, fixant directement l'objectif du Caméscope, le message qu'il prononça de sa voix d'enfant fut aussi clair que sidérant :

– Ce message est pour moi, quand je serai grand. Au mois de novembre 2014 je devrai partir. Aller la retrouver. Avant qu'il soit trop tard.

Ensuite, l'enfant se leva et disparut. L'écran

redevint noir. Quelques secondes plus tard, Michael J. Fox réapparut dans une grange de la Hill Valley des années cinquante.

« Ce n'est pas possible », pensa Alex en rembobinant la dernière minute de l'enregistrement. Lorsqu'il le repassa, il eut la confirmation qu'il avait bien entendu. Il remit tout à sa place, rapporta la cassette vidéo dans la cave, et la rangea à l'intérieur du vieux robot, avant que ses parents rentrent.

Cette VHS portait la date du jour où il l'avait retrouvée, et le message qu'il s'était envoyé à lui-même n'avait rien d'ambigu. Il était même trop précis. D'une précision inexplicable.

Il y avait quelque chose d'absurde dans toute cette histoire, qu'il devait déchiffrer. Même s'il fallait parcourir la moitié du monde pour y parvenir.

Alex le savait : une seule personne pouvait l'aider à mener à bien son entreprise.

– Je ne suis pas sûre que ce soit une bonne idée, dit Valeria Loria en mettant la table.

Une odeur alléchante d'échalotes rissolées envahissait la cuisine. La mère d'Alex pointa la télécommande vers le téléviseur et mit le son sur MUTE, avant de verser de l'eau dans une carafe qu'elle posa au milieu de la table.

– Combien de temps est-ce que tu voudrais partir ? demanda Giorgio, le père d'Alex, d'une voix décidée et bien timbrée. Un long week-end ?

Alex se contenta d'acquiescer d'un signe de tête.

– Je ne comprends pas quel besoin tu as d'aller là-bas. Comme si vous ne vous voyiez pas suffisamment !

Alex ouvrit la bouche pour protester, mais sa mère l'arrêta d'un geste.

Il se retint et alla s'asseoir à sa place. La vaste cuisine des Loria était garnie de meubles anciens en bois foncé, ornés de boules en cuivre et de motifs floraux. Une longue table en bois massif trônait au milieu. Suspendu au plafond, au-dessus de la table, un lustre en cristal. Au mur opposé au plan de cuisson, un buffet années cinquante en chêne, muni de petites portes vitrées, laissait entrevoir l'argenterie destinée aux grandes occasions.

Alex détestait cette pièce. Il la détestait. Comme le reste de l'appartement, d'ailleurs. Pour lui, ce n'était qu'une prison dorée et sophistiquée.

– Vendredi, il y a une réunion générale à l'école, dit-il d'une voix hésitante. Mais ce n'est pas obligatoire. Je pourrais aller chez Marco jeudi soir… et y rester jusqu'à dimanche.

Son père le fixa un instant, puis il déplia sa serviette, et la posa sur ses genoux.

Valeria regarda d'abord son mari, puis son

fils. Elle savait que ce serait à elle de trouver une solution qui leur convienne à tous les deux.

– Tu n'as pas un match dimanche ? demanda-t-elle encore.

– Non, pas dimanche.

– Et tu ne dois pas t'entraîner ? intervint Giorgio. Les matchs de qualification arrivent bientôt.

Alex ne répondit pas. Il savait que son père avait raison.

– Tu es toujours capitaine de l'équipe, si je ne m'abuse. Tu n'es peut-être pas censé passer tes fins de semaine à jouer à la PlayStation avec ton ami à moitié cinglé.

– Marco n'est pas cinglé. C'est un génie.

– Oui, oui, d'accord.

Pour la deuxième fois, Alex se retint. Ce n'était vraiment pas le moment de se disputer avec eux.

– Alors, je peux y aller ou pas ?

Valeria échangea un coup d'œil avec Giorgio, qui avait déjà remis le son de la télévision, comme pour laisser à sa femme la responsabilité de donner l'autorisation ou de la refuser.

– Bon, vas-y, répondit-elle, tandis qu'ils entendaient l'annonce des titres du journal télévisé en fond sonore, ce qui signifiait chez eux « fin des discussions ».

Il avait réussi.

Il avait surmonté le premier obstacle.

7

Le jeudi soir à neuf heures et demie, l'interphone sonna dans un appartement du viale Gran Sasso. Ce n'était pas le bruit habituel et désagréable de ce genre de dispositif. La sonnerie, qui ressemblait davantage à celle d'un téléphone portable, reproduisait le thème principal de la bande originale de *Rocky IV*. Marco appuya sur une des touches de la petite télécommande verte, et la porte d'entrée s'ouvrit. Alex monta l'escalier quatre à quatre et entra dans l'appartement, son sac de basket en bandoulière.

– J'ai reçu ton message, lui cria son ami depuis la salle de bains. Tu peux m'expliquer ce qui se passe ?

Marco appuya de nouveau sur la télécommande et la porte se referma. Alex était habitué à ce genre de *tricks*, comme les appelait son ami. Des petits trucs géniaux.

Chez Marco, presque tout était actionné par des boutons, des télécommandes ou même par des ordres vocaux. Les portes, le chauffage, les appareils électroménagers de la cuisine, la chaîne hi-fi et les lumières étaient tous déclenchés et contrôlés à distance, comme dans certains appartements modernes conçus selon les lois de la domotique. Dans ce cas, cependant, chaque puce électronique avait été brevetée et réalisée par Marco lui-même.

En février 2004, plus de dix ans auparavant, ses parents avaient décidé de passer quelques jours à la montagne. Ils avaient eu envie d'acheter une maison pour les vacances, et avaient transformé leur recherche immobilière en un week-end en famille. Le pèrc de Marco, ancien skieur professionnel, avait transmis sa passion du ski à sa femme et à son fils. Ils avaient prévu, pour ces deux jours, de magnifiques descentes hors piste et de bons dîners le soir au refuge, en haut de la montagne.

Ils avaient quitté Milan sous une pluie fine. En arrivant dans le Piémont, ils s'étaient retrouvés sous une grosse averse. En sortant de l'autoroute pour prendre la nationale qui devait les conduire vers les sommets, ils avaient laissé l'orage derrière eux. Ils semblaient avoir échappé au pire. Tandis qu'ils montaient en altitude, cependant, le temps s'était dégradé. Une violente tempête de neige s'était abattue sur la route sinueuse. La Jeep avait commencé à faire des embardées, poussée par un vent déchaîné. Un arbre cassé était tombé sur le pare-brise, obligeant le conducteur à donner un brusque coup de volant qui avait entraîné la voiture dans le précipice. Marco, ballotté sur le siège arrière, n'avait même pas vu comment son père avait perdu le contrôle du véhicule. Il n'avait senti que le contrecoup de la chute. Puis le silence.

Marco avait été marqué à vie par cet accident. Ses parents étaient morts sur le coup. Il avait été sauvé par miracle et confié à ses grands-parents maternels chez lesquels il avait vécu jusqu'à l'âge de dix-neuf ans. Puis il avait décidé de prendre un appartement tout seul et l'avait trouvé dans le viale Gran Sasso.

Jusqu'à vingt ans, il s'était consacré à l'étude de l'informatique et de l'électronique. Il aimait démonter toute sorte de mécanismes, en étudier les composants, remplir la maison de ses inventions. Il pouvait gérer lui-même le fonctionnement d'une série de commandes électroniques disséminées dans chaque pièce. Il y avait la verte, qui actionnait portes et fenêtres. La bleue, dont les touches commandaient le four électrique, le micro-ondes et les plaques de cuisson. La jaune, qui réglait la température des pièces. La rouge, en revanche, avait été conçue pour gérer l'installation électrique : un panneau aux couleurs changeantes dans la chambre à coucher, des lignes de néon bleu dans la salle de séjour pour donner un aspect futuriste à son « royaume », comme il aimait l'appeler, et une multitude de petites ampoules dispersées dans l'appartement, qu'il avait transformé en une sorte de gigantesque flipper. Marco en était fier.

Depuis dix ans, son cerveau, qui fonctionnait à un rythme considérablement supérieur à la moyenne, lui permettait d'étudier et de créer des mécanismes de plus en plus sophistiqués, depuis les télécommandes pour la maison jusqu'aux logiciels. En informatique, c'était une sorte de prodige. Dès que ses amis rencontraient un problème dans ce domaine, Marco avait la solution. Comme le disait toujours Alex, « il avait des années-lumière d'avance ».

Mais ce qui faisait la différence entre les deux amis, ce n'était pas seulement qu'Alex avait cinq ans de moins que Marco. C'étaient les jambes. Celles de Marco étaient restées au fond du ravin.

Le fauteuil roulant électrique de Marco sortit de la salle de bains, tourna dans le couloir, se dirigea vers ce que Marco appelait « la salle des machines ».

– Tu as l'air en pleine forme, dit-il en tapant sur l'épaule d'Alex.

Celui-ci était rayonnant.

– D'un certain point de vue, c'est la plus belle période de ma vie.

– Tu veux boire quelque chose ? demanda Marco à Alex, qui regardait autour de lui.

Chaque fois qu'il entrait dans cette pièce, son attention était attirée par la photo des parents de son ami, souriants et heureux le jour de leur mariage.

– Oui, merci.

Marco avait un minibar rouge en forme de canette de Coca-Cola à côté de l'un des trois ordinateurs qui occupaient la table au milieu de la pièce. Il sortit deux canettes et en tendit une à Alex.

– J'ai besoin de ton aide, dit celui-ci sans préambule.

Marco sourit et, d'un doigt, il repoussa ses lunettes sur son nez. Sa barbe négligée, ses cheveux bruns en désordre avec de longues mèches emmêlées : pour Alex, il avait toujours le même aspect depuis leur première rencontre à la finale d'une compétition de PlayStation.

– Arrête de fixer mon fauteuil roulant, lui avait dit Marco ce jour-là. Je ne veux pas gagner par compassion. J'ai des fausses jambes, mais mes mains fonctionnent très bien.

Alex avait été frappé par l'assurance de ce garçon qui, au début, lui avait simplement fait pitié. Ils s'étaient alors serré la main avant de commencer à jouer. Marco avait gagné aux tirs au but. Depuis ce jour-là, un sentiment de fraternité s'était créé entre eux, qui ne s'était jamais démenti.

Alex tenta de revenir à la réalité. Ce souvenir était gravé en images de feu dans sa mémoire. C'était l'un des moments les plus importants de sa vie. Le simple croisement de deux destins avait fait naître une grande amitié. Il lui arrivait souvent de réfléchir au fait que s'il n'avait pas vu par hasard la publicité de cette compétition dans un quotidien la veille du tournoi, il n'aurait jamais connu Marco.

– Dis-moi, de quoi as-tu besoin ?

Alex fixa la série de néons bleus sur le mur devant lui, et dut se frotter les yeux.

– Tu les laisses toujours allumées ? demanda-t-il en indiquant les lumières d'un signe de tête.

– Uniquement quand je travaille sur un PC.

– Ah. Presque toujours, alors.

– Oui.

Alex sourit et but un peu de Coca-Cola. Sur les étagères, autour de lui, il pouvait admirer un nombre incalculable d'essais sur le cosmos, de livres de science, de revues d'astronomie et de BD de science-fiction. Son attention fut attirée par un essai de Stephen Hawking. Il le prit dans la bibliothèque et le feuilleta distraitement jusqu'à la photo du scientifique. Il la contempla quelques instants, en pensant au triste déclin physique d'un homme doté d'un aussi grand esprit que celui de l'astrophysicien britannique. Puis il remit le livre à sa place.

– Tu es au courant de ces maux de tête que j'ai de temps en temps, dit Alex. De mes… hallucinations.

Marco devint attentif et regarda son ami avec curiosité.

– Tu ne m'en as jamais beaucoup parlé, répondit-il d'une voix hésitante.

Il savait à quel point ce sujet était délicat pour Alex.

– Eh bien, je crois que le moment est venu de t'en dire un peu plus.

– Je t'écoute.

– Les choses ont évolué.

Marco mit en veille les trois ordinateurs, un PC, un Mac fixe et un MacBook portable qu'il utilisait toujours en même temps.

– Voilà, tu sais…, commença Alex, en sachant qu'il s'ouvrait à la seule personne au monde à laquelle il aurait confié sa propre vie, maintenant, je suis sûr que Jenny existe.

Il lui raconta tout : ses évanouissements, ses rencontres avec la jeune fille, leurs dialogues télépathiques, et la certitude qu'elle aussi désirait ardemment le connaître.

Il raconta comment il avait réussi à découvrir où elle vivait, et comment il avait pu vérifier l'exactitude de l'information que Jenny lui avait donnée.

Il raconta ce qu'il avait vu sur la cassette vidéo.

L'enfant au casque de cheveux blonds et son mémorandum pour le futur.

Il se tut enfin, épuisé. Il se leva et s'approcha de la fenêtre sous le regard attentif de son ami. Il regarda au-dehors et s'aperçut que la nuit était tombée. Les réverbères éclairaient les rues de la ville, qui semblaient vides et désolées après la circulation de la journée. Un sans-abri poussait péniblement un Caddie. « Qui sait quelle a été la vie de cet homme, pensa-t-il. Il était peut-être riche, et maintenant il mendie. Parfois il suffit d'un seul événement... »

– Alex, dit Marco, je te crois, je t'ai toujours cru, mais je ne vois vraiment pas comment je pourrais t'aider.

– Il faut que j'aille en Australie. Tu dois m'aider à aller en Australie.

– Tu plaisantes. Tu veux partir pour l'Australie comme ça ? Maintenant ?

– Exactement. Je ne peux plus attendre. Je vais devenir fou si je n'affronte pas les choses. J'ai l'impression de vivre deux vies, il faut... que je trouve Jenny.

Marco soupira et pinça les lèvres. Puis il réactiva le Mac d'un petit coup sur la barre d'espace, et fit partir une recherche sur Internet.

– Tu as un passeport valide ? demanda-t-il.

Alex ne comprit pas immédiatement le sens de la question.

– Alors, insista Marco, tu l'as ce passeport valide, oui ou non ?

– Tu veux dire que tu vas m'aider ?

– Mais bien sûr que je vais t'aider, quelle question !

– J'ai un passeport. Je m'en suis servi pour le voyage du mois de janvier avec ma classe.

– Parfait. Voyons ce que je peux faire.

Alex s'approcha du fauteuil de son ami.

– Le problème..., dit Marco sans quitter l'écran des yeux, c'est que ce n'est pas vraiment bon marché, un vol pour Melbourne.

– Je vois.

Le prix minimum d'un aller-retour était de mille trois cent cinquante euros. Si l'on achetait son billet trois mois avant le départ, le chiffre descendait à trois cents euros, mais Alex n'avait pas l'intention d'attendre.

– Qu'est-ce que tu penses faire ? demanda Marco.

Il prenait les choses au sérieux. N'importe qui d'autre aurait traité Alex de fou. S'il s'était confié à ses parents ou à un autre ami, ils lui auraient conseillé d'aller voir un bon psychanalyste. Mais, Alex le savait depuis longtemps, Marco était quelqu'un de particulier. Il l'avait écouté attentivement dès le moment où il lui avait parlé de son premier évanouissement. Quatre ans plus tôt.

– Je ne sais pas. Je n'ai pas assez d'argent.

– Ce n'est pas un problème.

– Comment ça ?

Marco sourit. Comme si la réponse était évidente.

– Disons que j'ai des ressources…

– Écoute, je ne veux pas que tu me prêtes de l'argent.

– Je n'ai aucune intention de t'en prêter. De toute façon ce ne serait pas mon argent…

Marco ricana et se mit à fouiller dans un tas de papiers derrière le Mac. Il trouva ce qu'il cherchait et tendit un dossier à Alex, qui le feuilleta pendant que son ami lui expliquait ce qu'il contenait.

– Voilà quelques fiches techniques que j'ai réussi à me procurer grâce à mes travaux de hacker. C'est une liste de comptes bancaires sur lesquels je peux faire certaines opérations avec une relative tranquillité.

– Tu m'étonneras toujours.

Alex parcourut les pages sans comprendre la liste de noms et de chiffres qu'il avait sous les yeux.

– De tous ces fonds, je peux soustraire de petites sommes, comme le ferait n'importe quelle société à laquelle on a acheté quelque chose en ligne avec une carte de crédit.

– C'est sans risque ?

– Bien sûr que non, mais j'ai mes systèmes, ne t'inquiète pas. Tout d'abord, il faut que ce soit des sommes qui n'éveillent pas les soupçons. Je ne veux pas devenir milliardaire comme ça ; de toute façon ce serait impossible, on me découvrirait un jour ou l'autre. Ensuite, cet argent, je ne le mets pas sur mon compte. Je l'envoie à une série de cartes de crédit prépayées adressées à des sociétés fictives qui…

– Si tu crois que j'y comprends quelque chose…, l'interrompit Alex, les sourcils froncés, retenant son envie de rire.

– En résumé, j'arrive à m'emparer d'un petit magot sans impliquer mon compte bancaire, et je peux prélever la somme dont tu as besoin en me servant des cartes de crédit prépayées que je garde dans mon coffre-fort, là-bas.

Marco désigna un petit cube en métal sur une étagère, celle où il avait également posé la photo de mariage de ses parents.

– Demain, tu vas demander une carte prépayée. Moi, je m'occupe de la faire créditer de trois mille euros dans l'après-midi.

Alex resta bouche bée.

– Ne dis rien. Le regard de Marco se posa sur une photo fixée au mur derrière les ordinateurs. Elle représentait une vieille dame en train de tricoter. Tu te rappelles l'année 2011 ?

– Oui – Alex eut un sourire mélancolique –, je m'en souviens très bien.

– Si tu n'avais pas été là pendant ma dépression, je ne m'en serais jamais sorti. La mort de ma grand-mère m'avait anéanti. Elle était comme une deuxième mère, pour moi.

– Je sais.

– Cette année-là, je ne l'oublierai jamais. Trois mille euros, ça ne vaut pas un centime de ce que tu as fait pour m'aider.

8

Enfermée dans sa chambre, son iPod posé sur son bureau, et son énorme casque Sennheiser serré sur ses longs cheveux châtains, Jennifer Graver passa la matinée à faire des recherches sur Internet.

Elle voulait se mettre à la place d'Alex, essayer de comprendre quel genre de problèmes il devrait affronter pour venir la retrouver.

Il devrait prendre un avion, survoler la moitié du monde, trouver un hôtel où passer la nuit, et espérer qu'à son réveil, son rêve devienne réalité. Jenny était contente qu'il ait décidé d'entreprendre ce voyage. Ses parents à elle ne lui auraient jamais permis de le faire. Elle essaya d'imaginer la famille d'Alex, son monde, sa vie, tout ce qui entourait le visage qui lui était apparu quelques instants, lors de leur dernier dialogue.

Puis elle ferma les yeux, et repensa aux dernières phrases d'Alex.

« *Tu es le plus beau rêve que j'aie jamais fait.* »

« Je n'ai jamais rien éprouvé de semblable. »

« Je veux te rencontrer, même si je dois aller au bout du monde. »

Ces mots lui avaient réchauffé le cœur ces derniers temps, et la consolaient en attendant le moment qui, selon ses espérances, allait changer sa vie pour toujours.

Lorsque Clara l'appela, du rez-de-chaussée de la petite maison, elle ne l'entendit pas. C'était juste au moment où elle écoutait *1979* des Smashing Pumpkins, et c'était un air qui la coupait toujours du reste du monde. Le regard vague, perdu dans les pages de son journal intime, Jenny fredonnait les paroles de la chanson. Elle avait souvent réfléchi à la mélancolie des mots avec lesquels Billy Corgan parlait de son adolescence rebelle. « *And I don't even care to shake these zipper blues... And we don't know just where our bones will rest. To dust I guess, Forgotten and absorbed into the earth below* » – (Je me fous même du blues du vagabond... On ne peut pas savoir où reposeront nos os. Ils deviendront poussière, j'imagine, Ils seront oubliés, et resteront sous terre).

Sa mère monta l'escalier en mettant son anorak, et arriva dans la chambre, l'air pressé.

– Ma chérie, toujours avec ce casque sur la tête..., dit-elle en remontant sa fermeture éclair.

– Qu'est-ce qu'il y a ?

– Les courses ! Je t'avais demandé de venir avec moi.

Jenny acquiesça d'un signe de tête, enleva son casque et arrangea ses cheveux.

– Ah, méfie-toi, on annonce de la pluie, lança Clara en sortant de la pièce.

Jenny finit de marquer la date de sa dernière *rencontre* avec Alex dans son journal, puis elle le referma, et se leva.

Le journal de Jenny retraçait l'histoire de sa relation avec Alex depuis 2010. Chaque épisode était relaté sur ce qui n'était qu'un simple classeur à anneaux, toujours prêt à enregistrer tous les sentiments, toutes les réflexions de la jeune fille. Ils s'accumulaient pêle-mêle au fil des pages, à la recherche d'un ordre. C'était l'écrin de ses pensées intimes, elle seule pouvait y avoir accès.

Personne n'était au courant de l'existence d'Alex.

Jenny avait toujours protégé son secret, elle sentait qu'il n'appartenait qu'à elle. Comme un don particulier, elle en était jalouse, et le défendait soigneusement. En outre, depuis quelque temps, ses évanouissements avaient cessé et la communication avec Alex était devenue plus facile, moins douloureuse. Tout cela lui permettait de mieux garder pour elle ce qui était en train de devenir une relation à part entière.

Dans son journal, Jenny se posait mille questions. Qui était ce garçon ? Une hallucination ? Un ami imaginaire ? Était-il possible de tomber amoureux d'une sensation ? Au début, elle avait refusé de croire à cette histoire à distance tellement absurde, mais plus le temps passait, plus elle sentait le besoin d'être physiquement à côté de la voix désormais si familière qu'elle entendait dans sa tête. Le rêve devait se transformer en réalité. Jenny voulait se trouver devant ces yeux qu'elle avait seulement entrevus jusqu'à présent. Et peut-être que le temps était venu.

Sur une page datée du 18 août 2014, le premier paragraphe de son journal citait fidèlement une définition qu'elle avait lue dans Wikipedia :

« *La* télépathie, *également dite* transmission de pensée, *est la capacité hypothétique de communiquer par la pensée sans utiliser d'autres sens ni aucun instrument. Le terme télépathie a été introduit en 1882 par Frederic William Henry Myers et vient du grec* τηλε, *tèle (loin) et* πάθεια *pàtheia (sentiment). De même que la précognition et la clairvoyance, la télépathie fait partie de ce qu'on appelle perceptions extrasensorielles ou PES et, plus généralement, des présumées facultés paranormales. Elle entre dans le domaine de recherche de la parapsychologie.* »

Était-ce là le pouvoir qui les liait ? Était-ce là leur don ?

Jenny était déjà tombée sur le mot « télépathie » dans des romans ou des films, mais il s'agissait toujours d'une faculté dont on pouvait se servir à un moment et dans un lieu donnés, avec une personne présente dans le même champ d'action que le sujet télépathique. Dans son cas, le mystère le plus difficile à expliquer était la distance immense qui la séparait d'Alex.

Jenny mit un jogging, fit disparaître son journal dans un tiroir, adressa une dernière pensée à Alex, et descendit au rez-de-chaussée où sa mère l'attendait.

« Qui sait quand il arrivera... »

Le jeudi et le vendredi soir, Alex dormit chez Marco. Le samedi matin, il réserva son billet pour Melbourne. Une semaine, sans compter les jours de voyage. Il se dit que pour ce premier « rendez-vous », ça pourrait suffire.

Le dimanche matin, il eut une nouvelle rencontre télépathique avec Jenny, et il était désormais évident que quelque chose avait changé dans leur façon de communiquer.

Alex eut une perception très particulière avant que s'établisse le contact avec elle. Il eut l'impression de l'avoir *appelée*. D'avoir perçu sa vibration, la fréquence de sa pensée, comme si son esprit, ou son âme, avait été une sorte d'antenne.

– *Tu l'as senti toi aussi ?* demanda Alex, sûr que Jenny comprendrait à quoi il faisait allusion.

– *Je reconnais ton son... Non, ce n'est pas un son, c'est comme une lumière, quelque chose qui apparaît dans ma tête. Je ne sais pas comment l'expliquer.*

– *Je suis sûr de t'avoir appelée.*

– *Oui, je sais.*

– *Dans deux jours je serai en Australie, Jenny. J'atterrirai à dix heures du matin.*

À ce moment, Alex sentit une vibration nouvelle et le bruit d'un orage qui approchait. Un coup de tonnerre explosa dans son cerveau, mais sans provoquer de douleur. Au contraire, il lui donna un étrange sentiment de pouvoir, comme si ce coup de tonnerre avait élargi son esprit, comme s'il avait aboli les limites de sa boîte crânienne.

– *Dis-moi où je peux te rencontrer,* ajouta Alex, tandis qu'un nouveau coup de tonnerre se superposait à leur communication.

– *Je ne sais pas.*

– *Dis-moi un endroit, un endroit quelconque où nous puissions nous voir.*

Jenny hésita quelques secondes avant de répondre.

– *Altona Beach Pier.*

– *Qu'est-ce que c'est ?* demanda Alex, mais le contact s'interrompit.

Alex écarquilla les yeux. Il était allongé sur le canapé du salon de Marco. Son ami était à un mètre de lui, et l'observait avec curiosité.

– Tu étais avec elle ? lui demanda-t-il.

Alex parcourut la pièce du regard, reprenant peu à peu contact avec la réalité.

– Il faut que je vérifie quelque chose, dit-il en s'asseyant. Je dois savoir s'il y a un endroit qui s'appelle Altona Beach Pier. Et où ça se trouve.

– On va voir ça tout de suite.

Marco se dirigea vers son ordinateur et tapa précipitamment le nom que son ami venait de lui donner.

Apparemment, d'après ce qu'ils virent sur Google Maps, il s'agissait d'une jetée s'avançant dans l'océan, située dans un quartier tranquille de la zone sud-ouest de Melbourne.

Le lendemain matin, pendant que ses parents étaient partis travailler, Alex rassembla quelques vêtements, un livre, et son fidèle iPod. Il glissa le tout dans le sac à dos qu'il utilisait pour mettre ses affaires de classe. Avant de sortir, il écrivit une petite lettre, qu'il laissa sur la table de la cuisine :

Chers parents,

Je suis parti en voyage. Je ne resterai pas longtemps absent. Ne vous inquiétez pas pour moi.

Je ne cours pas de danger, mais je ne peux pas vous dire de quoi il s'agit. Vous ne comprendriez pas. Je ne peux plus attendre, et il aurait été absurde de vous demander la permission de m'en aller.

Je vous aime, pardonnez-moi.

ALEX

Le sac à l'épaule, Alex retourna chez Marco pour y passer la dernière nuit avant son départ. Son vol était prévu pour le lendemain matin à sept heures.

– Je t'envie, tu sais ? lui dit Marco.

Il mettait une tranche de jambon sur un toast.

– Pourquoi ? demanda Alex en s'asseyant à table.

Marco appuya sur un bouton bleu encastré dans le dossier de son fauteuil. En quelques secondes une fente s'ouvrit dans la table, devant la place occupée par son invité. Il en émergea une tablette de bois sur laquelle étaient disposés un verre, des couverts et une serviette.

– C'est simple. Il y a quelqu'un quelque part qui a besoin de toi, et qui est impatient de te rencontrer.

– Oui, quelqu'un qui pendant quatre ans n'a parlé avec moi qu'à travers des crises d'épilepsie...

– Arrête ! Tu sais qu'elle existe, dit Marco

d'un ton décidé. (Puis il baissa le regard sur ses jambes inertes.) Ça ne m'arrivera jamais, à moi, ce genre de chose.

– Ne sois pas idiot. Ça t'arrivera aussi un jour ou l'autre. Il faut simplement attendre le bon moment.

Marco mordit dans son sandwich, et parla la bouche pleine :

– Je suis un handicapé.

Alex versa de l'eau dans son verre, avec un signe de dénégation de la tête.

– Tu es un génie, Marco. Tu as une intelligence hors du commun. Tu n'as pas de jambes, d'accord. Mais il y a des gens qui ont des jambes et qui ne prennent aucun chemin dans la vie, qui restent immobiles, à végéter.

– Tu as peut-être raison… un jour ou l'autre je trouverai une pauvre fille disposée à passer le reste de sa vie avec un garçon à deux roues.

Marco se mit à rire. Il se moquait toujours de lui-même, Alex s'y était habitué.

– Tu es prêt ? reprit-il. Pour demain matin, on va mettre trois réveils.

– Oui.

Alex ferma les yeux et s'imagina en train de survoler la planète vers l'Australie.

– Je suis prêt. En fait, je ne tiens plus en place.

Après le dîner, ils restèrent tous deux quelques heures dans le salon à bavarder devant la télévision avant d'aller se coucher. Comme ils pouvaient s'y attendre, la mère d'Alex téléphona chez Marco, en proie à la plus vive agitation. Marco joua parfaitement son rôle, il répondit qu'il avait essayé, lui aussi, d'appeler Alex sur son portable, et qu'il allait justement le joindre chez lui. La mise en scène semblait avoir fonctionné. Les parents d'Alex ne viendraient pas le chercher pour le moment. C'est en tout cas ce qu'ils espéraient.

Le lendemain matin, le réveil sonna à quatre heures.

Le voyage commençait.

9

Alex décolla de l'aéroport Malpensa de Milan le 28 novembre 2014 à 07 h 12. L'atterrissage à l'aéroport Charles-de-Gaulle de Paris, qui devait avoir lieu moins d'une heure et demie plus tard, était la première des deux escales prévues.

Grâce à Marco, il pourrait tout payer avec la carte. Plus d'un tiers de son budget avait été dépensé quand il avait pris son billet. Une partie de ce qui restait était destinée à un hôtel en Australie, à moins que Jenny puisse l'héberger. Mais il avait du mal à imaginer que celle qui n'était qu'une hallucination, il y avait quelques jours encore, puisse maintenant l'héberger chez elle.

Trois heures et demie d'attente étaient prévues avant le deuxième vol. Pendant la première heure, Alex erra sans but dans l'aéroport. Il s'arrêta simplement dans une boutique acheter de nouveaux écouteurs pour son lecteur MP3, puis il s'assit dans un café et sortit de son sac à dos un livre d'Andrew Klavan, *Jugé coupable*.

De temps en temps, il regardait autour de lui. Il voyait un va-et-vient continuel de gens qui s'embrassaient, se disaient au revoir, émus avant de se quitter, ou qui se retrouvaient, heureux de se revoir après si longtemps.

« Chacun d'entre eux est une ligne », pensa-t-il, et il se mit à voir chaque personne comme une ligne tracée sur une carte hypothétique. Un gigantesque enchevêtrement de routes qui se croisaient, s'effleuraient, se rejoignaient, et continuaient plus loin. Là, au-dehors, dans les rues du monde, des milliards de lignes, de parcours de vie. Des milliards de directions. Des voies prises de travers par hasard, parfois brutalement interrompues. Il pensa un instant que deux amoureux n'étaient que deux parcours livrés au hasard. Ils pouvaient dessiner les trajectoires les plus absurdes sur une mappemonde, se diriger partout, et ne jamais se rencontrer. Ou alors se croiser, plusieurs fois même, sans jamais se *reconnaître*. Ils pouvaient prendre le même autobus tous les matins, sans rien savoir l'un de l'autre. Et ainsi de suite jusqu'à la fin de leurs jours, sans qu'il y ait jamais la moindre interférence entre leurs parcours. Et pourtant, il suffisait de si peu de chose : l'échange de quelques mots, ne serait-ce que fortuitement, et les lignes se rejoindraient comme par magie. Les traits gris des chemins solitaires ne feraient plus qu'une seule route.

À midi, exactement à l'horaire prévu, l'avion Paris-Kuala Lumpur décolla.

L'atterrissage devait avoir lieu à six heures trente-cinq, heure locale. Dans l'avion de la compagnie Malaysia Airlines, Alex parvint à s'endormir. Il se réveilla deux heures seulement avant l'arrivée. « Même si j'avais pris un somnifère, je n'aurais pas dormi autant », pensa-t-il, alors que, quelques rangs derrière lui, un enfant n'arrêtait pas de hurler dans les bras de sa mère.

L'escale avant le dernier avion durait assez longtemps. Il y avait quinze heures d'attente entre l'atterrissage à Kuala Lumpur et le départ pour Melbourne. Il devrait donc passer presque toute la journée dans la capitale de la Malaisie.

Les dimensions de l'aéroport étonnèrent Alex. Il lui fallut presque vingt minutes pour atteindre la sortie. Il fut frappé par l'ordre et la propreté qui y régnaient. Des millions de personnes l'envahissaient chaque jour, et pourtant il n'y avait pas l'ombre d'un détritus par terre. Les larges baies vitrées qui donnaient sur la piste semblaient disparaître tellement elles étaient propres.

Son sac à l'épaule, Alex arriva devant les portes automatiques et sortit de l'aéroport. Une vague de chaleur lui arriva aussitôt dans la figure. L'humidité était aussi insupportable que soudaine.

Il ne savait pas comment passer le temps. Il prit une grande avenue, où il n'y avait pas trop de voitures. La première chose qu'il remarqua, ce furent les indications pour arriver au circuit automobile de Sepang, tout près de l'aéroport. Il avait vu plusieurs courses disputées sur cette piste. En tant qu'amateur de jeux vidéo, il connaissait assez bien son tracé. Il l'avait étudié à plusieurs reprises, souvent chez Marco, quand ils se défiaient à la PlayStation. Il décida de continuer dans cette direction.

Des travaux rendaient le circuit inaccessible, mais dans un anglais approximatif, Alex demanda à un ouvrier de lui indiquer un endroit où manger et se reposer pendant quelques heures. Puis il sauta dans un autobus qui l'emmena vers la côte. Lorsqu'il vit apparaître la plage au bout de la route, il descendit. Il se trouvait à Bagan Lalang Beach, la merveilleuse étendue de sable qui séparait le quartier de Sepang de l'océan Indien. Il traversa la route, tandis qu'une file de bicyclettes passait à toute vitesse devant lui sur une piste cyclable qui longeait la chaussée. Il arriva bientôt devant un muret au-delà duquel s'étendait le magnifique tapis de sable, baigné ce jour-là par des vagues trop calmes pour permettre aux surfeurs de s'entraîner.

« Incroyable... de me retrouver là ! » pensa-t-il, en se rendant compte qu'il était à l'autre bout du monde, seul, pour la première fois de sa vie.

L'atmosphère de Bagan Lalang Beach était magique. Son silence, sa tranquillité convenaient parfaitement à ses pensées. Il sentait que sa vie allait prendre une autre direction, même s'il n'arrivait pas à imaginer laquelle.

Après avoir parcouru une centaine de mètres, il se trouva devant un bar, le Chuck Berry's, qui avait des tables en terrasse. Sur un pilier, à l'extérieur, était collée l'affiche d'un des morceaux les plus connus du chanteur américain, *Johnny B. Goode*.

Alex s'assit à une table sur la terrasse, posa son sac à dos sur une chaise et attendit. Quand la serveuse lui apporta le menu, avec une photo pour chaque plat, il en choisit tout de suite un, nommé *ikan baka*, et le commanda sans hésiter. Il s'agissait d'un poisson grillé, spécialité locale, qu'Alex fit garnir de frites.

La fille qui le servit le prit en sympathie et lui raconta, qui sait pourquoi, que les hôtels, les bungalows près de la plage et en général le long de Sepang Goldcoast étaient pris d'assaut pendant toute l'année par des touristes venus des quatre coins du monde.

Après avoir déjeuné, Alex repartit et trouva un café pittoresque sur la côte, où il resta environ deux heures à lire jusqu'à ce que le patron, un homme sympathique, trapu, à la peau olivâtre et à la grosse moustache noire, entame la conversation. Le soleil tapait fort et l'humidité devenait de plus en plus difficile à supporter.

– *You are looking for a girl, aren't you ? That's the reason why you left Italy !* plaisanta l'homme après avoir écouté l'anglais confus d'Alex.

Le patron du café avait essayé de deviner, et il avait compris au vol ce qui se passait dans la tête d'Alex. Celui-ci ne répondit pas, il se contenta de rire, de tourner la tête, et de regarder l'horizon.

Il se remit en route, et se demandait comment revenir à l'aéroport, quand il passa devant un homme assis sur une chaise en bois au bord du trottoir.

– Italien ? Je te lis lignes de main.

– Non merci, dit Alex en s'éloignant dans la direction opposée.

– Cinq minutes seulement.

– Je n'ai pas le temps, j'ai un avion à prendre bientôt, voulut lui faire croire Alex, en continuant son chemin.

– Tu as tout le temps. Ton avion part ce soir.

Alex se figea sur place, interloqué. Puis il tourna lentement la tête sans dire un mot.

– Toi intelligent, reprit l'homme, en essayant de l'amadouer.

Les cheveux gris emmêlés, une veste couverte de taches, il avait les jambes croisées sous sa petite table, et les cartes déjà en main pour les battre.

– Alors, comme ça, je suis intelligent ? Tu sais donc tout, dit Alex, sarcastique.

– Oui, je sais tout. Allons, prends une carte.

Alex hésita un instant, puis il céda à la curiosité.

– Celle-ci, dit-il, en désignant une carte au hasard.

– Garde avec toi, ne parle pas.

Devant ses yeux apparut un roi de trèfle. La carte était plastifiée, plus grande que celles qu'Alex connaissait, mais son charme venait de son dessin. Elle ressemblait plus à un tarot qu'à une carte de jeu ordinaire. Ce roi semblait le regarder droit dans les yeux.

– Je vois toi faire grand saut.

– Ah oui ? lâcha Alex, sceptique.

– Toi grand saut dans océan noir.

– Et toi, tu veux peut-être de l'argent pour ces révélations extraordinaires, plaisanta Alex, qui avait simplement l'impression de perdre son temps.

Le voyant le fixa avec un sourire énigmatique, puis il tira une carte, et la lui montra. Elle représentait un petit rectangle blanc et noir traversé par un éclair jaune.

– Nous tous en grand danger, dit-il. Toi, important.

« Et toi, tu es soûl », pensa Alex, mais il ne

dit rien. Il se leva, prit son sac à dos par une bretelle pour le mettre sur son épaule droite, et s'éloigna.

L'homme resta là où il se trouvait, regardant fixement devant lui, haussant seulement le sourcil gauche, le même sourire figé sur le visage. Il ne suivit pas le garçon des yeux. Il se contenta de murmurer :

– Bon voyage, Italien, dis bonjour de ma part à fille de Melbourne.

Alex se retourna d'un coup. Cet homme ne pouvait pas le savoir. C'était impossible.

Ses yeux parcoururent rapidement le bord de la route à la recherche du voyant sur sa chaise en bois.

Il n'était plus là.

– Où diable... ?

Alex regarda dans toutes les directions, mais l'homme avait disparu.

« Absurde. Comment a-t-il pu disparaître aussi vite ? »

Alex passa la main dans ses cheveux, et quitta le quartier.

Il était six heures de l'après-midi quand il revint à l'aéroport.

Le décollage de l'avion pour Melbourne était prévu à vingt et une heures trente-cinq. Jenny était de plus en plus près de lui, et Alex frémissait d'impatience. Il s'efforça d'oublier l'épisode du voyant pour ne pas tomber dans le piège de la paranoïa. Il aurait voulu s'endormir pendant le vol et ne se réveiller qu'à l'aéroport de Tullamarine le jour suivant. Son excitation ne faisait qu'augmenter à mesure que les heures passaient.

Le vol lui parut interminable. Alex vit quatre films de suite, plus ennuyeux les uns que les autres, avec sur les oreilles les écouteurs inconfortables de Malaysia Airlines, qui lui avaient coûté cinq dollars. Il essaya de poursuivre la lecture du roman de Klavan. Le livre avait beau être prenant, passionnant même, son regard distrait relisait souvent les mêmes lignes. Impossible de rester concentré.

Le 30 novembre 2014 à neuf heures cinquante, deux jours après son départ de Milan, Alex atterrit à Melbourne.

Il alluma son téléphone portable après avoir passé le contrôle de la douane. Comme il pouvait s'y attendre, une rafale d'appels de sa mère – pas moins de quinze – s'affichaient sur son écran. Pendant un instant, il éprouva du remords en pensant à l'inquiétude de ses parents, puis il éteignit de nouveau son téléphone et le cacha dans une poche intérieure de son sac.

« J'y suis enfin », pensa-t-il, tandis que les portes automatiques de l'aéroport s'ouvraient sur son passage.

Il était arrivé. Il était là.

À deux pas de Jenny.

10

Jenny se regardait sans cesse dans le miroir. Après avoir peu et mal dormi pendant la nuit, vers huit heures et demie du matin, elle s'était détendue dans un bain chaud et relaxant, parfumé et adouci par des perles qui fondaient dans l'eau. Puis elle avait passé une demi-heure à lisser ses cheveux châtains, habituellement ondulés. Ses parents étaient sortis à huit heures, ils devaient déjà être à leur travail. Jenny leur avait dit qu'elle devait aller au lycée une heure plus tard que d'habitude, son professeur d'anglais étant absent, mais alors qu'ils la croyaient en cours, elle était en train de choisir ses vêtements pour aller à la rencontre d'Alex.

Elle n'avait jamais été en proie à une telle émotion, et elle essayait de ne pas penser à l'absurdité de ce qui lui arrivait.

Elle mit l'une de ses jupes préférées, couleur crème, qui lui arrivait au genou, avec sur le côté des petits brillants qui dessinaient la forme d'une comète. Puis elle choisit une paire de bottes marron et une veste claire sur un tee-shirt à manches courtes. Du coin de l'œil, elle consultait régulièrement l'horloge murale de sa chambre. Il était presque dix heures. Alex devait déjà avoir atterri, et il se dirigeait probablement vers le lieu de leur rendez-vous. L'aéroport était à un peu plus de trente kilomètres de la plage, alors que Jenny habitait à cinq minutes de la jetée, mais elle avait décidé d'arriver largement en avance. Elle ne tenait plus en place. Il lui était impossible de rester chez elle.

Il fallait qu'elle sorte.

La petite maison des Graver se trouvait dans Blyth Street, deuxième rue parallèle à l'Esplanade, la route qui longe l'océan Pacifique. À quelques mètres de là, Pier Street menait tout droit au quai d'Altona. Dès qu'elle eut dépassé Queen Street, Jenny sentit son cœur battre de plus en plus vite, de plus en plus fort.

Une bicyclette la frôla et tourna brusquement sur l'Esplanade. Jenny fit un bond en arrière. Elle était tendue comme une corde de violon. Elle inspira profondément avant de traverser la route.

Devant elle, la jetée.

Jenny était en avance, elle le savait bien.

Elle monta quatre marches et arriva sur Altona Beach Pier. Elle fit quelques pas, les mains sur les hanches, s'appuyant de temps en temps au garde-fou, au-delà duquel elle voyait le vent frais soulever le sable et l'emporter. Elle parcourut toute la jetée en bois, puis décida de revenir en arrière et de s'asseoir sur une marche du petit escalier qui descendait sur la plage. Elle attendrait là. Alex ne devait plus être très loin. Jenny essaya de se détendre, se laissant bercer par la vue des vagues. Elle le faisait souvent, quand elle sentait qu'elle avait besoin de réfléchir un moment. Elle descendait sur la plage, s'allongeait au bord de l'eau, et se laissait transporter par ce son magique qui l'hypnotisait et l'envoûtait.

Le cœur de Jenny battait à tout rompre. C'était presque l'heure.

Le taxi qui emmena Alex à Altona était conduit par un homme d'une trentaine d'années qui n'arrêta pas de parler pendant tout le trajet. Il l'inonda d'informations touristiques, tandis qu'Alex regardait par la fenêtre, se contentant d'acquiescer de temps à autre d'un signe de tête. Le chauffeur de taxi lui posa quelques questions, qu'Alex esquiva en répondant qu'il ne parlait pas bien anglais. En réalité, il avait une bonne moyenne à l'école et s'en tirait assez bien dans la conversation, mais il n'avait aucune envie de bavarder.

Vers dix heures quarante, le taxi tourna à droite, passant de Millers Road à l'Esplanade, puis il longea l'océan en direction de la jetée.

La vue de l'immense étendue bleue enchanta Alex.

Quelques minutes seulement le séparaient de Jenny.

La voiture se rangea, Alex paya la course et dit au revoir au chauffeur, qui lui indiqua la jetée d'un signe de tête. Mais il l'avait déjà repérée par la fenêtre de la voiture.

« Nous y sommes ». Alex traversa la route, tandis que le taxi repartait. La jetée était tout près. Il ne lui restait plus qu'à passer devant un petit marchand de glaces ambulant, le ICE CREAM PARADISE. Tandis que des enfants se poursuivaient à vélo, filant comme des flèches sur la promenade du bord de mer, il dépassa le marchand de glaces et arriva au début de la jetée. Il fit alors quelques pas sur l'Altona Beach Pier.

Il ne voyait qu'une silhouette masculine qui venait vers lui. Pas la moindre trace d'une fille de son âge. Jenny n'était peut-être pas encore arrivée.

Alex avança de quelques mètres, hésitant. À sa droite, près d'un réverbère, il remarqua un petit escalier qui allait de la jetée à la plage, en dessous. Il s'approcha. Une silhouette, qu'il voyait de dos, était assise sur l'une des marches. Elle avait de longs cheveux châtains, et le regard tourné vers la mer. Anxieux, le cœur battant, Alex descendit la première marche.

Puis il rassembla son courage et l'appela :

– Jen... Jenny ? dit-il d'une voix étranglée.

La personne se retourna brusquement.

– *What do you want* ? demanda un jeune garçon aux cheveux ondulés, longs jusqu'au milieu du dos, le regard mauvais.

– *I'm sorry*, s'excusa Alex.

Le garçon se leva et descendit les marches jusqu'à la plage. Alex le regarda s'éloigner.

– *Où es-tu, Jenny* ?

À onze heures un quart, Jenny commença à se dire qu'elle s'était fait des illusions pour rien. Au fond, comment tout cela était-il possible ?

Peut-être était-elle réellement schizophrène. Peut-être que les voix qu'elle entendait, les images qu'elle voyait, n'étaient que le fruit d'une maladie mentale.

Elle retint difficilement ses larmes. Sur la jetée, il n'y avait aucune trace d'Alex. Pendant qu'elle l'attendait, elle avait croisé un homme qui promenait son labrador, un couple de trentenaires qui se tenaient par la main, une petite vieille accompagnée d'une personne qui s'occupait d'elle, et quelques gamins qui avaient manifestement séché les cours, comme elle. Pas l'ombre d'Alex.

Jenny attendit jusqu'à onze heures et demie, puis elle se souvint des mots d'Alex lors de leur dernière conversation. Il avait réussi à l'appeler, à établir le contact avec elle uniquement par la force de sa volonté. Ce n'était plus une crise comme les premières années, ce n'était plus un état de transe soudain et passif comme les derniers mois. C'était un véritable *appel*, commandé par son cerveau.

Où es-tu, Jenny ? demanda juste à ce moment-là une voix dans sa tête.

C'était la voix d'Alex.

En un instant la jetée disparut, et Jenny sentit de nouveau une puissante vibration, une force qui l'enveloppait et l'emportait comme un bateau au milieu d'une tempête.

Elle ferma les yeux et fixa un point dans son esprit. Toutes ses autres pensées disparurent.

– *Alex*, pensa Jenny, timidement.

Leurs paroles résonnaient comme des tintements de cloche. Soudain, le grondement d'un coup de tonnerre, et le crissement d'un éclair, semblable à une décharge électrique.

Le corps glacé, Jenny essaya de fermer les yeux, mais en vain. Elle resta immobile, le regard tourné vers l'océan. Dans son cerveau retentit peu à peu l'écho des vagues qui s'étendaient devant elle.

– *Alex…*

– *Je t'entends, Jenny.*

– *Alex, où es-tu ? Ne me dis pas que tu n'existes pas, je t'en prie.*

– *Je suis là,* répondit-il. *J'existe. Je suis venu jusqu'ici, je suis venu pour toi.*

– *Où es-tu ?*

– *Je suis là, sur la jetée.*

– *C'est impossible, Alex. Je suis sur la jetée depuis plus d'une heure, il n'y a pas un chat. Tu es sûr d'être à Altona, près de Pier Street ?*

– *Oui, Jenny. Je suis à une dizaine de mètres de la route, sur la première partie de la jetée. Devant moi, il y a un réverbère et, à quelques pas, un petit escalier qui descend sur la plage.*

Alex se tut, tandis qu'une peur nouvelle s'emparait de son esprit.

– *Jenny ?*

Il respira profondément. Il craignait de perdre le contact d'un moment à l'autre.

– *Tu m'entends toujours ?*

– *Alex, je suis devant le même réverbère, près du même escalier. Exactement là où tu prétends être.*

11

Lentement, Alex se laissa tomber sur le sol. Les derniers mots de Jenny continuèrent à résonner dans sa tête pendant d'interminables secondes.

« Exactement là où tu prétends être. »

Il appuya la paume de sa main sur sa tempe droite, vrillée par une douleur aiguë et pénétrante. Puis il regarda autour de lui, plissant les yeux à cause de sa migraine, l'esprit confus.

La jetée était déserte, à présent. Au-delà, les vagues commençaient à se rider sous l'effet du vent de plus en plus froid et violent.

– Ça n'a pas de sens, murmura-t-il.

Il le répéta trois fois.

– Je deviens fou. C'est la seule explication. Je perds la tête, et je ne veux pas me l'avouer.

Il jeta un coup d'œil à son sac à dos, abandonné par terre, près du garde-fou.

Il tendit le bras pour le prendre, l'attira vers lui, et l'ouvrit. D'une main, il fouilla à l'intérieur et sortit son téléphone portable d'une poche. Il l'alluma, et sélectionna le nom de Marco dans son répertoire.

Son ami était réveillé, comme toujours, bien qu'il fût trois heures et demie du matin à Milan.

– Alex ! commença-t-il, surpris par la sonnerie inattendue de son portable.

Devant lui, ses trois ordinateurs allumés, et la faible lumière d'une lampe posée sur sa table de travail. Les néons bleus fixés au mur étaient éteints, à ce moment-là, pour éviter qu'ils ne chauffent trop.

– Excuse-moi, Marco. Tu dormais ? Le ton monocorde de sa voix était déjà un livre ouvert pour son ami.

– Mais non, je suis en train de craquer un système. J'ai réussi à entrer dans la banque de données d'une chaîne de jeux vidéo et, si on a de la chance, j'arriverai à me faire envoyer à la maison une copie du nouveau Call of Duty avant demain matin. Gratuitement, natur…

– Jenny n'est pas là, l'interrompit Alex. Je suis à l'endroit où nous avions rendez-vous, mais elle n'est pas là.

– Elle a peut-être eu un contretemps. Elle peut encore arriver.

– Non, le problème est ailleurs. Nous venons de nous parler.

Marco recula son fauteuil roulant et s'éloigna de ses ordinateurs. Il s'arrêta près d'une petite table sur laquelle il avait laissé une bouteille d'eau. Il but quelques gorgées en essayant de comprendre ce que son ami entendait par ce mot « parler ».

– De vous parler… par la pensée ?

– Oui.

– Et qu'est-ce qu'elle t'a dit ? Elle t'a expliqué pourquoi elle n'était pas là ?

– Non, au contraire.

– Je ne te suis pas.

Alex regarda autour de lui, comme s'il avait peur que quelqu'un l'entende, mais seules les vagues se brisaient sur la jetée.

– Elle dit qu'elle est là, exactement là où je suis en ce moment.

Marco resta bouche bée. Depuis qu'Alex lui avait parlé de Jenny et de ses rencontres bizarres, il n'avait jamais douté une demi-seconde de la bonne foi de son ami, et encore moins de sa santé mentale. Il était convaincu que tous les rouages du cerveau d'Alex étaient bien à leur place. Mais alors, qu'est-ce qui se cachait derrière ce rendez-vous manqué ?

Elle était là, ou en tout cas elle lui affirmait qu'elle se trouvait à l'endroit où elle lui avait donné rendez-vous. Mais il n'y avait personne, d'après Alex. Une jetée déserte.

– Dis, est-ce que tu te rends compte que ce que tu me racontes n'a aucun sens ?

– C'est ce que je continue à me répéter. Tout cela n'a aucun sens ! Je deviens fou !

Alex donna un coup de poing par terre.

– Écoute. Essaie de te calmer, dit Marco. Il doit y avoir une explication. Donne-moi dix minutes. Il faut que je vérifie quelque chose. Je te rappelle.

– D'accord, répondit Alex, découragé.

– Ne t'éloigne pas de là où tu es, va manger un sandwich, allonge-toi sur la plage, mais ne prends pas d'initiative avant que je te rappelle.

Alex mit son portable dans sa poche, prit son sac à dos, et se dirigea vers le petit escalier qui descendait sur la plage. Quelques gamins jouaient au ballon au loin. Un homme accompagné de son chien marchait au bord de l'eau d'un pas alerte. Alex comprit à ce moment le sens d'une phrase qu'il avait lue sur Internet, quand il avait tapé le nom du quartier, et qu'il avait eu sous les yeux un site de voyages qui annonçait : « l'endroit le plus calme de Melbourne, une oasis de tranquillité ».

Il soupira et s'étendit sur le sable, le regard perdu dans le ciel d'un bleu limpide. Sa migraine était en train de passer.

Pendant ce temps, Marco avait fait entrer une série de mots-clés dans Seeker, et attendait les résultats.

Seeker était un programme qu'il avait inventé. Il était destiné à devenir le logiciel de recherche le plus extraordinaire au monde, comme Marco aimait à le répéter. Il aurait pu le vendre à une grosse société et en obtenir beaucoup d'argent.

Dommage que, pour le moment, il fût complètement illégal.

L'algorithme sur lequel Seeker était basé permettait à la recherche de traverser plusieurs niveaux. Il allait dénicher des correspondances dans les forums, dans les statuts de Facebook, dans les messages de Twitter, dans les contenus de MySpace, sur toutes les principales plates-formes qui utilisaient des logiciels d'interaction entre les utilisateurs. Le tout était confronté aux résultats des principaux moteurs de recherche et des encyclopédies les plus fiables, ainsi qu'à ceux des archives et des bases de données en ligne. L'idée fondamentale de ce logiciel était de croiser les contenus en ligne et hors ligne, les expériences qu'on ne pouvait pas vérifier, et les informations sûres. C'était la seule façon, d'après Marco, de sonder les infinies possibilités, de trouver de nouvelles hypothèses. L'objectif était donc de formuler des hypothèses, et non pas de chercher des réponses toutes faites. Mais il y avait une « zone » de recherche, sans aucun doute celle qui présentait le plus d'intérêt et pouvait fournir les informations les plus utiles, qui ne respectait pas exactement la loi. Marco était parvenu à pénétrer dans la banque de données des principaux opérateurs nationaux de téléphonie, et il avait créé un algorithme qui passait au crible tous les SMS échangés par les usagers, en cherchant des correspondances. Au mépris de tout respect de la vie privée, comme il le disait toujours.

Le processeur se mit à travailler sur les données.

Au bout de dix minutes à peine, la bande violette au centre de l'écran en occupa la totalité, et les premiers résultats commencèrent à apparaître. L'écran se remplit de liens, de listes de bibliographies, de noms propres d'auteurs. Marco comprit qu'il avait besoin de temps pour analyser ces renseignements et faire le tri. Il devait ajouter encore quelques données pour pouvoir commencer à éliminer les réponses les moins utiles.

Il prit son ordinateur de poche et envoya un SMS à son ami : ÉLÉMENTS INTÉRESSANTS, J'AI BESOIN DE RÉFLÉCHIR. VA FAIRE UN TOUR, MANGE QUELQUE CHOSE. À TOUT À L'HEURE.

Alex lut le message et comprit qu'il n'avait pas le choix. Maintenant qu'il était un peu moins tendu, il s'aperçut qu'il avait assez faim. Sur le moment, les événements lui avaient coupé l'appétit. Mais il était plus de midi, et le conseil de son ami lui parut raisonnable. Il se mit à marcher sur la promenade de l'Esplanade, dans la direction opposée à celle qu'il avait prise en taxi à l'aller.

Il passa devant deux ou trois cafés. Puis il remarqua un restaurant, qui s'appelait STEAK MEX et semblait être un endroit où l'on pouvait manger de l'excellente viande à un prix exorbitant. Il poursuivit son chemin. Un peu plus loin, un marchand de pizzas en portions correspondait mieux à ce qu'il cherchait.

Il s'assit à une petite table à l'ombre et posa son sac à dos sur la chaise voisine. Il commanda une part de pizza et une portion de croquettes de pomme de terre. En attendant qu'on le serve, il appuya ses coudes sur la table et laissa retomber sa tête entre ses mains, plongeant dans le noir, et se réfugiant dans ce petit coin de solitude jusqu'à l'arrivée du serveur.

À l'autre bout du monde, Marco imprimait des pages et des pages, soulignait des paragraphes, traitait d'autres données sur son ordinateur, prenait des notes sur un bloc de papier A4 à petits carreaux. Il sentait venir une explication à ce qui était arrivé à Alex, même si elle paraissait incroyable. Il avait déjà une idée, mais il devait encore vérifier certaines informations. Tout cela pouvait sembler dénué de fondement raisonnable, paraître invraisemblable, pour ne pas dire paranormal, mais toutes les pistes menaient dans la même direction. En admettant que son ami ne souffre pas de problèmes psychiques, il n'y avait qu'une seule réponse possible. Une réponse venue d'une question que Marco s'était posée des années plus tôt, le jour de l'accident où ses parents avaient perdu la vie.

L'écran du téléphone portable d'Alex s'éclaira soudain, tandis qu'il buvait un café, ou plutôt un jus de chaussette, dans un grand gobelet en carton.

– J'ai une piste, dit Marco. J'imagine que ça te paraîtra complètement absurde. Sache que j'accepterai toute sorte d'insultes de ta part. Mais si je considère comme acquis que tu ne souffres pas de troubles mentaux, il n'y a qu'une seule solution à l'énigme. C'est la seule hypothèse sur laquelle il convient de se concentrer pour avancer.

– Je t'écoute.

– On est dans un domaine que l'être humain ne connaît pas encore très bien.

– J'ai fait la moitié du tour du monde pour parler à une fille avec laquelle je ne communique que par la pensée… je suis prêt à tout.

– Alors dis-moi quand ont commencé tes crises.

– Il y a quatre ans, tu le sais.

– Bon. Tu as commencé à entendre des voix, à voir des images. Tout était confus, la communication avec *l'autre partie* était compliquée et souvent incompréhensible. C'est bien ça ?

– Oui.

– Avec le temps, Jenny et toi, vous avez affiné la technique qui vous permettait de communiquer, d'échanger des informations, d'en apprendre davantage l'un sur l'autre.

– Pourquoi est-ce que tu me dis ce que je sais déjà ?

– Écoute-moi ! Les derniers mois, les choses ont évolué. Vous êtes parvenus à communiquer sans douleur, sans évanouissements, sans être gênés par des interférences de voix ou d'images qui ne vous concernaient pas. Vous avez eu de brefs dialogues, de plus en plus nets.

Alex repensa à la première fois où il avait réussi à ne pas s'évanouir, le jour où il avait entendu la voix de Jenny à la bibliothèque universitaire, où il avait eu l'impression de flotter dans les limbes, alors que son corps restait bien droit, planté sur sa chaise en bois.

– Où veux-tu en venir ?

– Jenny t'a apporté la preuve de son existence, en te donnant un rendez-vous dans un endroit de la Terre dont tu n'avais jamais entendu parler. En plus, d'après ce que tu m'as raconté, elle t'avait aussi donné un renseignement que tu ne pouvais pas connaître...

– Le nom d'un maire australien.

– Exactement. Donc, Jenny existe, ça ne fait aucun doute. Et elle vit là où elle dit vivre.

– Mais elle n'était pas sur la jetée ! Elle prétendait y être, mais il n'y avait personne !

– Alex… Jenny *était* sur la jetée.

Un petit garçon déboula sur un skateboard à côté du marchand de pizzas, sautant la marche du trottoir d'un bond agile et à toute vitesse. Alex prit son sac, s'approcha du comptoir, sortit la carte prépayée, et la donna au serveur sans même regarder le prix affiché sur la caisse.

– Tu es encore là ? demanda Marco.

Alex salua d'un signe de tête et s'éloigna. Il alla s'appuyer contre le parapet, le long de l'océan, observant les vaguelettes dorées sous le soleil.

– Marco… mais qu'est-ce que tu racontes ?

– Exactement ce que je t'ai dit. À partir de maintenant, il faut voir les choses de manière différente, mon ami.

– Pardonne mon ignorance, mais il me semble que si une personne est sur une jetée devant un réverbère, et que je suis sur la même jetée devant le même réverbère, je devrais la voir !

Marco sourit en fouillant dans les pages de notes qui s'entassaient sur sa table, au point que le clavier de son Mac était enseveli sous une pile de papiers. Il rangerait plus tard.

– Je vais te donner un petit exemple pour te faire comprendre ce que je veux dire.

– Vas-y !

– Il y a dix ans, je ne suis pas resté paralysé de la taille aux pieds à la suite de l'accident que tu connais. La voiture tombe dans le précipice, mais elle s'écrase contre un arbre, en éventrant simplement sa partie centrale, et en laissant mes parents en vie et ton ami en pleine forme.

– Qu'est-ce que tu es en train d'inventer ?

– C'est une hypothèse de scénario. Tu arrives à l'imaginer ?

– Ben, oui... J'aimerais tellement que ce soit comme ça. Malheureusement, c'est un scénario purement imaginaire.

– Tu es d'accord avec moi sur le fait qu'il y a des événements précis, dans la vie de chacun de nous, qui changent pour toujours le cours de notre existence ?

– Bien sûr.

– Il y en a de plus graves, comme mon accident, et d'autres qui semblent insignifiants, mais qui ne le sont pas. Rien n'est insignifiant. Le concept de gravité est relatif. Pour moi, tout a changé depuis ce jour-là, parce que j'ai perdu ma famille et l'usage de la moitié de mon corps. Pour le président des États-Unis, ce qui est grave, c'est un scandale qui l'empêcherait d'être réélu. Pour chacun de nous, il y a des centaines de moments critiques différents.

Alex écoutait attentivement les paroles de son ami. Il pensa à la « théorie des lignes » qu'il avait imaginée en observant les gens à l'aéroport de Roissy. Chaque personne était un parcours.

D'après ce que disait son ami, le parcours de Marco avait brusquement dévié dix ans auparavant, à la suite de son accident. Tout ce qui aurait pu arriver dans sa vie avait été *détourné* sur un tracé entièrement différent à cause de cette tragédie.

– Maintenant, essaie d'imaginer, reprit Marco, que dans une réalité hypothétique, je ne sois pas resté paralysé dans cet accident, que ma famille ne soit pas morte, écrasée sous la ferraille. Où serais-je, en ce moment ?

– Je ne sais pas. Tu serais chez toi avec tes parents, tu marcherais... Pourquoi est-ce que tu me demandes ça ?

– Et si ce scénario existait ?

– Qu'est-ce que tu veux dire ?

– Quelque part, je suis avec ma famille, je marche et je cours, et selon toute probabilité, tu ne me connais pas.

– Où ça, quelque part ?

Marco respira profondément, avant de lancer le thème central de sa recherche.

– Dans un espace-temps différent.

Alex resta silencieux quelques secondes. À l'horizon, un bateau s'éloignait et disparaissait peu à peu, comme englouti par l'océan. Alex le suivit des yeux jusqu'à ce que le dernier petit point noir s'évanouisse au loin.

– Marco, qu'est-ce que tu racontes ? Qu'est-ce qu'un espace-temps différent ?

– Une réalité parallèle. Un monde exactement comme celui dans lequel nous vivons, avec une infinité de choses communes, mais où nous pourrions avoir pris… d'autres voies.

Alex leva la tête, observa le ciel et s'attarda un instant sur la forme d'un nuage. On aurait dit le profil d'un vieux sage barbu, un cigare à la bouche.

– Jenny ou toi, reprit Marco, vous pourriez avoir fait quelque chose de précis dans le passé. Mais exactement le contraire de cette chose aussi… dans un univers parallèle. Une dimension dans laquelle tu existes, de même qu'elle existe, mais où sa vie a pris une direction complètement différente, et la tienne aussi.

– Marco, je ne sais même pas comment tu as pu avoir une idée pareille ! Et je ne vois pas comment cette théorie absurde pourrait m'aider en ce moment. Moi, je parle à Jenny dans ma foutue tête, c'est ça le problème ! Et la raison, c'est que je suis fou.

– Alex, écoute-moi ! Il y a deux jours, tu es parti en voyage pour la retrouver. C'est elle qui t'a donné les indications, l'endroit du rendez-vous. Ce matin, elle était sur la jetée, de même que tu y étais toi. Tu te tenais devant ce réverbère. Elle se tenait devant le même réverbère. Mais dans une dimension parallèle.

– Une dimension parallèle… Allons, Marco, j'ai compris. C'est une jolie histoire, c'est vrai, cette fois tu as eu beaucoup d'imagination, dit Alex d'un ton sarcastique et résigné à la fois.

– Je n'invente rien, Alex ! s'exclama Marco, de plus en plus excité. Il existe un tas de documentation scientifique, une montagne de livres sur le sujet. Ce sont des choses auxquelles je m'intéresse depuis des années, depuis le jour de l'accident, depuis que je me suis posé la question pour la première fois.

– Quelle question ?

Marco resta silencieux quelques secondes avant de répondre. Dans sa tête, des milliers de données se pressaient à la recherche d'un ordre.

– Existe-t-il un monde où nous sommes restés à la maison ce jour-là, et où je peux marcher comme une personne normale ? Un monde où mes parents sont toujours vivants ?

– Et tu as réussi à trouver une réponse ?

– Oui, Alex, je l'ai trouvée. Et comment !

La voix de Marco tremblait. Son émotion était trop forte. Il n'avait jamais avoué cette pensée à personne. À personne, même à Alex, il n'avait jamais raconté que c'était justement cet accident qui l'avait poussé pour la première fois à se plonger dans ce genre de recherches.

– C'est le Multivers, Alex.

12

Après la brève et absurde conversation mentale qu'elle avait eue avec Alex, Jenny décida de rentrer chez elle. Elle avait attendu encore une dizaine de minutes, puis s'était rendu compte que cette attente était vaine.

La maison des Graver était plongée dans le silence quand Jenny ouvrit la porte. Tout en enlevant sa veste, elle tendit la main à droite, ses doigts cherchant l'interrupteur sur le mur. Les lumières de l'entrée éclairèrent deux reproductions de tableaux impressionnistes, un porte-parapluies en fer forgé, un petit meuble ancien, un tapis sur lequel elle marchait et qui représentait deux colleys serrés l'un contre l'autre, et enfin l'escalier qui menait au premier étage.

« Pourquoi ? » se demanda-t-elle en montant vers sa chambre. Quand elle fut à l'intérieur, elle claqua la porte derrière elle, et enleva ses bottes. Puis elle s'assit au bord du lit.

Ses larmes avaient commencé à couler. Jenny

pressa son visage contre un oreiller, qu'elle lança ensuite violemment contre l'armoire.

– Il n'y a rien ! Je suis une idiote ! Une idiote et c'est tout !

Elle criait et observait ses livres de classe sur son bureau. Elle avait une série d'interrogations prévues pour les jours suivants, mais l'attente de l'arrivée d'Alex lui avait fait négliger tout le reste. Maintenant, elle s'apercevait du retard qu'elle avait pris dans ses études, sentait qu'elle avait perdu trop de temps à poursuivre une chimère, et qu'elle n'avait pas suffisamment travaillé.

« Je ne veux plus entendre cette voix. »

Jenny se leva brusquement, prit son journal intime et sortit de sa chambre. En quelques pas décidés, elle fut dans l'escalier. Au rez-de-chaussée, elle entra dans la cuisine et jeta rageusement son journal dans la poubelle destinée aux cartons et aux papiers.

– Ça suffit ! hurla-t-elle.

Elle avait les yeux rouges, gonflés de larmes.

À l'école, ces derniers jours, elle avait été beaucoup trop distraite. La veille, la prof de maths avait interrompu ses explications et l'avait rappelée à l'ordre, en surprenant son air absent et son regard tourné vers la fenêtre. Elle avait également eu une mauvaise note à l'interrogation d'histoire, alors que d'habitude, elle en avait toujours d'excellentes.

« Autant me mettre sérieusement au travail, pensa-t-elle avant d'aller s'asseoir derrière son bureau. Ça m'évitera de penser que je suis devenue une pauvre malade mentale, qui entend des voix et qui croit qu'elles existent vraiment. »

Avant d'ouvrir son livre de maths, Jenny leva la tête vers la fenêtre et jeta un dernier coup d'œil vers le ciel.

– Comment ai-je pu penser que c'était réel… ? se demanda-t-elle à haute voix, en regardant les nuages s'accumuler et devenir menaçants.

Elle ne pouvait savoir que derrière la vitre qui donnait sur la rue, l'air frais de Melbourne était le même que celui qu'Alex respirait.

Multivers. Quand Marco eut prononcé ce mot, Alex raccrocha, comme mû par un réflexe. Il avait les mains tremblantes, les informations s'embrouillaient dans sa tête. La seule chose dont il était sûr, c'était qu'il avait traversé la moitié de la planète pour se retrouver seul à leur rendez-vous.

Il se mit à longer l'Esplanade, tandis que le vent se levait et agitait les branches des arbres de la côte. Les mains dans les poches, il marchait à grands pas, sans but. Il avait fait tout ce chemin pour se prouver l'existence de Jenny, et maintenant, il devait accepter l'idée que cette fille habite dans une dimension parallèle.

– N'importe quoi ! s'exclama-t-il à haute voix, avant de s'arrêter et de reprendre son souffle.

Quelques passants l'observèrent avec curiosité. La confusion qui régnait en lui à ce moment-là se peignait clairement sur son visage.

Soudain, sa vue se brouilla.

– *Ma maman, elle se fâche quand je lui parle de nous...*

– *Pourquoi ?*

– *Je ne sais pas. Mais moi je t'aime bien.*

– *Moi aussi.*

– *J'ai hâte d'être grand.*

– *Tu viendras me chercher ?*

– *Bien sûr, Jenny.*

Alex rouvrit les yeux et les écarquilla, provoquant la réaction étonnée d'un vieil homme qui croisait son chemin. Il s'était souvenu de quelque chose. Mais de quel coin reculé de son cerveau avait-il sorti cet échange de répliques ? Jusqu'à quelles profondeurs était-il allé ? Ils étaient là, Jenny et lui, quand ils étaient petits. C'était un vague souvenir de voix enfantines, ou peut-être uniquement le fruit de son imagination. Mais ils étaient ensemble.

Alex sortit son portable de sa poche et appuya sur la touche verte pour rappeler Marco.

– Explique-moi ce que c'est, demanda-t-il d'un ton décidé.

– Alors, tu me crois, ricana Marco, satisfait.

– Je n'ai pas dit que je te croyais.

– On appelle ça la théorie du Multivers, reprit Marco. C'est un ensemble d'univers différents qui sont en dehors de notre espace-temps.

Alex hésita quelques instants avant de répondre :

– Tu ne t'attends quand même pas à ce que j'avale toute cette histoire ?

– Tu l'avaleras, tu l'avaleras... mais par petits bouts.

– Alors si je comprends bien... j'étais là, elle était là, nous parlions par la pensée, mais nous étions dans deux mondes différents ?

– C'est à peu près ça... Si tu préfères, deux réalités différentes du même monde.

– Et combien crois-tu qu'il en existe ? Il y aurait combien de jetées de Melbourne et de réverbères ?

– D'après ce que je sais moi, il pourrait y avoir un nombre infini de dimensions. Mais on est dans le domaine des hypothèses.

– On est dans le domaine de *tes* hypothèses, Marco. Cette histoire est absurde. Je pensais être devenu fou, mais maintenant j'ai l'impression que c'est toi qui es fou.

– Plus fou ou moins fou que toi, qui parcours le monde à la recherche de filles imaginaires ?

– Bon, d'accord, admit Alex, en essayant de se calmer. Touché coulé. Continue.

– Jenny et toi, vous vous parlez depuis deux dimensions parallèles.

Alex se passa la main dans les cheveux, ramenant ses mèches blondes en arrière. Un petit chien sortit de derrière un arbre et courut vers lui sans aboyer. En arrivant près d'Alex, il leva la tête, la pencha de côté et le regarda de ses grands yeux tendres, comme pour lui demander une caresse. Quelques mètres plus loin, Alex vit un énergumène de deux mètres ou presque, qui semblait sorti d'une salle de musculation, moulé dans une tenue de jogging, et qui tirait vers lui le chiot en laisse, d'un air plutôt énervé.

– Marco, est-ce que tu te rends compte de ce que tu es en train de dire ? Et moi, alors ? Qui suis-je dans la dimension de Jenny ? Ou plutôt, est-ce que j'existe ?

– Tu devrais exister, oui, même si on ne peut pas en être sûr.

– Donc, dans *ma* dimension, elle existe ! Elle, ou une autre version d'elle.

– Dans ta dimension, la vie de Jenny a probablement suivi un autre cours. Et c'est la même chose pour toi dans *son* monde parallèle. Elle s'attendait à te trouver sur cette jetée, mais dans sa réalité, tu es probablement à Milan, et tu ne sais absolument pas qui est Jenny. Aussi bien dans ta dimension que dans la sienne, cependant, beaucoup de choses restent identiques. Le maire de Sydney est évidemment le même, et le paysage du quai d'Altona n'a pas été modifié par l'homme. C'est pour ça que tu as eu l'impression que les informations coïncidaient et que tu t'y es fié.

Alex regarda autour de lui. La jetée, la plage, l'océan. Était-il vraiment possible qu'il existe quelque part un monde avec une jetée, une plage, un océan, semblable à celui qu'il avait sous les yeux ? Avec une seule petite différence, peut-être : dans ce monde-là, il y avait la Jenny avec laquelle il communiquait.

Alex inspira profondément, remplit ses poumons d'air. C'était à lui de décider ce qu'il allait faire : croire à la théorie de son ami et continuer à chercher Jenny, ou renoncer à tout, rentrer à Milan et reprendre sa vie rassurante d'étudiant.

Il n'hésita pas un instant.

Il croyait toujours à l'existence de Jenny, et il ferait tout pour la retrouver.

Elle, en revanche, ne voulait plus entendre parler de lui.

13

« Je devrais la chercher… » Alex repartit d'un pas pressé. « Si Marco a raison, et si la vie de Jenny dans sa dimension parallèle n'est pas forcément très différente de la mienne, elle doit habiter la même maison, dans cette réalité aussi. »

Ses pensées s'embrouillaient, obsédantes.

Il était seul, à l'autre bout du monde. Personne n'était venu au rendez-vous, mais il ne voulait pas cesser d'y croire. Jenny faisait déjà partie de son passé, elle était présente dans son enfance.

« À moins que ce souvenir aussi ne soit une hallucination », pensa Alex, en nouant le lacet de sa chaussure sur le muret qui séparait le trottoir de la plage.

Non, c'était impossible. Jenny devait exister, il la chercherait dans toute la ville, avec plus de détermination encore. Il réfléchirait plus tard à un endroit où dormir.

Tandis qu'il parcourait l'Esplanade, il commença à arrêter les passants pour leur demander des renseignements sur la famille Graver. Il n'avait rien trouvé de mieux, et au fond il croyait, en faisant un simple calcul statistique, que s'il continuait à poser des questions à toutes les personnes qui passeraient jusqu'au soir, il finirait par obtenir quelques informations.

Il interrogea d'abord un marchand ambulant de hot dogs. Il n'obtint aucun renseignement sur Jenny, mais dut acheter un sandwich au vendeur asiatique pour avoir une chance de lui extirper une réponse utile, ou au moins compréhensible.

– Merci beaucoup, maugréa-t-il en s'éloignant, un demi-hot dog toujours à la main.

Quelques minutes plus tard, il croisa une dame qui promenait un basset au bout d'une laisse, et l'arrêta. Il essaya de lui poser des questions, mais le fort accent local de la femme rendait ses réponses incompréhensibles pour Alex. Après quelques tentatives maladroites de communiquer par gestes, il y renonça et poursuivit son chemin le long de l'Esplanade.

Trois filles qui devaient avoir plus ou moins son âge semblèrent se moquer de lui dans un jargon tout à elles. Un homme en veston cravate se débarrassa rapidement de lui, un couple de trentenaires crut un instant avoir compris de qui parlait Alex, mais découvrit ensuite qu'ils avaient confondu les noms, ayant entendu Braver au lieu de Graver, enfin il fut harcelé par une femme qui distribuait des prospectus de l'Église de Jésus. Elle ignorait tout de la famille de Jenny, mais elle se répandit en longs discours sur la parole du Christ et invita Alex à se rendre aux réunions de sa paroisse.

Vers cinq heures de l'après-midi, il s'assit sur un banc, épuisé.

– *Jenny… où es-tu ?*

Dès qu'il eut formulé cette question, il sentit un frisson qui lui fit fermer les yeux et le conduisit dans une dimension plus profonde de son esprit. Ses pensées flottaient dans le silence, déconnectées de la réalité environnante.

– *Est-ce que tu m'entends ?* pensa Alex.

Cette fois, ses paroles résonnèrent dans le vide.

Silence.

– *Jenny, où es-tu ? Est-ce que tu peux m'entendre ?*

Silence total.

Soudain, un cri.

Alex écarquilla les yeux, atterré. C'était elle. Assise à son bureau, la tête reposant sur la paume de sa main, ses livres ouverts devant elle, et son stylo-feutre entre les dents, Jenny avait perçu fortement, clairement, la pensée d'Alex. Mais elle l'avait repoussée.

Elle s'était concentrée pour essayer de faire le vide dans sa tête. C'était très difficile. Au bout de quelques instants, elle n'avait pu résister.

Elle avait crié « ça suffit ! », puis avait couru dans la salle de bains, s'était déshabillée en vitesse, et s'était précipitée sous le jet brûlant de la douche, en s'efforçant de se concentrer uniquement sur le bruit de l'eau qui coulait sur sa tête.

Alex sursauta, effrayé. Le cri retentit encore quelques secondes dans sa boîte crânienne. Puis le pont télépathique s'évanouit.

– Qu'est-ce qui peut bien... ? s'exclama-t-il à haute voix en regardant autour de lui. Qu'est-ce qui se passe ? Pourquoi est-ce qu'elle fait ça ?

Alex se leva péniblement du banc. Il avait mal aux jambes, et l'effort qu'il avait fait pour entrer en relation avec Jenny l'avait affaibli. Il se dirigea vers le centre de la ville, laissant l'océan derrière lui et prenant une des rues transversales qui pénétraient au cœur du quartier d'Altona.

« Je suis allé au bout du monde pour toi, Jenny... je te trouverai. »

« Celui-là devrait convenir », se dit Alex en observant l'enseigne d'un hôtel qui brillait au bout de la rue.

Le nom de l'hôtel Saint-James était suivi de trois étoiles. Il se dirigea vers la porte automatique et entra dans le hall. Devant lui, un couple d'Allemands essayait de se faire comprendre de l'homme de couleur qui se trouvait derrière le comptoir de la réception. Ils semblaient décomposés. Sur la droite, un peu plus loin, Alex aperçut un téléviseur et s'en approcha. Des canapés étaient disposés en demi-cercle devant un écran plasma Samsung. Il s'assit, se libérant enfin du poids de son sac à dos. Il tomba sur le journal télévisé.

« Nous tous en grand danger... Toi important. »

Les paroles du voyant malais lui revinrent soudain à l'esprit et il eut l'impression que l'homme se trouvait à côté de lui, avec son sourire énigmatique et ses cartes à la main.

Alex tourna brusquement la tête, vérifiant que tout était à sa place. Comme s'il craignait que le voyant soit derrière lui, qu'il le suive telle une ombre silencieuse. Il observa sa main droite. Elle tremblait.

En se retournant, il vit que le couple d'Allemands venait de quitter la réception et se dirigeait vers la sortie. C'était son tour.

– Du calme, Alex, du calme, se répéta-t-il à voix basse avant de se présenter au comptoir et de demander s'ils avaient une chambre pour une personne.

Parce qu'il était jeune, peut-être, ou étranger, l'homme de couleur le regarda avec méfiance. Il lui demanda ses papiers d'identité et sa carte de crédit. Après avoir vérifié le tout, il lui remit une carte magnétique et lui indiqua les ascenseurs.

Jenny referma son livre à sept heures un quart.

Ses parents étaient rentrés depuis peu. Clara mettait la table, pendant que Roger était dans la salle de bains. Jenny sortit de sa chambre, encore abrutie après toutes les heures qu'elle venait de passer dans les logarithmes, et descendit au rez-de-chaussée. Elle s'arrêta un instant seulement devant un petit cadre accroché au mur à mi-hauteur de l'escalier. C'était une photo de ses grands-parents. Ils riaient de bon cœur, serrés l'un contre l'autre. Son grand-père avait posé sa main sur celle de sa femme. C'était une photo merveilleuse, Jenny l'adorait. En général, elle préférait se confier à eux devant ce petit cadre, plutôt qu'en s'agenouillant sur le gravier du cimetière Saint-Kilda.

– Tu viens me donner un coup de main, ma chérie ? C'est presque prêt, cria Clara de la cuisine.

– Je viens dans dix minutes, répondit Jenny, en entrant dans le salon et en se laissant tomber sur le canapé.

Elle se sentait très fatiguée, et aurait donné n'importe quoi pour pouvoir manger là, assise tranquillement, une assiette sur les genoux.

– Dans dix minutes j'aurai déjà fini toute seule. Tu ne peux pas venir maintenant ?

– D'accord, d'accord, j'arrive.

Jenny tendit les bras pour prendre son élan et se lever du canapé, mais ils étaient lourds et endoloris. Elle aurait eu besoin de dormir, ne serait-ce que cinq minutes. Ses paupières pesaient des tonnes. Tout s'obscurcit soudain. Lorsqu'elle rouvrit les yeux, elle n'aurait pu dire si elle avait dormi, ni combien de temps.

Elle se leva brusquement, prête à entendre les reproches de sa mère. Elle tourna la tête vers la cuisine et vit qu'elle était vide. Sa mère l'aurait-elle laissée dormir sans l'appeler pour dîner ? Cela ne lui ressemblait pas.

Elle se dirigea lentement vers la cuisine, mais son attention fut attirée par un tableau accroché au mur du salon, près du canapé. Il représentait un homme en veston cravate, assis dans un fauteuil de cuir noir. Il avait l'air sûr de lui, son regard était intense, ses cheveux bien coiffés. Sa mère devait l'avoir acheté récemment.

– Je me demande qui ça peut bien être, dit-elle à haute voix. Maman, où es-tu ?

Un bruit venant de la porte d'entrée la tira de la contemplation de ce portrait dont elle n'arrivait absolument pas à se souvenir. La porte s'ouvrit, et sa mère entra dans la maison.

– Et voilà, dit Clara en posant par terre trois gros sacs à provisions.

– Mais… maman ?

Jenny la regarda fixement. Sa mère avait une coupe de cheveux différente.

– Combien de temps est-ce que j'ai dormi ?

– Je ne sais pas. Tu dormais ? Je viens de rentrer. Tout va bien ?

– Mais le dîner… tu étais en train de…, bafouilla Jenny, troublée. Quand est-ce que vous avez accroché ce truc ? Il est horrible, dit-elle en indiquant le tableau d'un signe de tête.

– Le portrait de Connor ? S'il t'entendait… Qu'est-ce qui te prend de me demander ça ? On l'a mis là à Noël. Tu m'as même aidée. Tu n'aurais pas bu, par hasard ?

Jenny regarda autour d'elle sans répondre, car pendant qu'elles se parlaient, d'autres détails l'avaient frappée. Une lampe de deux mètres de haut, un meuble blanc qui occupait tout le mur face à la porte d'entrée, un tapis persan et un téléphone-fax noir de bureau, qui avait pris la place du téléphone sans fil violet qu'elle aimait bien. Tout avait changé pendant qu'elle avait dormi sur le canapé.

« Ça n'a aucun sens », pensa-t-elle.

– Où est papa ?

Clara posa son sac à main sur le canapé et s'approcha de sa fille. Elle lui caressa le visage, puis la prit par les épaules.

– Ma chérie, mais qu'est-ce qui t'arrive ?

– Rien, répondit Jenny, qui commençait à se sentir très mal à l'aise. Où est papa ?

Clara porta sa main à sa bouche, comme pour cacher une émotion soudaine.

– Ton papa n'est plus là. Tu le sais bien, ma chérie.

– Mais qu'est-ce que tu dis ?

– Oh, Jenny, pourquoi est-ce que tu me fais ça ? Pour moi aussi c'est difficile, tu comprends ? Mais c'est quelque chose que nous devons accepter. Parfois, il semble impossible que ce soit arrivé. Moi aussi, par moments, je le vois partout.

Jenny resta immobile quelques secondes, presque paralysée par l'étreinte de sa mère, la gorge nouée. Puis elle se dégagea brusquement, tourna le dos à Clara, monta l'escalier quatre à quatre, et entra dans sa chambre en claquant la porte derrière elle. Avant de se jeter à plat ventre sur son lit, en proie au désespoir, son regard fut attiré par quelque chose : un petit cadre avec une photo de son père, sur la plus haute marche du podium après avoir remporté une compétition de natation. En dessous, en rouge, il était écrit : « Tu me manques chaque jour, papa. Jenny. »

Lorsque la jeune fille rouvrit les yeux, elle était de nouveau sur le canapé.

– Alors, tu viens à table, oui ou non ? criait Clara depuis la cuisine.

Jenny se leva d'un bond, respirant péniblement. Elle regarda autour d'elle. « Mon téléphone sans fil violet... » Les images du rêve qu'elle venait de faire lui revenaient à l'esprit comme des photos posées pêle-mêle sur une table.

Jenny chercha des yeux le portrait de l'homme mystérieux en veston cravate. Il n'était pas là. À la place, comme toujours, il y avait l'affiche de *A Beautiful Mind*, un des films préférés de la famille Graver. Jenny alla dans la cuisine.

– Papa ! s'écria-t-elle en voyant Roger assis comme d'habitude au bout de la table.

Puis elle courut vers lui et lui déposa un baiser sur la joue.

– Hé ! Qu'est-ce qui se passe ? Tu as besoin d'argent ? plaisanta son père.

– J'ai fait un horrible cauchemar, répondit-elle, les yeux baissés et pensifs. Tu étais…

– Qu'est-ce que j'étais, Jenny ? demanda l'homme, qui semblait amusé par l'étrange comportement de sa fille.

– Rien, rien. Ce n'était qu'un rêve.

« Mais il était si réel… »

Alex sortit de la douche, s'allongea sur le lit et alluma la télévision. C'était la première fois qu'il prenait une chambre d'hôtel seul, et il avait l'impression d'être le maître du monde.

Il s'essuya et s'habilla en quelques minutes, décidé à sortir rapidement pour trouver un endroit où manger quelque chose. Il quitta la chambre vers huit heures, descendit au rez-de-chaussée et chercha le restaurant de l'hôtel. Quand il le trouva, au bout d'un couloir garni de portraits de grands musiciens de jazz d'autrefois, il vit qu'il était quasiment désert. Il n'y avait qu'un serveur, qui apportait une assiette fumante à un vieux monsieur assis à une table au fond de la salle.

Alex s'assit et consulta le menu. En attendant le serveur, son attention fut attirée par le bruit que faisait le vieil homme en avalant son potage.

« Je peux toujours essayer », pensa Alex avant de se lever et de se diriger vers sa table.

– *I'm sorry, sir*, commença Alex, intimidé, *do you know a family*... (Alex chercha rapidement ses notes) *called Graver ?*

Le monsieur leva les yeux et fronça les sourcils. Pendant un instant, Alex se sentit gêné, puis l'homme se mit à parler, en prononçant clairement les mots dans un anglais élégant et dépourvu d'inflexions dialectales.

Il lui dit qu'il ne savait pas grand-chose de la famille, mais qu'il se rappelait certainement du brave Roger Graver, champion d'échecs du tournoi de la ville pendant au moins trois ans de suite. Il fréquentait un cercle dont lui-même était membre. D'après ses souvenirs, ils habitaient dans Blyth Street, au 21 ou au 23, quelque chose comme ça. Il s'en souvenait bien, parce qu'il avait fait parvenir plusieurs fois chez lui des invitations à différents tournois nationaux. Il se rappelait un autre détail : les Graver avaient une petite fille.

– Merci ! s'exclama Alex, radieux, en oubliant de parler anglais.

Puis il s'inclina à moitié, et salua gauchement l'homme qui venait de lui offrir le renseignement le plus précieux. Il avait interrogé la moitié du quartier et perdu tout l'après-midi sans obtenir de résultat, mais il lui avait suffi d'entrer dans cet hôtel pour tomber sur la bonne personne.

Il en était sûr, désormais. Le lendemain, il parlerait à Jenny.

14

Alex passa une nuit sans rêves. Ou, s'il en fit, son cerveau était trop fatigué pour se les rappeler au réveil.

À dix heures du matin, il retourna dans la rue d'où il était venu la veille, tourna le coin en passant de Pier Street à Blyth Street. Il avait pris un plan à l'hôtel et, comme il avait pu le vérifier, cette rue était tout près de l'Esplanade.

En arrivant à la hauteur du numéro 23, son cœur se mit à battre plus fort dans sa poitrine. Alex essaya de regarder par-dessus la grille, en entendant le bruit d'une sonnette de bicyclette venir de derrière la petite maison. Il n'eut pas le temps de sonner. Une fille aux longs cheveux châtain-roux surgit soudain et s'arrêta devant l'entrée. Ils n'étaient séparés que par l'allée, derrière la grille.

– Elle a mon âge… mon Dieu… c'est elle, murmura Alex, en levant timidement un bras pour se faire remarquer.

La fille regarda derrière elle, le vit, et fronça les sourcils.

Alex se tourna brusquement vers la rue, gêné. Il resta quelques secondes, le dos à l'entrée de la maison, les yeux fermés.

« Qu'est-ce qui me prend ? Je suis allé au bout du monde pour vivre ce moment… »

Timidement, il se tourna de nouveau vers la grille et vit la silhouette de la jeune fille qui descendait de son vélo.

– Jen…, commença Alex, mais les syllabes restèrent coincées dans sa gorge.

Il en sortit un son rauque, une sorte de toussotement.

La fille lui jeta un coup d'œil, tout en sortant une petite clé de la poche de son jean, qu'elle inséra dans le cadenas de la chaîne. Son regard était craintif, comme celui d'une personne qui se sent sans défense, observée et menacée.

« Je dois avoir l'air d'un maniaque, il ne manquait plus que ça ! »

Alex détourna la tête.

Du coin de l'œil, il la vit reculer, tandis qu'elle appuyait sa bicyclette contre le mur extérieur.

– Maman ? dit-elle d'une voix hésitante, vers une fenêtre qui donnait sur la cour.

La porte de la maison s'ouvrit aussitôt, et une femme en tablier jaune en sortit.

– Suzan, tu es enfin là ! s'exclama la femme.

La fille lança un dernier regard méfiant à Alex, et entra rapidement.

Alors seulement il se tourna, déçu, vers la boîte aux lettres.

– Weller, lut-il à voix basse. Je me suis encore trompé.

Le vieux du restaurant avait été précis pour la rue, mais il ne se souvenait pas bien du numéro. Alex fit quelques pas vers le numéro 21. Les maisons étaient toutes alignées comme dans les quartiers américains qu'on voit dans les téléfilms.

– Thompson, lut-il à haute voix, quand il arriva devant la boîte aux lettres. C'est la maison de la famille Thompson. Bon sang... ce n'est pas celle-là non plus !

Alex réfléchit un instant, puis il se décida à aller demander des renseignements à ces Thompson. Le vieux ne pouvait pas avoir tout inventé, et si quelqu'un était en mesure de lui donner des nouvelles des Graver, c'étaient bien les gens qui avaient une maison dans la même rue que celle où ils avaient habité.

La grille était grande ouverte. Alex fit quelques pas indécis dans l'allée qui traversait une pelouse à peu près identique à celle de la maison voisine, puis il s'approcha de la porte de bois blanc. Il monta les deux marches du perron, et appuya sur la sonnette.

La famille Graver avait peut-être déménagé,

pensa-t-il. C'était plausible. Tandis que les paroles de Marco sur les possibilités infinies résonnaient dans son esprit, Alex secoua la tête et se concentra sur les renseignements plus pragmatiques que lui avait donnés le vieux monsieur : une rue et un numéro.

Une femme d'une cinquantaine d'années, aux cheveux roux et frisés, de petite taille et bien en chair lui ouvrit la porte.

– *Who are you, little boy ?*

– *I'm sorry, madam,* répondit-il, un léger tremblement dans la voix dû à sa nervosité. *I guess this is the wrong address.*

Alex fit semblant de s'être trompé d'adresse. Il essaya de se faire comprendre en anglais, mais son accent trahissait ses origines italiennes. La femme lui demanda qui il cherchait, et Alex contourna l'obstacle, en inventant un prétexte : il se présenta comme un ancien camarade d'école d'une fille nommée Jenny Graver. Il avait gardé cette adresse et espérait la trouver là. Il était parti pour l'Italie à huit ans et ne l'avait pas vue depuis très longtemps. C'était l'histoire la plus simple qui lui était venue à l'esprit pour essayer d'obtenir des informations.

La femme aux cheveux roux le laissa finir, puis elle le regarda d'un air soupçonneux.

– Je parle italien aussi, dit-elle avec un fort accent anglo-saxon, en plantant un regard inquisiteur dans les yeux du garçon. Entre donc un moment.

L'invitation de la femme l'inquiéta. Alex sembla perdre soudain l'assurance et l'audace qui lui avaient permis d'arriver jusque-là.

– Je ne voudrais pas vous déranger… je…, dit-il en reculant d'un pas.

La femme le fixa d'un air décidé.

– Mais moi je crois c'est mieux que tu entres.

La phrase de Mme Thompson ressemblait à tout sauf à une invitation. C'était un ordre.

Alex accepta, perplexe. Il n'était pas sûr de faire ce qu'il fallait. La femme lui tourna le dos et entra dans la maison, sûre qu'il la suivrait.

– Je m'appelle Mary Thompson, installe-toi dans le séjour, dit-elle dès qu'Alex eut franchi le seuil.

Les murs de la vaste entrée étaient entièrement tapissés de tableaux aux lourds cadres dorés. Le regard d'Alex s'attarda sur une toile qui représentait la planète Terre vue de la Lune. La surface lunaire ressemblait à une large route interrompue qui donnait sur le vide, tandis que les contours terrestres se dessinaient au loin, énormes et somptueux, illuminés de trois quarts par le soleil.

– Assieds-toi donc, mon garçon, reprit la femme.

Alex avança vers la salle de séjour, mais resta debout près du chambranle de la porte.

– Comment tu t'appelles ?
– Alex. Alessandro.
– Et quand vivais-tu… ici, en Australie ?
Elle avait un ton d'interrogatoire.
– Jusqu'à huit ans, j'ai toujours habité là.
– Je prépare une tasse de thé. Tu aimes le thé ?
– Oui, merci, mais ne vous dérangez pas…
– Pas de dérangement, *little boy*. Ça fait longtemps je voulais pratiquer mon italien… je venais *just*… juste de mettre un sachet dans la théière quand tu sonnes à la porte. Comme si tu venais exprès.
– Quelle coïncidence, dit Alex en prenant un ton enjoué, bien qu'il se sentît désorienté par l'attitude de la femme. Elle passait sans cesse d'un sourire cordial à un regard inquisiteur, lui rappelant sa professeure de latin pendant les interrogations.
– Les coïncidences, ça existe pas ! Ce qui existe, c'est les nombres, les signes, dit Mme Thompson d'un ton ferme.
Alex la regarda d'un air interrogateur, et elle lui répondit par un sourire.
– Je suis astrologue, ajouta-t-elle. Le ciel est livre ouvert pour moi. Je passe mes nuits sur le toit à le regarder… J'ai puissant télescope, tu sais ?
Alex, gêné, acquiesça d'un signe de tête. Il ne savait plus que dire.

– Mais venons à nous. (Le ton de la femme changea brusquement, et son regard devint sérieux.) Tu te rappelles comment elle était, ton amie Jenny ?

« Nous y voilà. Je suis foutu. »

– Tant d'années ont passé, je me souviens de quelques détails. C'était une petite fille très éveillée, sympathique… J'aurais été content de la revoir. Je suis en vacances avec mes parents, et j'ai gardé son adresse depuis ce temps-là. Apparemment, elle a déménagé.

– C'était une enfant très éveillée, c'est vrai. Et très sympathique.

– Vous la connaissiez ?

– Bien sûr.

Le corps d'Alex se raidit soudain. Son regard parcourut la pièce comme pour chercher une sortie. La femme le fixait d'un regard glacial.

– Je comprends, bredouilla-t-il.

Mary s'essuya la bouche avec un petit mouchoir de toile brodée, sans quitter son invité des yeux.

– J'étais sa nounou.

« Parfait. Maintenant, je suis réellement dans la merde. »

– Vraiment ? Alors vous pourrez peut-être me dire…

– Ça suffit ! l'interrompit sèchement Mary Thompson. Arrête ! Dis-moi pourquoi tu es là.

Alex était coincé. Il était évident que sa petite

histoire n'avait pas tenu le coup. Il aurait peut-être mieux fait d'agir à découvert.

– Voilà, madame, j'étais venu dire bonjour à Jenny... je pensais que...

– Je te donne dernière chance pour arrêter te moquer de moi, mon garçon. Tu vois ce que je veux dire, ou tu préfères continuer ton show ?

Un instant Alex pensa tout lui raconter. Puis il comprit que ce n'était pas une bonne idée.

– Excusez-moi, madame Thompson. Je ne voulais pas vous mettre en colère, malheureusement, j'ai de vagues souvenirs de quand j'avais sept... huit ans. Peut-être que je me trompe et...

– Jennifer Graver est morte à six ans, dit la femme.

Ses paroles explosèrent dans la tête d'Alex. Jenny était morte ? Comment pouvait-elle être morte ?

Mary Thompson saisit l'expression désorientée du garçon, et elle y vit la confirmation de ses soupçons.

– J'ai été sa nounou depuis le jour de sa naissance. Les Graver m'avaient choisie parce que je parlais italien.

Elle avait les yeux rouges. Elle sortit son mouchoir de la poche de son chemisier et essuya une larme qui avait glissé le long de sa joue.

– La famille a habité là encore pendant un an, continua-t-elle d'une voix émue, et à la fin, elle m'a laissé la maison, pour aller installer à Brisbane. Éveillée, Jenny était petite fille. Éveillée et sympathique. Elle souriait toujours. Et puis un jour, elle est morte sous mes yeux. Une seconde avant elle m'aidait à faire gâteaux, une seconde plus tard elle était étendue par terre, les yeux ouverts. Alors maintenant, dis-moi comment tu as pu avoir cette adresse, qui tu es, et arrête dire qu'à huit ans vous alliez ensemble à l'école. Elle est jamais arrivée à huit ans.

Alex écoutait, paralysé par ce qu'il entendait.

Jenny était morte. Donc Jenny existait, ou plutôt, elle avait existé. À qui avait-il parlé, alors ? Cette voix ne pouvait pas appartenir à un fantôme. Une fois de plus depuis qu'il avait décidé d'entreprendre ce voyage, Alex eut l'impression d'être devenu complètement fou.

Mary Thompson prit la tasse de thé et but ce qui restait, retrouvant peu à peu son calme. Alex resta silencieux, baissa la tête et la mit dans ses mains ouvertes.

– Maintenant, tu dois tout dire. La vérité, *this time*.

– Je…

– Comment donc tu es arrivé dans ma maison ?

– Grâce à Jenny, répondit Alex.

Les mots lui sortaient de la bouche malgré lui. Si Jenny était morte, plus rien n'avait de sens, tout devenait trop absurde.

– Je ne l'ai jamais vue, poursuivit-il. Je n'ai jamais été son ami. J'ai toujours vécu à Milan, c'est la première fois que je viens en Australie, et je ne suis pas en vacances avec mes parents. Je suis ici tout seul. J'ai pris trois avions, j'ai fait escale à Paris et à Kuala Lumpur, et je suis arrivé à Melbourne, direction la jetée d'Altona. Tout ça pour rencontrer Jenny. Nous avions rendez-vous…

– Ce que tu racontes n'a pas de sens ! s'écria la femme, vraiment furieuse, à présent.

– Je sais.

– Alors, essaie de me dire quelque chose qui a sens ! Depuis que je t'ai ouvert la porte, tu te moques de moi ! Je n'accepte pas quand il s'agit ma petite fille. Elle était ce que j'avais plus cher au monde. La famille Graver était ma famille, je faisais partie. Tout est fini quand Jenny est morte. Ils sont partis et j'ai vécu seule jusqu'à aujourd'hui. Tu peux expliquer comme c'est possible tu viens maintenant raconter que tu devais rencontrer Jenny à la jetée, en 2014, si elle disparue en 2004 ?

Alex inspira profondément, et reprit courage. Il avait l'impression d'être un animal emprisonné dans une cage étroite, étouffante. Son regard s'arrêta sur une fenêtre qui donnait sur la rue, et il vit une bicyclette filer sur la chaussée. Alors, ayant retrouvé son assurance, il regarda la femme dans les yeux.

– Je lui parle, avoua-t-il.

Mary Thompson posa la tasse qu'elle avait gardée à la main jusque-là.

– Tu parles… à Jenny ?

– Oui.

– Qu'est-ce que tu es ? Une sorte médium ? Télépathe ? demanda Mary en élevant la voix.

– Je n'en ai pas la moindre idée ! (Alex se leva brusquement.) Je ne sais pas ce que je suis ni pourquoi il m'arrive tout ça. Je suis bouleversé, je ne sais plus où j'en suis, je n'ai pas les réponses. Je les cherche. C'est pour ça que j'ai sonné à votre porte.

Mary Thompson le regarda, perplexe, tandis qu'Alex restait cloué sur place à contempler les photos au-dessus d'une petite table-applique dans le salon. Plusieurs d'entre elles représentaient la femme quand elle était jeune, d'autres étaient plus récentes. D'autres encore en noir et blanc semblaient être des photos d'époque. Il n'y avait pas un seul portrait de la petite fille de six ans.

– Il faut que je m'en aille, dit-il enfin.

Il manquait d'air, il avait l'impression d'être resté enfermé dans un cauchemar, sans aucune possibilité de se réveiller. Il ramassa son sac à dos, et se dirigea tout droit vers la porte.

15

Pendant qu'Alex sortait de la petite maison de Mary Thompson, Jenny était renvoyée à sa place après avoir été interrogée en mathématiques.

Un désastre total. Elle se rassit après s'être ridiculisée devant toute la classe, au bord des larmes, à bout de nerfs. Elle avait envie de s'enfuir, de pleurer. Ce n'était pas son genre d'avoir l'air si lamentable devant tout le monde. Sa moyenne était foutue. La prof appela un autre élève au tableau, tandis que Jenny demandait l'autorisation d'aller aux toilettes.

Une fois dans le couloir, elle s'approcha d'une fenêtre qui ouvrait sur la cour de l'école, et donna un coup de poing sur le rebord. Un groupe de garçons jouait au ballon. En principe, c'était interdit, mais la plupart des élèves de Sainte-Catherine ne tenaient pas compte de cette règle.

Jenny se dirigea vers les toilettes. « Heureusement qu'il n'y a personne », pensa-t-elle, en passant son visage sous l'eau devant le miroir, qui lui renvoya une image d'elle épouvantable. Pendant des années, elle avait eu l'illusion que quelqu'un, au bout de ce pont télépathique, existait réellement. Mais ce n'était pas vrai, et maintenant, elle en payait les conséquences.

Elle recula de quelques pas, s'appuya contre le mur, puis se laissa glisser par terre, et enfouit son visage dans ses mains. Elle pleura. Personne ne pouvait l'entendre.

Soudain, sa tête devint lourde, et Jenny se sentit écrasée de fatigue. Elle ferma ses yeux baignés de larmes, mais au lieu de l'obscurité, elle vit un tunnel de couleurs et de formes indistinctes. Des cris et des plaintes se chevauchaient rapidement sans lui laisser le temps de comprendre ni de saisir quoi que ce soit.

Puis, brusquement, le silence.

Jenny rouvrit les yeux, secoua la tête comme pour chasser ces perceptions déformées. Elle eut une sensation qui ne lui était pas nouvelle.

Elle se leva, sortit des toilettes et se dirigea vers sa classe. Elle en ouvrit la porte et, la tête basse, alla rejoindre sa place.

Mais elle était occupée.

– Mademoiselle, voulez-vous avoir l'amabilité de nous dire qui vous êtes ? demanda l'enseignante, une femme chétive qui devait avoir un peu plus de soixante-dix ans.

Elle tenait péniblement debout en s'appuyant sur une canne.

– Où est passée la prof de maths ? demanda Jenny, s'attendant à ce qu'un de ses camarades lui réponde.

Elle regarda alors autour d'elle. Ce n'était pas sa classe.

– Oh, mon Dieu, excusez-moi, je me suis trompée de salle ! s'exclama-t-elle.

La professeure l'observa, hochant la tête d'un air consterné, tandis que Jenny s'éloignait. En arrivant de nouveau dans le couloir, elle se tourna vers l'étiquette fixée sur la porte.

– Mais c'est bien ma classe, murmura-t-elle, en regardant autour d'elle.

Elle sentit la peur monter en elle.

Son école. Le couloir où elle passait depuis des années. Sa classe. À l'intérieur, cependant, il y avait d'autres élèves et une prof qu'elle n'avait jamais vus.

« Où suis-je ? » se demanda-t-elle en retournant vers la fenêtre qui donnait sur la cour. Personne ne jouait au ballon. C'était de toute façon impossible : au milieu de la cour, il y avait une fontaine.

Dès qu'il fut sorti de chez Mary Thompson, Alex sélectionna le numéro de Marco dans le répertoire de son portable. Des nuages noirs et menaçants s'amoncelaient dans le ciel. Au loin, il entendit le tonnerre gronder. Le vent commençait à souffler plus fort, il agitait les arbres au milieu de la rotonde au bout de la rue, et faisait trembler les boîtes aux lettres devant les maisons.

– Ah, Alex ! s'exclama joyeusement son ami. Raconte-moi tout.

– Jenny est morte, commença Alex.

À l'autre bout de la ligne, il y eut quelques longues secondes de silence, couvertes par le bruissement du vent qui soufflait dans l'appareil.

– Tu veux dire que...

– J'ai trouvé la maison de Jenny, expliqua Alex en élevant la voix. Elle est au 21 Blyth Street, près de la jetée. Une femme habite là, une astrologue qui prétend avoir été la nounou de Jenny. Elle travaillait au service des Graver, qui ont déménagé et lui ont laissé la maison il y a longtemps, après... la mort de la petite fille, en 2004.

– Formidable ! s'exclama Marco.

Ce n'était pas vraiment la réaction à laquelle Alex s'attendait.

– Formidable ?

– Mais bien sûr, Alex, tu ne comprends pas ? Si Jenny est morte, ça ne peut signifier qu'une chose. Ou bien tu parles à un fantôme, hypothèse que je crois pouvoir exclure, ou bien Jenny et toi...

Marco s'interrompit. Son émotion était trop forte. La mort de Jenny était l'événement qui démontrait ce qu'il étudiait depuis des années. Son regard s'égara vers les livres entassés sur les étagères à gauche de sa table de travail. Une série d'essais qu'il connaissait par cœur. Ces pages, il les avait usées, en avait souligné des passages, les avait remplies d'annotations, en avait corné certaines, pendant des années de travail acharné.

– Marco, tu peux m'expliquer ce que je devrais comprendre ? demanda Alex, le sortant de ses réflexions.

– Tu communiques avec une autre Jenny, reprit son ami, avec la Jenny d'une autre dimension du Multivers. Une dimension où elle est manifestement bien vivante.

– C'est absurde.

– Ça t'étonne encore ? Ta Jenny existe et appartient à une autre réalité.

Alex sentit une goutte tomber sur son bras droit.

Il leva les yeux vers le ciel et comprit qu'il allait pleuvoir.

– Non, Marco, c'est trop absurde. Peut-être que je... parle avec les morts.

– Ça ne me paraît pas être une hypothèse très normale non plus, tu sais ? Enfin, je la prends en compte. Mais je te garantis que... (Marco fit une petite pause, toussa, et s'éclaircit la voix.) je la considère comme très improbable sur le plan scientifique.

– En revanche, que je bavarde avec quelqu'un appartenant à une autre dimension, c'est tout à fait normal !

Alex tourna son regard vers la façade de la maison de Mary Thompson, et vit la femme immobile derrière une fenêtre. Elle le fixait, comme si elle essayait de comprendre avec qui il parlait au téléphone.

– Marco, je perds la tête. Cette femme non plus, d'ailleurs, n'a pas l'air très net.

– Demande-lui de te raconter tous les souvenirs qu'elle a de Jenny enfant. Peut-être qu'un épisode particulier dans son passé et dans le tien a déterminé ce qui est arrivé par la suite et a été à l'origine du développement de votre moi parallèle.

Un éclair déchira le ciel. L'orage approchait.

Alex mit son portable dans sa poche et jeta un coup d'œil autour de lui. Il n'y avait pas âme qui vive dans Blyth Street, et il avait commencé à pleuvoir. Il regarda la maison. La porte était ouverte, et Mary Thompson se tenait à présent sur le seuil. C'était la seule possibilité qu'il avait de recueillir quelques renseignements sur Jenny.

Il se dirigea lentement vers la maison. La femme semblait l'attendre, comme si elle était sûre qu'il reviendrait.

– Qu'est-ce que tu me veux, mon garçon ? demanda-t-elle.

– J'aimerais simplement voir une photo de Jenny. C'est tout ce que je vous demande.

Il était impossible de deviner ce qu'elle pensait, et pendant un instant, Alex craignit qu'elle lui claque la porte au nez. Mais elle pivota sur ses talons et entra dans la maison.

– Suis-moi, dit-elle sans se retourner.

Alex ne se le fit pas répéter deux fois.

Mary Thompson traversa la salle de séjour et se dirigea vers un meuble ancien en marqueterie. Elle l'ouvrit, y prit une boîte en carton, qu'elle posa sur une table basse devant le canapé. Alex s'assit, et la femme prit place à côté de lui.

Elle commença à sortir de la boîte des feuilles de papier et des photos.

– Voilà Jenny le jour de l'anniversaire de ses quatre ans.

La petite fille souriait en regardant l'appareil photo, assise sur le même canapé que celui où Alex se trouvait à présent.

Il reconnut aussitôt son regard.

Des yeux profonds, intenses, de la même couleur que ses cheveux châtains tirés en arrière et maintenus par un serre-tête violet. Ils fixaient l'objectif, mais en cet instant, ils semblaient s'adresser directement à lui.

– C'est vraiment elle, murmura-t-il.

Bien qu'il eût parlé à voix basse, ses mots n'échappèrent pas à Mary.

– Aujourd'hui, elle aurait seize ans, dit-elle en fermant à demi les yeux.

– Mais de quoi est-elle morte ? demanda Alex, conscient de s'aventurer sur un terrain dangereux.

– Personne a compris, répondit Mary en retenant une brusque émotion. Elle n'avait pas de signes d'arrêt cardiaque, absolument rien… C'était chose soudaine.

– Je comprends.

– J'étais avec ma petite Jenny. Jusqu'au dernier moment. Je voudrais tellement l'embrasser… Regarde, c'est un de ses dessins.

Alex prit la feuille de papier et examina la peinture de la petite fille.

Son regard tomba immédiatement sur la signature en bas à droite. Il était écrit JENNIFER en majuscules, et en dessous il y avait la date : 2004.

– C'est un des derniers elle a faits, ajouta Mary Thompson.

Des chevaux stylisés étaient peints, entourés de traits verts qui devaient représenter l'herbe. Le soleil brillait en haut à gauche de la feuille, orné de deux yeux et d'un sourire qui donnaient à la boule jaune un aspect humain et joyeux.

Une autre photo montrait Jenny sur un poney. Une petite fille gaie au sourire contagieux et à l'insouciance typique de cet âge.

– Tu lui parles ? demanda soudain Mary, d'une voix où se disputaient la méfiance et la curiosité.

– Je le crains, oui...

– Alors tu parles avec... les morts. Tu peux entendre ce qu'ils disent ? demanda Mary.

Sa voix était devenue plus rauque, plus profonde.

– Non, je ne crois pas, mais... je ne suis plus sûr de rien.

Alex concentra son attention sur les papiers que Mary Thompson sortait de la boîte. Il y avait plusieurs billets, souvent adressés par la petite fille à sa « *sweet Mary* ».

Soudain, entre plusieurs peintures de Jenny, Alex tomba sur un dessin qui lui coupa le souffle. Il représentait une petite fille et un petit garçon main dans la main. Ce dernier avait les cheveux blonds et Jenny avait écrit à côté de son visage : « Mon ami secret ». Un frisson lui parcourut le dos. Alex resta silencieux et mit la feuille de papier sous les autres.

– Et ça, c'était son pendentif, dit Mary en sortant un petit collier de la boîte. Elle disait il était magique : avec lui, elle pouvait fermer les yeux et se réveiller dans autre monde. Triskèle, c'est le nom du symbole qui pend de petite chaîne. Tu vois, les trois demi-lunes, c'est celtique.

– Je peux ?

Alex tendit la main vers le pendentif et Mary le fit glisser dans sa paume. Il lui semblait familier. Trois formes semblables à des C. La femme les avait décrites comme des demi-lunes car elles semblaient dessiner le contour d'un quartier lunaire. Elles s'encastraient les unes dans les autres en formant une spirale.

– C'est très beau. Est-ce vous qui le lui avez offert ?

– Elle ne se séparait jamais de pendentif, dit la femme, pensive, sans répondre à la question d'Alex.

Puis elle secoua la tête. Elle parut se réveiller d'un rêve fugitif, car lorsqu'elle recommença à parler, ce fut de nouveau d'un ton sec et déterminé.

– Je n'ai rien autre à te dire, mon garçon. Maintenant, il vaut mieux que chacun aille son chemin. Tu m'entends ?

Alex était resté figé sur place, le buste penché en avant, le pendentif dans sa main droite, la gauche posée sur le canapé. Son regard était perdu dans le vide, complètement absent.

– Alex, tu m'entends ? demanda Mary Thompson en élevant la voix, et en agitant la main devant le visage du garçon.

À cet instant précis, Jennifer Graver, la petite fille de six ans décédée en 2004, se tenait devant Alex, dans la salle de séjour.

Les contours de la silhouette de l'enfant

s'estompaient dans l'atmosphère de la pièce. Une longue robe de chambre, qui retombait sur le sol et recouvrait ses pieds, donnait l'impression que Jenny était suspendue dans les airs. Tous deux se regardèrent fixement pendant un moment infini. Autour d'eux, soudain, les meubles, les murs, les personnes, les villes… tout disparut, comme s'ils étaient seuls, flottant dans les limbes, au-delà des frontières spatio-temporelles, comme s'ils étaient l'un devant l'autre au milieu de nulle part. Ses yeux à elle étaient grands ouverts, et Alex les sentait posés sur lui. Ils pouvaient pénétrer dans les recoins les plus obscurs de son âme.

– *Notre esprit est la clé de tout*, dit la petite fille sans quitter Alex des yeux.

Son expression était neutre, elle ne laissait transparaître aucune émotion. La silhouette dessinée par les contours de son corps semblait de plus en plus transparente aux yeux d'Alex, comme s'il pouvait voir à travers.

– *Tu te rappelles, Alex ? Pour voyager, nous regardions fixement la Ceinture…*

La vision s'évanouit brusquement. Alex laissa tomber le pendentif par terre, se leva d'un bond, et courut vers l'entrée.

Tandis que l'orage se déchaînait sur la ville de Melbourne et qu'une pluie battante s'abattait sur le bitume, Alex Loria claqua la porte de la maison de Mary Thompson, dépassa la grille, et se mit à courir au milieu de la rue, le plus loin possible de la boîte qui renfermait les souvenirs de Jenny et qui s'était ouverte, libérant les fantômes du passé.

16

Lorsque Jenny rouvrit les yeux, elle était assise par terre, devant les lavabos. Les murs blancs des toilettes des filles l'entouraient. Froids, silencieux, anonymes. Le cadre idéal pour perdre son identité, ne plus savoir distinguer le délire de la réalité. Jenny posa sa main sur son front, convaincue d'avoir de la fièvre. Puis elle leva les yeux, et vit une de ses camarades de classe, Olivia Stamford. Un bandeau de sport retenant ses épais cheveux frisés, la monture de ses lunettes de travers, Olivia était penchée sur elle.

– La prof se demande si tu t'es jetée par la fenêtre à cause de ton interrogation, plaisanta-t-elle.

Jenny se sentait tellement épuisée qu'elle n'arrivait pas à répondre. L'idée d'esquisser un sourire face aux moqueries d'Olivia ne lui passa même pas par la tête. Elle baissa les yeux.

– Hé, qu'est-ce que tu as ? lui demanda son amie en l'aidant à se relever. (Elle lui posa les mains sur les épaules.) Tout va bien ? Tu es toute pâle.

– Oui… oui, ne t'inquiète pas. Retournons en classe.

Quand elle rentra dans la salle, ses camarades étaient à leur place. Mêmes visages que d'habitude. Derrière son bureau, la professeure lui lança un coup d'œil interrogateur.

Jenny s'assit à sa place, le regard vide. Pendant tout le cours, elle songea au tourbillon d'émotions, de formes, de sons, à travers lequel elle avait l'impression d'être passée.

Quelques minutes avant la sonnerie, Jenny repensa au tableau qu'elle avait découvert dans le salon. À son père mort. À la salle de classe remplie d'élèves inconnus. À la fontaine dans la cour, qu'elle n'avait jamais vue auparavant.

« Qu'est-ce qui m'arrive ? »

En rentrant chez elle, Jenny laissa tomber son sac à dos dans l'entrée, et se jeta sur le canapé du salon, exténuée. Elle y resta quelques secondes, craignant presque de s'endormir de nouveau. Puis elle monta au premier étage, et entra dans la salle de bains, où elle s'attarda quelques instants devant le miroir.

– Un bain chaud, dit-elle en s'adressant à son reflet. Voilà ce qu'il me faut. Chaud et parfumé.

Elle ouvrit le robinet du côté rouge, puis se déshabilla lentement, posant ses vêtements sur un panier à côté de la machine à laver. Elle prit deux perles de bain moussant dans un bocal en verre, sur une étagère. Elle respira leur odeur de lavande, et les laissa tomber dans l'eau. Elle alluma également deux petites bougies et éteignit la lumière, tandis qu'un frisson glacé la faisait trembler.

Un peu plus tard, plongée dans l'eau jusqu'au cou, elle ferma enfin les yeux. Le parfum délicat l'enveloppait et la cajolait comme une étreinte maternelle. C'était un des meilleurs remèdes contre le stress qu'elle connaisse.

Son bain chaud lui redonna un peu de sérénité. En sortant de l'eau, elle respira profondément et eut l'impression que le poids qu'elle sentait dans sa poitrine avait disparu, au moins en partie.

Enveloppée dans un peignoir blanc, elle se dirigea vers sa chambre. Les photos de ses premières victoires de nageuse étaient fixées au mur le long de tout le couloir du premier étage. Un bon butin d'or, aimait-elle dire en plaisantant. Son père, Roger, était fier d'elle, et c'était sans doute ce qui comptait le plus pour elle. Une fois dans sa chambre, elle arrangea deux coussins sur le lit, comme des oreillers, s'allongea et y posa la tête, qu'elle sentait toujours lourde.

Elle prit une petite télécommande dans le premier tiroir de la commode et alluma sa chaîne hi-fi. La musique se diffusa doucement dans la pièce. C'était un morceau de Sarah McLachlan qu'elle adorait : *In the Arms of the Angel*. La pluie tambourinait contre la fenêtre, tandis que la voix délicate de la chanteuse canadienne servait de bande sonore à ce sombre après-midi.

Jenny se leva et fit lentement glisser son peignoir. Elle resta nue quelques instants devant le miroir de l'armoire, observant son corps athlétique à la peau dorée. Puis elle regarda autour d'elle. La porte était entrouverte, et elle était seule chez elle. Sans qu'elle puisse se l'expliquer, cependant, Jenny avait l'impression qu'on l'observait.

Le tourbillon.

Un mélange de plaintes, de paroles, de formes indistinctes et gigantesques. Des millions de voix qui se chevauchaient, mêlées à des images insaisissables qui tournaient dans sa tête comme dans une terrible centrifugeuse de sentiments et de visions.

Quelques instants.

Puis le silence.

Les yeux d'Alex firent le point sur la réalité qui l'entourait : les maisonnettes de Blyth Street, les unes à côté des autres, toutes si semblables, leur architecture traditionnelle n'offrant aucune surprise. La pluie tambourinait sur les toits et noyait les plantes des cours intérieures des maisons. Quand il voulut regarder en bas, à ses pieds, Alex ne vit rien. Seule la chaussée s'étendait devant lui. Un panneau près du croisement, à une cinquantaine de mètres de lui, indiquait « BLYTH STREET ». Au bout de la rue, cependant, il ne vit plus la rotonde aux arbres secoués par le vent qu'il avait remarquée un peu plus tôt. Il n'y avait qu'un feu rouge pour régler la circulation d'un simple carrefour.

« Qu'est-ce que ça signifie ? »

Il retourna vers la grille de la petite maison de Mary Thompson. Il vit la boîte aux lettres. Sur l'étiquette, il lut le nom de GRAVER.

Alex sentit la peur comme une lame de couteau sur son cou. Mais la surprise, l'excitation s'emparaient en même temps de lui. Il avança, bien qu'il n'eût aucune perception physique de son déplacement. En arrivant devant la grille, il la franchit sans avoir eu besoin de l'ouvrir. Il fit la même chose avec la porte d'entrée. Quelques instants plus tard, il était dans la maison.

« Je suis passé à travers... »

L'ameublement était différent de celui dont il se souvenait. Il n'y avait plus le tableau qui figurait la Terre vue de la Lune, par exemple. Le mur était vide. Alex avança et monta l'escalier. Au premier étage, il aperçut une porte entrouverte. Les murs du couloir étaient tapissés de photos qui représentaient dans l'ordre :

une fille aux cheveux châtains un trophée dans les mains, une fille en maillot de bain sur la plus haute marche du podium, une fille avec un bonnet et un homme qui se tapent dans la main, le visage rayonnant, deux rubans de couleur à la main, au bout desquels pendait une médaille d'or.

Alex se dirigea vers la porte entrouverte. Il était extrêmement tendu, mais ne sentait pas sa poitrine exploser sous le coup de l'émotion. Il n'avait aucune sensation corporelle. L'anxiété n'était qu'une *idée* à laquelle ne correspondait aucun symptôme physique.

Il arriva à la porte, et son regard en franchit immédiatement le seuil.

Jenny se tenait devant son armoire, nue. Elle regardait autour d'elle, l'air effrayé. C'était elle. Il le savait. Le peignoir blanc était par terre, à ses pieds. Le corps de la jeune fille lui offrait une vision à la fois stupéfiante et fascinante. Sa silhouette longiligne, ses jambes athlétiques, sa peau dorée, ses seins fermes enchantèrent le regard d'Alex. Ses cheveux châtains encore mouillés tombaient sur ses larges épaules de nageuse. Ces yeux, il en était sûr, étaient ceux de Jenny. Il les avait déjà vus. Il les avait déjà rêvés.

– *Je suis là…*

Il n'eut pas le temps de penser davantage. Le tourbillon l'emporta de nouveau.

Lorsqu'il rouvrit les yeux, il était par terre au bord d'un trottoir. Il continuait à pleuvoir et ses vêtements étaient trempés. Le ciel était noir, comme si c'était déjà le soir. Des voitures filaient sur la chaussée. Alex se traîna jusqu'au mur d'un immeuble, puis se leva. La pluie lui obscurcissait la vue, et il distinguait difficilement ce qui l'entourait. Il avait un goût de sang dans la bouche.

Il repéra rapidement son sac à dos. Il le prit, en ouvrit la poche extérieure, en quête de son téléphone portable. Il le trouva et essaya de l'allumer. Il fallait absolument qu'il parle à Marco, mais il lui fut impossible d'afficher quoi que ce soit.

– Mets-toi en marche, bon sang ! s'écria-t-il.

Rien à faire. C'était peut-être simplement la batterie qui s'était déchargée, mais – et c'était plus probable – de l'eau avait pu entrer dans les circuits et les avoir irrémédiablement abîmés. Il regarda désespérément autour de lui, et vit une enseigne au néon bleu et rose au bout de la rue. Elle était floue à cause du mur de pluie qui tombait sans arrêt, mais Alex parvint quand même à lire : INTERNET POINT.

Quelques instants plus tard il parlait à son ami, des écouteurs usés sur les oreilles, et un petit micro déglingué à la main. Le gérant du point Internet, un Indien d'une trentaine d'années, le regardait avec méfiance.

– Alex, tu comprends ce que ça veut dire ?

Les questions de Marco partaient toujours du principe que tout ce qui arrivait était aussi clair pour Alex que pour lui.

– Ça ne peut signifier qu'une seule chose, poursuivit-il.

Sa voix forte résonnait clairement. Alex ayant un portable inutilisable n'avait trouvé qu'un seul moyen de communiquer avec Marco : le contacter par Skype. Il s'était assis dans un coin de la pièce, à côté d'un garçon assez gros et d'une femme aux traits orientaux.

En Italie, il était environ dix heures du matin quand la petite fenêtre du logiciel s'était ouverte sur l'ordinateur portable de Marco. Il était en train de lire les premières pages des quotidiens. Une lumière pâle filtrait à travers la vitre et se reflétait sur la tasse de thé fumant qu'il avait posée sur sa table de travail.

Par l'ordinateur du point Internet il était impossible d'activer un appel vidéo, mais le son était excellent. Alex remarqua que les gens assis à côté de lui le regardaient. Peut-être parce qu'il était trempé de la tête aux pieds. Son casque de cheveux blonds retombait sur son front, continuant de dégouliner, et ses vêtements étaient devenus lourds et froids.

– Tu es allé dans son monde, tu es allé au-delà de ta dimension par la pensée.

Alex resta immobile un instant, réfléchissant aux mots de son ami.

– C'est exactement la sensation que j'ai eue. Celle de me détacher de mon corps, de n'exister que par mon esprit.

– Tu peux franchir le seuil entre deux mondes, expliqua Marco presque pour lui-même.

Il éprouvait le besoin de répéter à haute voix ce qui, il y a peu de temps encore, n'avait été qu'une supposition.

– Nous ne savons pas encore comment tu y es arrivé, nous savons seulement que ton corps n'était pas de l'autre côté.

– Et tout ça n'a rien à voir avec ce qui s'est passé dans ce monde-ci, dans la maison qui appartient à Mary Thompson. Marco… j'ai vu Jenny à six ans, et elle m'a parlé.

– Qu'est-ce que tu dis ?

Alex raconta à Marco la vision qu'il avait eue dans le salon de Mary Thompson, la façon dont il s'était enfui ensuite pour se retrouver sous l'orage, avant de s'évanouir. Il lui rapporta la phrase de Jenny : « Tu te rappelles, Alex ? Pour voyager nous regardions fixement la Ceinture. »

Marco resta silencieux quelques secondes, tandis que la communication devenait plus difficile à cause d'un bourdonnement intermittent.

– Je ne t'entends pas bien…

Ce furent les derniers mots qu'Alex parvint à saisir avant que leur conversation s'interrompe complètement. Il essaya de rétablir le contact, mais il vit que l'ordinateur était déconnecté, et en regardant les autres personnes dans la salle, il comprit qu'il n'était pas le seul à avoir ce problème.

Il se leva, paya, et quitta le point Internet. Il trouverait le moyen de rappeler Marco plus tard. En sortant dans la rue, une bourrasque de vent froid lui arriva dans la figure. Il sortit son lecteur MP3 et mit ses écouteurs. Les notes d'introduction de *Getting Better* des Tesla résonnèrent à ses oreilles. Les premières paroles de Jeff Keith dédiées à la pluie semblaient décrire une situation très proche de la sienne : en effet, l'eau tombait à verse, Alex était trempé et affamé.

Jenny s'habilla en hâte. Puis elle descendit au rez-de-chaussée. Très agitée, elle entra dans la cuisine et s'assit pour réfléchir à ce qui s'était passé. Il y avait eu quelqu'un dans la pièce avec elle. Elle en était certaine. Ce n'était pas une hallucination. C'était une présence.

« Je suis là... » Ces mots résonnaient dans son cerveau. Elle les avait entendus distinctement. C'était la voix d'Alex.

Jenny se leva, s'approcha de la cuisinière et ouvrit le placard. Elle prit un sachet de camomille, puis alluma la bouilloire.

– Il faut que je garde mon calme, se dit-elle. Rien de tout cela n'existe. Rien de rien. C'est uniquement dans ma tête.

17

Après avoir fermé la fenêtre de Skype, Marco prit un stylo dans une ancienne canette de Sprite transformée en pot à crayons, et ramassa un tas de feuilles sur sa table de travail. C'était les sorties papier des résultats de ses recherches qu'il avait obtenus grâce au logiciel qu'il avait inventé. Il préférait les examiner un par un sur le papier plutôt que s'abîmer les yeux devant l'écran.

Il commença par barrer ce qui lui semblait le moins intéressant : interventions sur certains blogs, répliques sur Facebook, messages de Twitter provenant des quatre coins du monde. Le logiciel avait recensé, catalogué et traduit les informations écrites en langues étrangères pour tout ce qui concernait les dimensions parallèles et la théorie que Marco avait expliquée à Alex.

« Tout ça, c'est des trucs bidons, dignes de Google, voyons les SMS », pensa-t-il, tandis que, le bouchon entre les dents, il passait son stylo sur chaque texte. L'écrémage de ces résultats pouvait lui prendre toute la journée, mais Marco avait inventé ce programme pour y trouver des contenus privés, qu'une simple recherche en ligne ne lui aurait pas permis de découvrir.

Les SMS qui parlaient du Multivers n'étaient pas nombreux. La plupart d'entre eux se référaient à des théories scientifiques lues dans certaines revues spécialisées dans ce domaine. Rien d'intéressant.

Soudain, un message l'intrigua :

OUI, JE LE CONNAIS, LE PROBLÈME EST QUE CET E-BOOK EST INTROUVABLE. MOI, JE L'AI TÉLÉCHARGÉ L'ANNÉE DERNIÈRE, JE L'AI LU, MAIS AU BOUT D'UNE SEMAINE JE NE SUIS PLUS ARRIVÉ À L'OUVRIR. LE FICHIER ÉTAIT INFECTÉ. ET JE NE L'AI PLUS RETROUVÉ SUR LA TOILE.

Le regard de Marco s'éclaira.

« Il faut que je récupère le SMS qui précède cette réponse. » Il posa les papiers sur la table, et revint au logiciel en cliquant rapidement sur la souris.

Après avoir identifié le message, il tapa sur la touche de droite pour ouvrir une petite fenêtre et sélectionna la rubrique « détails ». Le numéro du destinataire était sous ses yeux. Marco le sélectionna, le copia puis le colla dans un moteur de recherche de son programme pour voir s'il y avait une correspondance, si le logiciel arrivait également à dénicher le message précédent de la conversation.

– Oui ! C'est ça ! exulta-t-il, en lisant son contenu.

L'expéditeur correspondait à ce qu'il cherchait. Et le thème de la discussion aussi.

IL S'APPELLE : THOMAS BECKER'S MULTIVERSUM (DIE REALITÄT, DIE UNS UMGIBT, IST NUR EINE DER UNENDLICHEN PARALLELEN DIMENSIONEN).

La traduction du sous-titre disait : « *La réalité qui nous entoure n'est qu'une des infinies dimensions parallèles.* »

– Bien, bien..., murmura Marco en prenant son stylo et en marquant sur un papier les deux numéros de téléphone portable.

Il tapa le premier sur le clavier de Skype. Il apparut qu'il n'existait pas. Il barra le numéro et passa au suivant. Même résultat. Il se jeta alors sur le clavier de son ordinateur portable et ouvrit trois fenêtres correspondant aux pages de ventes de livres en ligne.

– Bon sang, impossible de trouver quoi que ce soit. Le livre ne doit pas être dans le catalogue, dit-il en rouvrant son logiciel.

Il introduisit le titre et le sous-titre du livre dans un moteur de recherche, afin qu'il examine les résultats obtenus. Pas seulement les SMS interceptés, mais également les blogs, le courrier sur les réseaux sociaux et les sites Internet.

Il découvrit une correspondance.

Il s'agissait d'un blog intitulé « *The_great_web_robbery* ». « *La grande escroquerie du web*, intéressant... », pensa Marco en haussant les sourcils. D'après la recherche, le blog semblait citer le livre de Thomas Becker. Mais quand Marco tapa l'adresse sur Internet, il se trouva devant ce message : « Ce blog a été supprimé à cause d'une violation du droit d'auteur. »

– Ah, non ! s'exclama Marco, les mains dans les cheveux. Il enleva ses lunettes, les posa sur sa table de travail et se massa le front. Il ferma les yeux pour qu'ils se reposent.

« Le SMS faisait allusion à un e-book qui aurait disparu de la Toile. Il faut que je trouve ce livre. »

Quand il rouvrit les yeux, l'écran était noir.

Deux petits coups sur la souris. Rien. L'écran resta noir. Il appuya sur la barre d'espace, mais il n'y eut aucun changement. Il vérifia que la prise multiple était bien branchée. La LED orange était allumée, ce n'était donc pas un problème électrique.

Soudain, une fenêtre s'ouvrit sur le moniteur, en bas à droite. Un carré bleu avec un petit rectangle blanc qui clignotait dans un coin.

« Bon sang, mais qu'est-ce qui... ? Pourquoi est-ce que c'est passé en mode DOS ? »

Marco resta là, à observer son écran, ébahi. Puis il prit la souris, et s'aperçut qu'elle était inutilisable. Il était sur le point de taper quelque chose sur le clavier, quand le petit rectangle se mit à bouger dans la fenêtre.

Au bout d'un certain temps, il s'arrêta au milieu. Les lettres commencèrent à prendre forme sous les yeux stupéfaits et effrayés de Marco.

JE N'EXISTE PAS

La phrase changea de place dans la fenêtre, puis se multiplia, envahissant tous les coins du carré jusqu'à ce que disparaisse la lumière du processeur sous la table.

Le PC s'éteignit dans un bref sifflement.

– Merde, un virus ! jura Marco.

« Quelqu'un a pris possession de mon ordinateur », pensa-t-il. Il ne lui était jamais rien arrivé de semblable. Un virus serait-il vraiment entré dans le système ? C'était difficile, vu la gamme d'antivirus sans cesse mis à jour dont il disposait. Mais possible, étant donné que les hackers du monde entier créaient de nouveaux virus chaque jour et que même lui ne pouvait pas être toujours prêt à affronter une attaque imprévue.

Marco tenta de remettre le processeur en marche, sans succès. Il débrancha même la prise de courant, la rebrancha, et constata que le PC était complètement hors d'usage.

À sa droite, le Mac était toujours allumé, sa luminosité au maximum, comme Marco le voulait. À sa gauche, le Dell portable était resté ouvert sur le catalogue d'Amazon où il avait cherché le texte de Thomas Becker.

Marco appuya sur un des boutons de commande de son fauteuil roulant électrique et recula jusqu'au couloir. Puis il fit un virage à cent quatre-vingts degrés et entra dans la cuisine.

Dès qu'il fut à l'intérieur, il tapa des mains pour allumer la lumière. La table était en désordre. Deux ou trois assiettes sales entassées les unes sur les autres. Une bouteille d'eau sans bouchon. Des couverts éparpillés, un verre, des serviettes de table usagées et des miettes un peu partout.

Marco ouvrit une porte du placard et en sortit une boîte de café. Il s'approcha de la cuisinière et tendit la main vers la cafetière qu'il dévissa pour jeter son contenu dans un sac en plastique accroché à la poignée de la fenêtre.

« C'est probablement un hacker. Un type meilleur que moi. Une blague, sans doute. Ou un défi. »

Quand il revint dans la salle des ordinateurs, sa tasse serrée dans sa main droite, il se dirigea directement vers le clavier du Mac. Il ouvrit une nouvelle page, puis tapa « Thomas Becker » dans le moteur de recherche.

– Un musicien… Un champion de canoë… ce n'est pas ça, murmura-t-il en hochant négativement la tête.

Un concert de klaxons brisa le silence. Il provenait de la rue sur laquelle donnait la pièce où il se trouvait. Marco leva les yeux, comme s'il avait voulu suivre la direction du bruit. Par la fenêtre, il ne pouvait voir que la façade de l'immeuble d'en face, avec ses antennes paraboliques, ses stores baissés et du linge qui séchait sur les balcons.

Il finit son café, puis reporta son regard sur l'écran du Mac pour reprendre sa recherche.

– Non ! Celui-là aussi ! Ah, non ! s'exclama-t-il en voyant l'écran de vingt-quatre pouces d'Apple complètement noir.

Il resta immobile. Il se sentait impuissant. Lui qui aurait pu écrire un mode d'emploi pour chacun de ses ordinateurs !

Il avait presque *peur* de voir de nouveau apparaître le carré bleu.

Il ne se trompait pas.

Lorsque la fenêtre s'afficha et que le petit rectangle blanc se mit à clignoter, Marco posa rapidement les doigts sur son clavier. « Cette fois, je prends les devants, je ne me ferai pas avoir comme ça. »

Il tapa : QUI ES-TU ? Le rectangle alla à la ligne et continua de clignoter quelques instants. TU T'ES ASSEZ AMUSÉ AVEC LE DOS ? ajouta-t-il aussitôt.

La réponse sèche, directe, de son interlocuteur virtuel lui arriva comme une gifle : IMBÉCILE, JE SUIS ENTRÉ DANS TON MACINTOSH. IL EST IMPOSSIBLE D'OUVRIR UNE FENÊTRE DE DOS SUR UN MACINTOSH.

Marco resta silencieux. Les mains immobiles, les yeux écarquillés, fixés sur l'écran. Il avait commis une erreur digne d'un débutant. Il venait de le comprendre : la fenêtre ouverte par le hacker était quelque chose de plus inexplicable qu'un simple mode DOS.

– Ce salaud contrôle mes ordinateurs de l'intérieur..., murmura Marco en se rongeant nerveusement les ongles. Une autre phrase apparut sous ses yeux : DIS-MOI POURQUOI TU CHERCHES DES RENSEIGNEMENTS SUR MOI DANS LE RÉSEAU. POUR QUI TRAVAILLES-TU ?

ET TOI, QUI ES-TU ? QU'EST-CE QUE TU ME VEUX ? tapa rapidement Marco.

MOI JE N'EXISTE PAS. TU PARLES TOUT SEUL.

Marco ne sut que répondre. Il n'arrivait pas vraiment à comprendre dans quel genre de situation absurde il s'était fourré.

JE CHERCHAIS SIMPLEMENT UN TEXTE.

J'AI ÉCRIT LE NOM DE L'AUTEUR DANS LE MOTEUR DE RECHERCHE ET…

Marco secoua la tête en attendant la réponse, perplexe, puis il lut : L'AUTEUR QUE TU CHERCHES N'EXISTE PAS.

TU ES THOMAS BECKER ? hasarda Marco.

Le petit rectangle blanc clignota quelques secondes. Puis le Mac aussi s'éteignit.

18

– Malédiction ! hurla plusieurs fois Marco, en s'adressant aux deux écrans noirs devant lui.

« Je vais devoir les démonter, pensa-t-il en observant son PC et son Mac, désespérément silencieux. Mais qui peut bien être ce Becker ? Comment peut-il arriver à faire tout ça ? »

La petite musique signalant de nouveaux messages de son portable, posé sur un meuble du couloir, retentit. C'était le début du chœur « O Fortuna » de *Carmina Burana* de Carl Off. Marco se retourna brusquement, puis conduisit son fauteuil roulant dans le couloir. « C'est sûrement Alex, il a dû recharger son téléphone », pensa-t-il avant de prendre son portable et de lire sur l'écran :

1 NOUVEAU MESSAGE
EXPÉDITEUR INCONNU

Marco eut un soupir nerveux. Il pouvait recevoir un appel d'un numéro masqué, mais pour les messages, ce n'était pas si simple. Il lut le SMS à haute voix :

– J'ai jeté un coup d'œil à tes dossiers. Intéressant, le logiciel que tu es en train de créer.

Marco resta pétrifié, jusqu'à ce qu'un bruit provenant de la salle des ordinateurs attire son attention.

L'écran du Mac se ralluma rapidement, et un morceau de rock en allemand explosa dans la pièce à un volume assourdissant. Marco se boucha les oreilles tandis que tous les dossiers du système apparaissaient l'un après l'autre sur l'écran. Les fichiers se déplaçaient tout seuls vers la corbeille, et étaient éliminés.

– Salaud ! cria Marco en dirigeant son fauteuil roulant vers sa table de travail.

Il ne mit pas longtemps à comprendre qu'il était tenu en échec. La souris ne répondait plus. Le clavier non plus.

Une fenêtre Word s'ouvrit soudain.

CERTAINS SONT MEILLEURS QUE TOI, lut-il.

« Bon sang ! Il est en train de tout effacer ! » Marco réfléchit une fraction de seconde, puis il se pencha vers la prise multiple à laquelle étaient reliés les trois ordinateurs, et détacha avec force la prise du Mac. Il ferma rapidement le PC portable, le seul qui restait à sa disposition. « Becker pense que je suis dangereux, se dit-il en conduisant son fauteuil vers la salle de bains. Soit il s'agit d'un mythomane, soit il sait vraiment quelque chose, et toute cette histoire est plus importante que prévu. »

– Il faut que je sache ce qu'il en est, dit-il à haute voix.

À cet instant, le PC portable se remit en marche tout seul.

Au même moment, à Melbourne, Alex était sorti du point Internet, toujours trempé de la tête aux pieds, et avait pris une rue parallèle à l'Esplanade. À chaque croisement, il voyait l'océan derrière l'enfilade de palmiers qui séparait les deux voies. Grâce à son fidèle lecteur MP3, il écoutait plusieurs morceaux choisis un peu au hasard après celui des Tesla. Il plissa les yeux pour essayer de voir à plus d'une vingtaine de mètres. Au loin brillait l'enseigne lumineuse d'un McDonald's. Quand il arriva devant, il n'y avait plus âme qui vive dans la rue. L'orage avait renvoyé chacun chez soi. Quelques voitures seulement passaient à toute allure, en soulevant des gerbes d'eau.

Alex entra dans le fast-food et s'approcha de la caisse. Un homme très grand, pantalon noir serré, bottes, collier de pointes de métal, cheveux dressés en crête, paya et s'éloigna, un plateau à la main, en lui laissant la place. Alex jeta un rapide coup d'œil au menu, puis commanda un Royal Bacon et une boisson, ses écouteurs toujours vissés sur ses oreilles. Il s'assit à une table.

La salle était presque vide. En dehors du punk, il remarqua un homme d'une cinquantaine d'années, seul, qui mangeait une coupe de glace, un vieux labrador couché à ses pieds, et un couple de trentenaires qui se regardaient dans les yeux, chacun donnant une frite à manger à l'autre, un sourire d'amoureux dessiné sur le visage.

Alex tendit la main vers son sac à dos qu'il avait laissé par terre. Il en sortit le livre de Klavan, mais se rendit compte qu'il n'avait pas du tout envie de lire. Il prit son lecteur MP3 dans une poche de sa veste, et le posa à côté de son plateau. Les Wildhearts s'affichaient sur l'écran – *I Wanna Go Where the People Go.*

Il mordit dans son hamburger tandis que le punk passait devant lui en se dirigeant vers la sortie. Il observa son tee-shirt, sur lequel les mots ORION'S BELT en caractères gothiques se superposaient à un symbole tribal et à quelques points lumineux qui formaient une constellation. Trois de ces points étaient particulièrement grands et rapprochés.

« C'est probablement le tee-shirt d'un groupe de musique », pensa Alex. Mais ces mots avaient ranimé un souvenir en lui. Aussi soudain qu'une impression de déjà-vu, aussi net que si la scène s'était déroulée la veille. Alex ferma les yeux, le laissant revenir dans son esprit :

– *Mon papa me raconte toujours beaucoup d'histoires sur les étoiles.*

– Qu'est-ce qu'il y a comme histoires sur les étoiles ?

– Hier, il m'a raconté celle d'un héros. C'était le plus beau de tous les hommes. Et dans le ciel, sa constellation était la plus brillante.

– Comment s'appelait-il ?

– Orion.

Alex écarquilla subitement les yeux.

– Mais bien sûr ! s'exclama-t-il en tapant du poing sur la table.

Derrière la caisse, l'employée le regarda de travers. Le labrador tenu en laisse par le vieux monsieur leva brusquement la tête et aboya.

« *Orion's Belt* ! La Ceinture d'Orion ! C'est le nom de ces trois étoiles rapprochées que j'ai vues sur le tee-shirt. »

Alex sortit un stylo à bille de la poche intérieure de son sac à dos et écrivit derrière l'emballage du hamburger qu'il avait laissé dans un coin du plateau : « Tu te souviens, Alex ? Pour voyager, nous regardions fixement la Ceinture. »

Il relut la phrase plusieurs fois, prenant peu à peu conscience de ce qui l'attendait.

Il se leva d'un bond, prit son sac, et sortit du McDonald's.

Dehors, la tempête sévissait toujours, les flaques le long du trottoir étaient de plus en plus grosses, et les faibles lumières des enseignes des magasins se fondaient dans la grisaille. Alex marchait vite, le regard fixe. La rue qui menait à son hôtel n'avait ni arcades ni auvents sous lesquels s'abriter. Mais peu lui importait.

Son regard était rayonnant.

– J'ai examiné tes ordinateurs, et j'ai compris que tu étais un peu trop curieux. Qu'est-ce que tu me veux, petit ?

Marco connaissait bien ce timbre de voix. C'était celui du lecteur automatique qu'il utilisait sur son PC. Lorsqu'il se retourna brusquement vers son portable, il vit qu'une fenêtre du programme s'était ouverte au milieu de l'écran. Il s'approcha dans son fauteuil électrique et essaya de déplacer le curseur. Il ne répondait pas.

Le timbre féminin que Marco avait choisi pour ce logiciel était cordial mais monocorde, malgré l'effort appréciable des programmeurs visant à lui donner des inflexions et un certain rythme en cas d'incises ou de points d'interrogation.

– Inutile de te servir de ta souris et de ton clavier. C'est moi qui les contrôle. Je me suis permis d'activer ta webcam intégrée, si ça ne t'ennuie pas. Je te vois. Je t'entends.

Une pause accompagnée d'un bruit de fond. Un grésillement semblable au bruit d'un vinyle quand le saphir se pose sur le bord du disque.

– Qu'est-ce que tu me veux ? reprit la voix.

Marco était frappé de stupeur. Était-ce

Becker ? Cette voix féminine robotisée traduisait en paroles ce que le professeur tapait quelque part.

– Je..., commença-t-il craintivement, sans savoir s'il devait regarder vers l'objectif ou pas, j'ai simplement besoin de renseignements sur le Multivers.

Silence.

– Ne parle pas de ce que tu ne connais pas, petit.

– En parler est le seul moyen d'y comprendre quelque chose.

– Peut-être, mais il faudrait d'abord que tu sois sûr d'avoir affaire aux personnes adéquates.

Marco hocha la tête, découragé. Ce dialogue était absurde. L'homme le voyait peut-être en plein écran, depuis un endroit perdu qui sait où, alors que lui-même devait se contenter d'écouter cette traduction vocale anonyme.

– Vous avez écrit ce livre, vous pouvez peut-être m'aider... J'ai un ami, Alex, et je crois qu'il est dans le Multivers.

– Ce que tu dis n'a aucun sens ! Nous sommes tous dans le Multivers.

– Oui, excusez-moi, je sais, seulement lui, voilà, eh bien, il communique avec une fille d'une autre dimension... ils se parlent. Mais ils ne vivent pas dans la même réalité. Ne me prenez pas pour un fou, je vous en prie.

Une pause de quelques secondes, interrompue

seulement par le bourdonnement des ordinateurs. Marco haussa les sourcils comme s'il attendait une réponse.

– Memoria, dit la voix dépourvue d'inflexions.

– Comment ?

– Memoria, c'est ainsi qu'on l'appelle. Ils doivent trouver Memoria.

– Excusez-moi, je ne compr…

– Si tes amis veulent vraiment *voyager*, ils la trouveront. C'est la voie.

– La voie pour quoi ?

– Memoria est la seule voie de salut. Ce qui s'est produit est sur le point de se reproduire.

– Je n'y comprends rien ! Vous voulez bien m'expliquer ce que tout cela signifie ?

La communication était devenue difficile. Un bourdonnement de plus en plus fort provenant des haut-parleurs de l'ordinateur couvrait la voix robotisée.

– Dis à ton ami de trouver Memoria. Si tu n'as pas tout inventé, ils peuvent le faire, la fille et lui. Quand il aura franchi les frontières entre plusieurs dimensions, il découvrira le pouvoir qui n'appartient qu'à ceux qui ont vécu cette expérience. Ils pourront être sauvés, mais la mort les frappera quand même. Je n'ai rien d'autre à te dire.

– De quoi parlez-vous ? Ça n'a pas de sens !

Aucune réponse.

La petite fenêtre se ferma, le bruit de fond disparut.

Marco enleva ses lunettes, les posa devant son portable, prit un stylo-bille et écrivit sur un Post-it « Memoria ». Puis il planta ses coudes sur la table, plongea ses mains dans ses cheveux, tandis que les derniers mots de Becker résonnaient dans sa tête : « Ils pourront être sauvés, mais la mort les frappera quand même. »

19

Quand Alex arriva à l'hôtel, ses vêtements lourds et mouillés lui collaient à la peau.

L'employé de la réception le regarda de travers, tandis qu'il laissait l'empreinte de ses chaussures pleines d'eau sur les tapis rouges de l'entrée.

Il se glissa rapidement dans l'ascenseur, en toussant sans arrêt. Le miroir lui renvoya l'image de son visage violacé.

« Je vais tomber malade, il ne manquait plus que ça ! »

Alex entra dans la chambre. Il laissa tomber son sac à dos près du lit, enleva son jean et son tee-shirt complètement trempés et les jeta par terre, restant en boxer. Puis il sortit son téléphone de la poche extérieure de son sac et essaya de l'allumer. Rien à faire, il était hors d'usage, même en le branchant sur le secteur. Ce n'était pas un problème de batterie. Il était clair que la pluie avait pénétré dans les circuits. Alex toucha l'intérieur de la poche de son sac et constata qu'elle était imbibée d'eau.

– Merde ! s'exclama-t-il, tandis que ses yeux repéraient le téléphone fixe sur la table de chevet. Ça va me coûter cher, tant pis..., ajouta-t-il, en décrochant le récepteur et en appuyant sur la touche zéro. La ligne était disponible. Il ne lui restait plus qu'à se rappeler le numéro de Marco.

« Marco m'avait appris un petit truc pour me souvenir de son numéro, voyons... l'indicatif était trois, quatre, huit... comme le mien. Ensuite... ah, oui ! L'année de la victoire de l'Espagne à la coupe du monde, à l'envers : deux, huit, neuf, un. Et après ? »

Alex regarda autour de lui. La décoration raffinée et élégante de l'hôtel était loin de correspondre à ses goûts. Un tableau représentant une Vierge à l'enfant occupait le milieu du mur, au-dessus du téléviseur à écran plat. Les rideaux étaient blancs, brodés. Le couvre-lit de couleur beige était enrichi de scènes de chasse stylisées, qui lui rappelèrent certaines peintures rupestres qu'il avait vues dans plusieurs documentaires ennuyeux projetés dans la grande salle de l'école.

« J'y suis ! Le numéro de la police américaine : neuf, un, un ! Essayons... »

Il composa le numéro et attendit, le regard attiré par le menu des collations servies en chambre, qui n'étaient vraiment pas bon marché.

– Allô ? dit Marco d'un ton méfiant.

– C'est moi ! Alex ! Heureusement que tu es là !

– Alex ! Comment ça va ? Où es-tu ? Tu ne peux pas imaginer ce qui m'est arrivé !

– Je suis à l'hôtel. Mon portable est foutu. À partir de maintenant, je serai donc injoignable. Mais… j'ai compris la phrase de Jenny, je sais ce qu'est la Ceinture. Et toi, dis-moi, qu'est-ce qui t'est arrivé ?

– Mon ami, ici c'est la confusion la plus totale. Je crois que tu es en danger, mais je ne sais pas grand-chose de plus, malheureusement.

– Qu'est-ce que tu veux dire ?

– J'ai parlé à quelqu'un, quelqu'un qui a des réponses à nous donner.

– Je ne sais même pas quelles sont les questions.

– Écoute, j'ai bien peur qu'il n'y ait pas de quoi rire. Cette personne m'a dit que tu devais trouver Memoria avant qu'il ne soit trop tard. Ne me demande pas ce que c'est, je n'en ai pas la moindre idée. Un endroit, peut-être. Elle a dit que tu trouverais, elle en a parlé comme d'un endroit accessible à des gens comme toi et Jenny.

Marco raconta comment il était entré en relation avec Thomas Becker et rapporta les informations que celui-ci lui avait fournies. D'après cet homme, le voyage entre plusieurs dimensions conférait un pouvoir spécial, un pouvoir réservé à ceux qui étaient capables de faire cette expérience.

– C'est absurde. Pourquoi est-ce qu'on devrait chercher une voie de salut ? Pour nous sauver de quoi ? Il ne t'a rien dit d'autre ? demanda Alex, ahuri par ces nouvelles.

Marco hésita quelques secondes avant de répondre. Si, Becker lui avait dit qu'ils mourraient. « Ils pourront être sauvés, mais la mort les frappera quand même. » Marco n'eut pas la force de rapporter ces paroles à son ami. Ou peut-être n'avait-il aucune intention d'y croire.

– Non, il ne m'a rien dit d'autre… mais parle-moi de la phrase de Jenny, qu'as-tu découvert ?

– Il s'agit de la Ceinture d'Orion, ces trois étoiles rapprochées qu'on voit à l'œil nu… en fait, je crois que ça signifie que je dois attendre la nuit. Et que le ciel redevienne limpide. Je vois que la pluie commence à arrêter de tomber. Demain peut-être… Mais je n'ai aucune idée de ce que je devrai faire.

– « Notre esprit est la clé de tout », avait dit la petite fille de la vision que tu avais eue. Tu dois peut-être trouver la concentration nécessaire pour… « voyager », c'est bien le mot qu'elle avait employé, non ?

– Oui. Alors le voyage…

– … te mènera vers elle !

– Mais pourquoi est-ce qu'elle m'a demandé

si je me rappelais, Marco, que dois-je me rappeler ?

– Il est évident que vous êtes liés depuis longtemps, très longtemps, Jenny et toi.

Alex dit au revoir à son ami et se jeta à plat ventre sur la couverture moelleuse. À moitié nu, les muscles courbatus, le cou endolori, il tendit la main vers l'interrupteur de la lampe de chevet. Il ferma les yeux, s'abandonnant à l'obscurité.

Il ne parvenait pas à se reposer.

Une image le hantait.

Le pendentif de Jenny.

Le triskèle. Son *pendentif magique.*

Il plissa les yeux, gravant le symbole celtique dans son esprit.

– *Écoute-moi, je t'en prie !* pensa-t-il intensément, en répétant plusieurs fois la phrase.

Jenny était assise à son bureau, son livre de sciences ouvert devant elle, son crayon à la bouche.

La voix d'Alex lui parvint avec la puissance d'un train en pleine course, la frappant violemment. Ses pupilles se dilatèrent, elle s'agrippa au bord de la table.

– *Encore… Ça suffit ! Laisse-moi tranquille, je t'en prie. Tu n'existes pas.*

– *J'existe, Jenny !*

– *Arrête ! Va-t'en, je ne veux plus me faire d'illusions. Je ne suis pas malade…*

– Nous ne le sommes ni l'un ni l'autre ! Écoute-moi, cette fois, écoute-moi bien. J'ai vu ton pendentif. Je ne sais pas si tu le portes encore… mais je l'ai vu ! C'est un triskèle, un symbole celtique.

Jenny était abasourdie. Devant elle, l'écran éteint de son ordinateur ressemblait à un miroir obscur qui lui renvoyait son image bouleversée. Au cou, comme toujours, elle avait la petite chaîne à laquelle était accroché le pendentif dont parlait Alex. Son porte-bonheur.

– *Comment le sais-tu ?*

– *Arrête de croire que tu es folle. Ce n'est pas vrai. Je te demande d'avoir confiance en moi et de faire une recherche. Je m'appelle Alessandro Loria, j'habite à Milan, en Italie. Je dois bien être quelque part dans ton monde. Cherche-moi, Jenny…*

La voix d'Alex s'affaiblit. Ses derniers mots se perdirent dans un écho lointain.

Jenny continua à penser à la question qu'elle avait voulu poser à Alex, sans savoir s'il l'avait perçue ou pas : *Qu'est-ce que ça veut dire « quelque part dans ton monde »* ?

Elle se leva brusquement, courut vers la porte de sa chambre, l'ouvrit en grand et se précipita dans la salle de bains. Lorsqu'elle fut devant le miroir, elle appuya ses mains sur le bord du lavabo et fixa intensément son reflet.

– Je ne suis pas folle ! cria-t-elle.

Elle revint dans sa chambre et alluma le

MacBook. Elle se mit à chercher le nom d'Alex sur Internet. « Il est italien, comme ma mère », pensait-elle en cliquant frénétiquement partout. Elle trouva des dizaines de contacts sur Facebook, quelques réponses sur des blogs de sport, d'autres liens qui ne s'ouvraient pas. La plupart des images ne correspondaient absolument pas aux visions qu'elle avait eues dans le passé, pendant ses évanouissements. D'autres avatars représentaient des joueurs de foot, des personnages de film ou de BD. Les correspondances sur les blogs, en revanche, n'étaient reliées à aucune adresse de courrier électronique.

Au bout d'une heure et demie d'essais infructueux, Jenny commençait à se décourager, quand soudain son regard s'éclaira. Un des liens affichés sur la quinzième page de la recherche Google menait au site d'une équipe junior de basket. Jenny l'ouvrit. Son cœur se mit à battre plus fort : dans le groupe de joueurs, une des légendes indiquait « Alex Loria, classe 1998 ». Il y avait aussi une photo en basse résolution qui représentait le garçon en survêtement d'entraînement. Il avait cette mèche blonde que Jenny, lors des moments confus des premières crises, avait vue et pouvait reconnaître.

– Incroyable ! On dirait vraiment que c'est lui...

Le regard de Jenny était comme hypnotisé par cette image. L'âge et l'aspect correspondaient.

Elle cliqua sur l'icône CONTACTEZ-NOUS, puis elle prit son téléphone. Elle était nerveuse, agitée. Elle composa aussitôt le numéro du siège de l'équipe de basket.

– Omnisport Senna, bonjour…

La voix grésillante sortit soudain du récepteur.

– Bonjour madame, commença Jenny en italien, avec un fort accent étranger. J'aurais besoin d'un renseignement.

– Oui ?

– Je cherche le numéro de téléphone et l'adresse d'un garçon qui joue dans votre équipe de basket. Il s'appelle Alex Loria.

– Alex Loria ? Le capitaine ? Je suis désolée, nous ne pouvons donner aucune donnée personnelle par téléphone.

Jenny leva les yeux au ciel, exaspérée.

– Pouvez-vous au moins me dire dans quelle ville il habite ?

– Eh bien, l'index que tu as tapé commence par 02. Tous les joueurs sont de Milan, à part quelques-uns qui habitent en banlieue. Tu as besoin d'autre chose ?

Jenny ferma les yeux, sûre que ce renseignement était suffisant.

– Merci infiniment, dit-elle avant de raccrocher.

Elle n'avait pas besoin de chercher plus loin. Alex était le capitaine d'une équipe de basket qui faisait partie d'un club omnisport de Milan.

Il avait le même âge qu'elle. Les renseignements qu'on lui avait fournis correspondaient parfaitement. Elle n'était pas folle, elle ne souffrait pas de troubles psychiques, elle n'avait pas tout inventé.

Alex existait. Et maintenant, c'était à elle de le rejoindre.

20

Après son dialogue avec Jenny, Alex se dépêcha de prendre une douche. Tandis que l'eau chaude coulait enfin sur son corps maigre et athlétique, il se mit à penser à son moi parallèle, vers lequel il avait poussé Jenny.

« Quelle vie peut-il bien mener ? se demanda-t-il en pressant un flacon de shampooing contre la paume de sa main. Une vie très différente de la mienne ? Est-ce qu'il est capitaine de son équipe ? Est-ce qu'il a obtenu le prix d'athlète de l'année la saison dernière ? »

Alors que l'imagination d'Alex se perdait en conjectures sur le monde alternatif de Jenny, celle-ci, dans sa réalité, avait déjà pris un taxi en direction de l'aéroport. Sans perdre un instant, elle avait fourré quelques vêtements dans son sac de sport, emporté la carte de crédit de sa mère, effectué une rapide recherche sur les sites des compagnies aériennes australiennes, et réservé un billet dans un avion qui la conduirait vers son âme jumelle.

C'était une folie. Elle devait la faire immédiatement, sinon elle n'en aurait plus le courage. Plus tard seulement, elle mesurerait les conséquences de cette fugue décidée si soudainement.

« Il existe, il existe, il existe… », continuait-elle à se répéter pendant que le taxi filait dans les rues de Melbourne.

Jenny arriva à l'aéroport avec beaucoup d'avance par rapport à l'heure prévue pour l'embarquement. Elle occupa son attente à marcher nerveusement de long en large dans l'aéroport Tullamarine. C'était la première fois qu'elle prenait un avion toute seule. Elle avait l'impression que le temps ne passerait jamais. Le visage d'Alex hantait ses pensées.

Au moment d'embarquer, Jenny inspira profondément et se mit à faire la queue derrière les premiers passagers.

L'avion était plein. Elle avait une place au niveau de l'aile, près d'un hublot.

En attachant sa ceinture avant le décollage, elle sortit de la pochette du siège qui se trouvait devant elle la revue que la compagnie aérienne fournissait aux passagers. Elle se rongea les ongles et s'aperçut qu'elle tremblait. Elle avait besoin de se distraire.

« Que suis-je donc en train de faire ? » se demandait-elle en regardant la couverture du magazine, qui représentait une vue de Barcelone depuis le parc de Montjuïc. Barcelone… Un doux sourire se dessina sur les lèvres de Jenny.

Six mois auparavant, elle était partie pour l'Espagne avec sa classe. Son premier voyage en Europe. Ces dix jours avaient été inoubliables.

Une série de flashs se succédèrent dans sa tête : les formes curieuses de l'architecture de Gaudí, qui rappelaient souvent la sinuosité des vagues ; la visite du Poble espanyol, le village qui présente les constructions des villes anciennes de toute l'Espagne, et où elle avait acheté un bracelet en cuir qu'elle portait encore au poignet ; les courses au bord de la mer avec ses amis, quand les profs leur avaient laissé un après-midi libre. La plage était accessible en métro. Trois stations sur la ligne jaune à partir du *passeig* de Gràcia, où se trouvait leur hôtel, à Barceloneta. Et puis le Hard Rock Cafe de la plaça de Catalunya, où toute la classe s'était emparée d'une table à seize places, et avait fait un *bordel*, comme avait dit la prof de maths, à rendre fous tous les serveurs.

L'homme vêtu de l'uniforme du corps des gardes forestiers des États-Unis, qui était assis à côté de Jenny, la regarda bizarrement, tandis qu'elle souriait, les yeux fermés. Elle se souvint aussi du soir où un de ses camarades de classe, Marty, un surfeur et joueur de hockey sur glace, avait essayé de sortir avec elle. Assis à côté d'elle à la terrasse de l'hôtel, il s'était approché plus que d'habitude, et avait commencé à lui adresser toutes sortes de compliments. Ensuite, il avait tenté de l'embrasser dans le cou. Elle s'était écartée et l'avait repoussé. Marty était beau. Brun, les yeux verts, un corps d'athlète, et une certaine habileté à séduire ses amies. Mais le problème était peut-être que Jenny, au fond de son cœur, n'avait jamais eu de place que pour cette voix lointaine, pour ce garçon mystérieux qui vivait dans sa tête.

« Si je n'étais pas allée avec ma classe en Europe, je n'aurais jamais eu de passeport valide pour entreprendre ce voyage », pensa-t-elle, tandis que les hôtesses présentaient les consignes de sécurité.

Vingt longues minutes après que les passagers avaient embarqué, l'avion décolla enfin du sol australien.

« Je pars vraiment », pensa Jenny.

Par le hublot, elle voyait les maisons et les routes devenir de plus en plus petites.

« Je vais en Italie. Je dois être folle. »

Peu après le décollage, elle remit la revue dans la pochette du siège devant elle, appuya la tête contre le hublot et essaya de s'assoupir.

Quand elle rouvrit les yeux, elle eut du mal à faire le point sur la réalité qui l'entourait. Les lumières la gênaient. Elle ne savait pas combien de temps s'était écoulé. Mais il y avait autre chose. Quand elle parvint à voir nettement son environnement, Jenny sursauta.

Elle n'était pas en avion.

Devant elle se trouvait le meuble en bois ancien sur lequel étaient posées les photos de famille. Celle de sa maman, Clara, enfant. Celle de Roger et elle, le jour de sa première compétition de natation.

À droite, un tableau dont elle se souvenait bien. Il représentait un bateau à voile qui résistait à la lame de fond d'une tempête.

– Tu le portes toujours…, disait la voix de sa grand-mère Linda, fragile et délicate.

– Moi ? Quoi ? Est-ce que je rêve ? demanda Jenny.

Elle était très agitée.

– Le triskèle, Jenny, intervint son grand-père. Tu portes toujours ton triskèle à ton cou.

– Non, attends… Tu as offert ce pendentif à grand-mère, et elle me l'a donné uniquement après ta… Je ne comprends plus.

– Qu'est-ce qui ne va pas, mon enfant ? demanda Linda.

Jenny regarda autour d'elle, troublée.

« Ce buffet… » pensa-t-elle en observant de nouveau le meuble ancien. Elle le connaissait bien. Il avait fini chez elle, au premier étage, là où dormaient ses parents. Lorsque sa grand-mère aussi avait disparu, un an après la mort de son grand-père, le buffet, comme d'autres meubles de la maison de campagne, avait trouvé sa place dans leur maison de Blyth Street.

Mais en ce moment, ses grands-parents étaient tous deux devant elle, une tasse de thé à la main.

– Je ne me sens pas bien… je crois que j'ai perdu la mémoire, mentit Jenny. Que faites-vous ici ?

– Qu'est-ce qui te prend, princesse ?

La voix de son grand-père, douce et un peu rauque, était bien celle qui lui avait raconté des centaines de contes quand elle était petite.

Jenny ne put se retenir : elle éclata en sanglots après avoir entendu ces mots, et se leva de son fauteuil pour se jeter dans les bras de ses grands-parents.

– Vous me manquez tellement…

– Ma chérie, nous sommes là. Tu peux venir nous voir quand tu veux !

– Mais vous… êtes morts !

Linda la regarda, l'air perplexe. Jenny semblait bouleversée et en même temps… si sûre d'elle. Son grand-père baissa les yeux, ne sachant que penser.

– Excusez-moi, je dois sortir un instant, dit Jenny en se levant brusquement.

Elle connaissait bien le chemin. Après avoir monté l'escalier, elle arriverait dans l'entrée. Jenny laissa la lourde porte en bois se refermer derrière elle, et sortit. Elle fit quelques pas timides dans l'herbe qui entourait la maison. L'odeur des champs baignés de pluie était enivrante. Elle avança encore de quelques mètres et se trouva devant l'arbre sur lequel, dans sa réalité, au moment de la mort de ses grands-parents, elle avait gravé ces mots : DEUX NOUVELLES ÉTOILES AU FIRMAMENT.

– Elle n'est plus là, murmura Jenny, la voix brisée par le chagrin. Elle n'est plus là. La phrase que j'avais écrite pour eux. Elle a disparu.

Les yeux fermés, les mains jointes sur le triskèle, elle se mit à trembler.

Puis le tourbillon l'emporta subitement. Elle fut de nouveau projetée dans un maelström d'émotions et d'images, comme si elle était arrachée à une réalité pour se réveiller dans une autre.

– Mademoiselle, thé ou café ?

L'hôtesse la regardait, un plateau à la main.

– Voulez-vous du thé ? Du café ? répéta la jeune femme vêtue de l'uniforme bleu de la compagnie aérienne.

– Rien, merci, bredouilla Jenny, complètement désorientée.

Elle était de nouveau en avion, en route vers Alex.

21

Marco faisait réchauffer du pain au micro-ondes en repensant à ce qu'Alex lui avait dit. Il imaginait son ami allongé sur la plage, la tête tournée vers le ciel, les yeux fixés sur la Ceinture d'Orion.

Un bruit provenant de la salle des ordinateurs attira soudain son attention. Il écouta, les yeux écarquillés. C'était un bourdonnement de fond, continu et gênant, comme le signal d'une ligne dérangée par des interférences.

Marco conduisit son fauteuil électrique à toute allure dans la pièce.

– Qu'est-ce que… ? s'exclama-t-il en voyant une image plein écran sur son portable.

La transmission était mauvaise, interrompue par des lignes horizontales noires et blanches qui montaient et descendaient. Un fauteuil en cuir noir apparaissait au premier plan. Derrière, une planche de bois soutenue par deux tréteaux, encombrée de paperasse et de livres.

Un vieil homme surgit devant l'objectif et

alla s'asseoir. La faible lumière de la pièce se reflétait sur sa nuque chauve, tandis qu'il boutonnait son pull jusqu'au cou.

Il se mit à parler en fixant la caméra :

– Le Multivers va disparaître.

« Mais c'est *lui* », pensa Marco avant que l'homme poursuive :

– Memoria existe.

Becker fit une pause, regardant autour de lui. La communication passait mal. L'image saccadée devint soudain plus sombre.

– Au moment où les consciences s'annihileront, Memoria sera la seule, l'ultime alternative.

« Qu'est-ce que ça peut bien vouloir dire ? » se demanda Marco.

– Le jour de la fin est proche.

Un frisson parcourut le dos de Marco, tandis que l'écran redevenait noir après le bref message de Becker. La fenêtre du lecteur multimédia se referma, laissant la place au fond d'écran, une photo du drapeau américain planté sur le sol lunaire.

– Le jour de la fin... répéta Marco d'un ton neutre, en scrutant le vide devant lui. Il prit la souris et rouvrit le programme, en essayant de retrouver dans le classement par ordre chronologique le fichier qu'il venait de voir.

Aucune trace de la vidéo.

Un coup d'œil à son bloc-notes posé à côté du clavier du Mac lui rappela le nom : Memoria.

Il prit son stylo et écrivit : « Au moment où les consciences s'annihileront, Memoria sera la seule, l'ultime alternative. »

Marco enleva ses lunettes, les posa sur la table et regarda vers le plafond. Il était effrayé et avait les idées confuses. Il ne se rendit même pas compte qu'il était beaucoup plus inquiet pour le destin de son ami que pour la révélation apocalyptique de l'homme.

« Mais comment diable pourrais-je le prévenir ? » se demanda-t-il avant de diriger son fauteuil roulant vers la cuisine. Le pain était complètement brûlé. Marco renonça à son casse-croûte et jeta les tranches dans le sac-poubelle. Il éteignit la lumière de la cuisine et se rendit dans la chambre à coucher.

« Le jour de la fin... » Les mots de Becker continuaient à résonner dans la tête de Marco pendant qu'il prenait appui sur ses bras pour se hisser et se traîner dans son lit. Il se sentait fatigué, affaibli, apeuré.

Assis en tailleur sur la plage d'Altona, Alex s'était recentré sur lui-même. Le jour tombait, le soleil déclinait, grand disque orange à l'horizon. La mer était calme, le ciel limpide. « Ce soir, je verrai de nouveau la Ceinture d'Orion », pensa-t-il.

Au même moment, Jenny, la tête appuyée contre le hublot de l'avion, lançait de temps en temps un coup d'œil à l'écran, où passait *The Truman Show*. Malheureusement, elle connaissait le film par cœur. Elle avait sommeil. Elle bâillait sans arrêt, mais ne parvenait pas à s'endormir. Elle avait mal aux jambes et terriblement hâte d'atterrir.

Marco, en revanche, venait de se réveiller. Deux heures de sommeil, c'était le maximum pour lui. Tandis qu'il s'installait de nouveau dans son fauteuil, sa première pensée alla au message vidéo de Becker. Il fallait avertir Alex. Mais comment ?

Il entra dans la salle des ordinateurs, sa télécommande à la main. Il appuya sur un bouton, et les stores commencèrent à remonter. Le ciel était gris, on aurait dit une journée d'hiver typique à Milan. Il approcha son fauteuil électrique des ordinateurs et appuya sur le bouton d'alimentation de chacun.

Quand les systèmes furent mis en route, il remarqua que le voyant du wi-fi indiquait zéro barre sur quatre pour la réception du signal.

« Qu'est-ce qui se passe ? »

Marco se déplaça de l'autre côté de la table, où se trouvait le modem. Il courba le buste et pencha la tête pour y jeter un coup d'œil. Les voyants qui indiquaient le signal wi-fi étaient éteints.

Poussant un soupir d'exaspération, il sortit

son téléphone portable de son étui en feutre, et composa le numéro vert du service d'assistance. Une voix automatique lui répondit :

– Tous nos opérateurs sont momentanément occupés. Vous êtes prié de rappeler plus tard.

– Malédiction ! s'écria Marco en appuyant fortement sur la touche rouge de son mobile pour mettre fin à la communication.

Un souffle de vent chaud enveloppa le corps d'Alex. Cela faisait deux jours, désormais, qu'il était assis en tailleur sur la plage d'Altona.

Un isolement qui n'avait été interrompu que par très peu de pauses. La veille, il s'était fait préparer des sandwichs dans un bar, avait acheté des bouteilles d'eau et avait ainsi rempli son sac de façon à ne plus être obligé de bouger de la plage. Il avait besoin d'éviter toute stimulation extérieure, de se plonger dans un état méditatif qui, pensait-il, lui fournirait la solution du problème. Il était donc décidé à consacrer le temps nécessaire à la méditation, même si ce n'était pas facile, et si en réalité, il ne savait pas vraiment ce qu'il devait faire ni quel était son véritable objectif. Une nouvelle certitude l'habitait, cependant, et semblait guider ses actions : celle qu'aucun événement ni aucun de ses gestes n'étaient dus au hasard.

Lorsque la Lune apparut sur la mer, laissant un sillage de lumière sur les vagues qui venaient mourir près de lui, Alex se mit à scruter le ciel avec plus d'attention.

Un manteau noir s'était étendu sur l'océan, et la constellation qu'il attendait de voir commençait à briller devant ses yeux. Orion, dont la forme rappelait celle d'une clepsydre, se mit à scintiller au firmament. La Ceinture constituée par les trois étoiles rapprochées s'offrait à son regard.

Au moment même où Jenny atterrissait à l'aéroport Malpensa de Milan, Alex parvint enfin à trouver la clé. Le tourbillon emporta sa pensée au loin, détachant violemment son esprit de son corps, qui tomba en arrière dans le sable. Ce fut comme un voyage à travers un défilé très rapide de visages et de paysages. Il entendait résonner un chœur de cris, de lamentations, de pleurs et de rires... Il avait la sensation d'être projeté à la vitesse de la lumière dans un tunnel, jusqu'à ce que tout disparaisse. Le fracas s'arrêta d'un coup. Il était plongé dans le silence.

Autour de lui, tout était noir.

« Où suis-je ? »

Quelques minutes s'écoulèrent. Aucune perception de la réalité qui l'entourait.

Soudain, un souffle chaud, de plus en plus proche, insupportable. Il avait l'impression de faire tout ce qu'il pouvait pour distinguer ce qui était devant lui, mais aucune couleur, aucune forme, absolument rien n'apparaissait nettement aux yeux de son esprit. En fait, il ne *regardait* pas encore.

Sa première perception de la réalité fut le son lointain d'une cloche. Quelques coups égrenés l'un après l'autre. Son esprit commençait à s'habituer à la sensation de chaleur, tandis que les premiers bruits lui parvenaient de l'extérieur.

Alex ouvrit brusquement les yeux. Il les écarquilla. Une lumière éblouissante l'empêcha de comprendre où il se trouvait. Il essaya de distinguer quelque chose, mais fut submergé par un afflux de sensations physiques. Il commençait à *sentir* ses membres, le mouvement de ses bras dans l'espace qui l'entourait, tandis que son environnement prenait forme devant lui. Ses yeux discernaient peu à peu des carreaux de faïence blanche. Son odorat aussi percevait les premières odeurs, et son ouïe captait des voix au loin.

L'une d'elles devint si proche qu'elle attira son attention.

– Tu te remues, ou quoi ?

Ayant pleinement conscience de déplacer sa tête vers la gauche, il se tourna et vit un garçon aux cheveux roux, en survêtement, qui le fixait d'un air interrogateur.

– On a cours de philo, tu te bouges un peu ?

Alex acquiesça d'un signe de tête. Puis il regarda autour de lui. « Je suis dans un vestiaire ! »

Il se leva et suivit son camarade. À mesure

qu'il avançait dans les couloirs de l'école, son esprit recevait une myriade de nouvelles informations. Comme s'il sortait du coma, ou avait retrouvé la mémoire après un grave accident.

Alex parcourut le trajet jusqu'à sa classe. Il avait l'impression de connaître ces couloirs depuis très longtemps. Avec la même désinvolture, il s'assit à sa place au fond de la salle. À sa grande surprise, il faisait tout avec le plus grand naturel.

Pendant que la professeure fermait la porte et disait bonjour aux élèves, Alex baissa les yeux sur ses vêtements. Il portait un jogging gris, des chaussures de sport et un tee-shirt noir où il était écrit : PARENTAL ADVISORY.

Dans son esprit, une pensée lui apprenait que l'heure de gymnastique venait de finir. Ils avaient joué au volley-ball dans le gymnase. L'équipe d'Alex avait perdu, mais il se rappelait parfaitement avoir fait un contre ou deux pour repousser le smash d'un camarade de classe, Stefano, qu'il n'aimait pas du tout.

Son regard s'arrêta justement sur son adversaire, tandis que la prof de philo demandait à une élève de lire un passage du manuel scolaire. Stefano se retourna pour lui lancer à son tour un coup d'œil plein de défi.

« Je… *je me rappelle* ce garçon ! On s'est battus dans le couloir, le surveillant a même dû intervenir pour nous séparer… »

Alex soutint le regard de Stefano, pendant que sa mémoire repêchait les éléments d'un monde apparemment inconnu.

Il s'efforçait de chercher dans son passé d'autres détails d'une vie qui manifestement ne lui appartenait qu'en partie.

Il n'y avait pas trace de Marco.

Peut-être n'avait-il pas participé au tournoi de jeux vidéo, peut-être ne s'étaient-ils pas rencontrés. À moins qu'il n'y ait jamais eu de tournoi. Ses parents, en revanche, étaient tous deux présents dans ses souvenirs, et semblaient mener à peu près la même existence que dans l'autre réalité. Il habitait toujours viale Lombardia, pratiquait les mêmes sports – basket, tennis – et, en examinant rapidement ses goûts musicaux, il se rendit compte qu'il n'y avait pas une grande différence entre la vie de son *alter ego* et la sienne.

En dehors de Marco, donc, de nombreux aspects de cette dimension parallèle étaient très semblables à ceux de sa dimension de départ, sinon identiques.

Il y avait une différence fondamentale, cependant, et Alex le savait bien.

Si son voyage l'avait conduit au bon endroit, dans cette réalité, Jenny était bien vivante.

Tandis qu'Alex se familiarisait avec son monde alternatif, Jenny passait le contrôle de la douane à l'aéroport de Malpensa.

22

– *Alex…*

Il entendit la voix pénétrer soudain dans sa tête, au moment où la pendule accrochée au mur de la classe marquait une heure moins quatre. La dernière heure de cours était presque finie. La voix de Jenny lui paraissait si claire, si nette, si proche…

– *Je t'entends. Je suis là, Jenny. Je suis là !*

– *Je tremble…*

– *Où es-tu ?*

– *À Milan. Je viens de sortir de l'aéroport, j'ai pris un train qui m'amène dans le centre-ville.*

– *J'ai compris. C'est celui qui est relié au métro. Tu arriveras à la gare Cadorna. C'est là que tu dois descendre. J'y serai. Dans quelques minutes je sortirai du lycée et je viendrai à ta rencontre.*

– *Est-ce qu'on se reconnaîtra ?*

– *Oui, j'en suis sûr.*

Tout en communiquant par la pensée, Alex gardait les yeux fixés sur la pendule. La professeure se tournait de temps en temps vers lui, et fronçait les sourcils en constatant qu'il était totalement absent. Mais dans cette dimension, Alex avait une moyenne de seize en philo. On pouvait lui accorder une journée de distraction.

« Il doit être amoureux », pensa la prof.

Elle n'était pas si loin de la réalité.

Dès qu'il sortit de l'école, Alex se mit à courir. Il continua sans s'arrêter jusqu'à la station de métro Loreto. Il monta dans le premier compartiment de la ligne verte. Ses pensées se bousculaient, confuses. Il allait rencontrer la fille qu'il avait vue dans ses pensées depuis qu'il avait de la mémoire.

Pendant qu'il se trouvait dans le métro, il lui arriva quelque chose de singulier.

Appuyé contre la porte du compartiment, un garçon aux cheveux frisés, un livre d'Isaac Asimov à la main, avait levé les yeux et lui avait lancé un regard mauvais sans aucun motif apparent. « Dans ce monde-là aussi, on retrouve les mêmes habitudes, on se regarde de travers sans raison », pensa Alex. Il imagina alors, de but en blanc, que le livre du type lui tombe des mains. Quelques secondes plus tard, ce dernier laissa tomber le roman par terre. Il secoua la tête, étonné par son propre geste, se pencha pour le ramasser et, l'air interrogateur, se replongea dans sa lecture.

Alex descendit à l'arrêt Cadorna, prit l'escalier

roulant pour monter du quai jusqu'à l'endroit où la station de métro communiquait avec la gare et où arrivaient les trains venant de l'aéroport. Appuyé contre la rampe en caoutchouc, il remarqua devant lui deux filles de dos qui discutaient avec animation d'un sujet plutôt futile : le choix de la discothèque où aller le samedi soir. Alex ferma les yeux et imagina que les deux filles soudain s'embrassaient. Un instant plus tard, les deux filles s'arrêtèrent, s'embrassèrent, puis s'éloignèrent immédiatement l'une de l'autre.

Alex entendit l'une d'elles demander :

– Pourquoi tu as fait ça ?

L'autre haussa les épaules, avec une expression qui faisait comprendre à son amie qu'elle n'en avait pas la moindre idée.

« Est-ce que ça s'est vraiment passé, ou est-ce que je l'ai simplement imaginé » ? se demanda Alex. Il ne parvenait pas à comprendre si ce qui se produisait autour de lui était réel ou si ce n'était qu'un ensemble d'événements reconstitués mentalement, comme le souvenir de quelque chose qui ne serait jamais arrivé.

Lorsqu'il sc trouva devant les panneaux lumineux qui indiquaient l'arrivée des trains, son cœur se mit à battre à tout rompre. Celui qui venait de l'aéroport était prévu à treize heures trente. À peine dix minutes plus tard.

Alex se dirigea vers le quai. Autour de lui,

tout paraissait très semblable à la réalité d'où il venait. Il y avait beaucoup de monde dans la gare. Des dizaines et des dizaines de personnes prises par le rythme frénétique de la métropole.

Soudain, un homme d'une cinquantaine d'années trébucha en sortant de la foule et heurta Alex, avant de poursuivre son chemin sans même s'excuser. Juste après ce contact physique, Alex ferma les yeux par réflexe, et vit cette personne faire monter une prostituée dans sa voiture, la payer, et déboutonner son pantalon. Il essaya immédiatement de chasser cette vision.

– Qu'est-ce qui m'arrive ? s'exclama-t-il, en suivant l'homme du regard.

Son cerveau lui jouait des tours, il n'arrivait plus à faire la différence entre son imagination et la réalité.

Il lança un coup d'œil à l'horloge de la gare et vit qu'il ne manquait plus que quelques minutes avant l'arrivée du train.

Assise à côté de la fenêtre, Jenny regarda son téléphone portable, qu'elle avait éteint par précaution, et songea à sa mère. Elle devait être très inquiète. Jenny repensa aux théories de Clara sur la spiritualité, sur le dessein du destin qui ne laisse aucune place aux coïncidences. Il existe une raison supérieure derrière chaque rencontre, disait-elle, surtout derrière celles qui peuvent sembler uniquement dues au hasard. Jenny doutait, cependant, que les convictions de sa mère l'aident en quelque manière lorsqu'elle découvrirait que sa fille s'était enfuie en Italie.

Elle se tourna vers les autres sièges, à sa gauche, et vit une femme donner une gifle à un enfant. Elle avait l'air d'être très en colère.

– Et ne t'avise pas de pleurer ! cria-t-elle à la figure du petit garçon.

Jenny croisa le regard de l'enfant.

– *Maman, qui c'était la dame avec papa, hier ?*

– *De qui parles-tu ?*

– *Pendant que tu travaillais... Papa m'a accompagné au terrain de foot, et puis il est parti avec une dame blonde. Je les ai vus s'embrasser. C'est qui ?*

– *Qu'est-ce que tu racontes ? Arrête d'inventer des histoires ! Et maintenant, tais-toi, finis de dîner.*

Jenny secoua la tête et se frotta les yeux en frissonnant.

– Qu'est-ce que...? commença-t-elle à dire à haute voix, avant de se taire.

Ce n'était pas le fruit de son imagination, ni une pensée bizarre. Elle avait *vu* cette scène. Elle s'était vraiment produite, elle le sentait, elle en était certaine. Comme si cet enfant avait voulu lui montrer quelque chose.

« Qu'est-ce qui m'arrive ? »

La voix métallique du haut-parleur annonça, d'abord en italien, puis en anglais, l'arrivée du train à la gare de Cadorna.

L'émotion étreignait Jenny, vertigineuse. Ce n'était pas comparable à la sensation qu'elle avait éprouvée sur la jetée d'Altona, quand mille doutes encore la taraudaient. Jamais le moment de cette rencontre n'avait été aussi proche. Une rencontre qu'elle attendait depuis quatre ans.

Ou peut-être depuis toujours.

23

– *Je suis là, Jenny*, pensa Alex en voyant le train entrer en gare.

– *J'arrive... J'ai peur de me sentir mal, j'ai peur de ne pas résister à toute cette émotion. Est-ce que tu arrives à regarder autour de toi, pendant que nous nous parlons ?*

– *Oui, Jenny... je vois les gens descendre du train. J'ai le cœur qui bat si fort !*

– *Le mien aussi va exploser. Je viens de descendre. Je suis au milieu du train. Viens à ma rencontre !*

Alex avança de quelques mètres, titubant. Puis il hâta le pas, tandis que ses yeux examinaient un à un les visages qui passaient sur le quai. Jenny fit la même chose. Elle s'efforça de repousser toute pensée, et se concentra uniquement sur la recherche du visage d'Alex. La photo de l'équipe de basket qu'elle avait vue sur le site était gravée dans son esprit. Elle le reconnaîtrait au milieu d'un million de personnes.

L'imagination d'Alex s'égara quelques instants

sur le corps nu de Jenny, tel qu'il l'avait surpris lors de son premier voyage mental de l'autre côté du Multivers. C'était une vision merveilleuse, mais il essaya de la chasser rapidement.

Soudain, Jenny aperçut la mèche blonde d'Alex dans la foule. Elle ne pouvait être qu'à lui, elle l'avait vue si souvent dans ses rêves !

Il était là.

Le regard d'Alex croisa le sien pour la première fois. Ils se reconnurent à une dizaine de mètres l'un de l'autre. Ils restèrent quelques instants immobiles. Ils s'observèrent.

En eux se mêlaient les angoisses, les peurs, les doutes qui les avaient tourmentés pendant quatre ans.

L'émotion et la joie de voir aboutir une recherche qui semblait ne jamais devoir finir. Alors, soudain, ils se mirent à courir l'un vers l'autre, comme si plus personne n'existait sur le quai. Comme s'il n'y avait rien d'autre sur cette planète qui vaille la peine d'être vécu. Aucun des deux ne voulait risquer de voir s'évanouir l'image de la personne qu'il avait cherchée depuis toujours, la personne pour laquelle il avait douté de sa propre santé mentale, la personne qui était la cause ou l'effet de sa propre différence.

– Alex ! s'écria Jenny en fondant en larmes et en se jetant dans ses bras.

Un frisson lui parcourut le dos au moment où ils se touchèrent.

– Jenny…, murmura Alex.

Il la serra contre lui, les mots s'étranglèrent dans sa gorge. Une secousse lui traversa le corps. Un souffle brûlant l'enveloppa tandis qu'il caressait les cheveux lisses et soyeux de Jenny, qui avait appuyé sa tête contre son épaule.

Tout sembla s'arrêter autour d'eux.

Le va-et-vient frénétique de la gare s'interrompit soudain comme si chacun avait soudain oublié sa destination. Une fille laissa tomber son sac par terre et les regarda, comme fascinée. Leur étreinte semblait dégager une énergie indéfinissable, une vague qui submergeait tous ceux qui passaient par là. Une petite fille s'approcha en souriant et tira Alex par un pan de sa veste.

– Qui es-tu ? lui demanda-t-elle, avant que sa mère vienne la chercher.

Personne ne savait ce qui se passait, mais chacun ressentait clairement que quelque chose avait modifié l'équilibre normal de la réalité, en cet endroit précis, en ce moment précis.

Tandis qu'Alex et Jenny s'étreignaient, une lumière éblouissante jaillit du point de leur union, se reflétant sur le triskèle et produisant une étincelle qui illumina et fit vibrer les contours de la réalité environnante. Enlacés dans le noyau de cette explosion de lumière, Alex et Jenny ne pouvaient que sentir la vibration qui émanait d'eux et qui se propageait à tous les gens de la gare.

Plusieurs personnes portèrent leurs mains à leur visage, comme pour protéger leur regard. D'autres restèrent immobiles, les yeux clos et les bouches figées en une expression de stupeur. Toutes oublièrent sur-le-champ l'endroit où elles allaient, la raison pour laquelle elles se trouvaient là.

Alex et Jenny avaient aboli les frontières spatio-temporelles, ils étaient finalement ensemble.

Ils auraient pu croire que c'était un point final, un aboutissement, mais ce n'était qu'un point de départ.

– Dis-moi que tu n'as pas de problème avec Internet, dis-moi que ça marche, s'il te plaît !

La voix de Marco trahissait son inquiétude. Il était assis dans son fauteuil électrique, une canette de Coca-Cola à la main, son téléphone portable posé sur sa table de travail, et son écouteur Bluetooth à l'oreille droite. Sur l'écran de son téléphone, le nom de son interlocuteur : Ricky Horses. De deux ans son aîné, Ricky était un hacker patenté, lui aussi, avec lequel Marco avait partagé une grande partie de son expérience informatique. Ils se faisaient confiance depuis qu'ils avaient réussi ensemble à pénétrer le réseau de données d'un important opérateur de téléphonie mobile. Ils étaient liés par une sorte de pacte tacite : je ne te fais pas de mauvais coups, et tu ne m'en fais pas non plus.

– Non, répondit Ricky. J'essaie depuis ce matin. Et apparemment, c'est un problème qui touche pas mal de gens.

– Le numéro du service d'assistance…

– … est bloqué, je sais.

– Ricky, comment sais-tu que ça concerne beaucoup de gens ?

– J'étais à la banque tout à l'heure, et les terminaux ne fonctionnaient pas. L'agence est à l'autre bout de la ville par rapport à chez moi. Où je suis en ce moment.

– Bon sang… Qu'est-ce qui peut bien se passer ?

Marco, le regard perdu dans le vide, retournait dans sa tête les mots du professeur Becker.

« Le Multivers va disparaître. Le jour de la fin est proche. »

– Rappelle-moi dès que tu as du nouveau, d'accord ?

– D'accord, Marco. Tu as besoin de quelque chose ? Dans ta situation…

– … Je n'ai besoin de rien, merci. Je voudrais juste que ce maudit réseau fonctionne.

Alex et Jenny quittèrent la gare et se mirent à marcher d'un bon pas, main dans la main, comme si c'était la chose la plus naturelle du monde. Ce contact leur donnait la certitude à tous deux que ce qu'ils vivaient était réel et non pas le fruit de leur imagination. Plus que n'importe quel mot, plus que n'importe quelle explication possible, c'étaient leurs doigts entrelacés qui communiquaient pour eux.

À un certain moment, cependant, Alex se tourna vers Jenny et fixa sur elle un regard intense.

– J'ai attendu si longtemps de pouvoir te regarder dans les yeux... sans que ton image m'échappe, sans me réveiller comme chaque fois dans mon monde.

Jenny sourit. Elle avait les yeux brillants. Elle effleura le visage d'Alex, suivant ses traits du bout des doigts.

– Je croyais que j'étais folle. Maintenant, ça n'a même plus d'importance. Si c'est ce qu'on éprouve quand on est fou, alors ça me va très bien.

Ils restèrent silencieux quelques secondes. La ville autour d'eux avait repris son rythme frénétique habituel, mais il était resté quelque chose de l'instant magique de leur premier contact. Une atmosphère, une vibration qui les unissait comme s'ils n'étaient qu'un, comme s'ils étaient au cœur d'une dimension qui n'appartenait qu'à eux.

– Je me demande comment sera notre vie à partir de maintenant..., réfléchit tout haut

Alex. Je ne sais pas à quoi nous devons nous attendre.

– N'attendons rien. Restons ensemble. C'est tout ce qui compte. Je me fiche du reste.

Alex sourit, comme pour approuver les paroles de Jenny. Il la prit par la main et ils continuèrent leur chemin ensemble, dans le même monde.

L'impression de marcher dans une ville parallèle était très étrange. La plupart des rues de Milan paraissaient identiques, mais en passant devant certains immeubles, Alex se demandait s'il les avait déjà vus dans son monde, ou s'ils étaient vraiment le résultat d'une autre dimension.

– Mais toi… comment se fait-il que tu parles italien ? demanda-t-il, tandis qu'ils traversaient un carrefour.

– Ma mère est née et a grandi à Rome. Elle me parle italien depuis que je suis toute petite.

– Est-ce que tu es déjà venue ici avant aujourd'hui ?

– Je… je ne sais pas. Je ne m'en souviens pas. Ce que je sais, c'est que j'ai l'impression de te parler depuis toujours.

– Incroyable, les rues sont les mêmes… mais cet immeuble, je ne l'ai jamais vu, dit Alex en observant un gratte-ciel au loin. Il avait la forme d'un C allongé et offrait à la vue d'immenses parois de verre qui reflétaient leur environnement comme un gigantesque miroir. Il était beaucoup plus haut que les immeubles qu'Alex avait l'habitude de voir dans *son* Milan.

– Qu'est-ce que ça signifie ? C'est ta ville !

– Pas vraiment. Il faut que je t'explique tout. Ça va te paraître absurde. Au début, je ne voulais pas y croire moi non plus.

– De quoi est-ce que tu parles ? Pour moi, tout est déjà absurde. J'ai traversé la moitié de la planète pour…

– Je vis dans une dimension parallèle à celle-ci.

Alex raconta à Jenny ce qu'il savait sur le Multivers grâce aux théories de son ami Marco et du professeur Becker. Il se rendait bien compte qu'il risquait de passer pour un fou aux yeux de Jenny, mais il n'avait pas le choix. Au fond, depuis les dernières vingt-quatre heures, il avait commencé à ne plus prêter attention à ce qui avait été, jusqu'alors, la frontière entre folie et normalité.

– Alex, j'ai déjà du mal à accepter… tout ça (Jenny ouvrit les bras pour indiquer la rue, les immeubles, ce qui l'entourait), mais ce que tu me dis là n'a aucun sens pour moi, je…

– Je sais que ça paraît absurde, c'est pareil pour moi. Mais cette absurdité commence à avoir un sens, surtout depuis qu'elle m'a mené vers toi. Jenny, je crois que nous pouvons voyager à travers les dimensions du Multivers. Je crois que nous sommes particuliers, et qu'un destin différent est écrit dans notre vie. Notre esprit… est la clé de tout.

– Qu'est-ce que tu as dit ?

– Notre esprit est la clé de tout.

Jenny avait déjà entendu ces mots. Elle ne savait plus ni où ni quand, mais ils appartenaient à son passé. Soudain, elle repensa au jour où elle s'était réveillée dans ce qui semblait être son salon, et où une femme qui paraissait être sa mère lui avait dit que son père était mort. Puis elle se rappela sa classe avec une enseignante qu'elle ne connaissait pas et des élèves qu'elle n'avait jamais vus auparavant. Enfin, elle revit les images du rêve qu'elle avait fait en avion, quand elle s'était retrouvée chez ses grands-parents encore vivants. Ces expériences avaient été si nettes, si vives, qu'il était impossible de les distinguer de la réalité. Était-ce là ce dont lui parlait Alex ?

– Oui, répondit-il.

Il avait perçu la question que Jenny n'avait formulée que mentalement. Elle sembla s'en étonner un instant. Puis les idées claires d'Alex, sa certitude et ses convictions commencèrent à pénétrer l'esprit de Jenny comme une lumière qui filtre soudain par la fenêtre. Il s'en aperçut.

– Je crois qu'il nous reste peu de temps,

dit-il en allant à l'essentiel, tandis qu'ils se dirigeaient vers le corso Venezia. Je suis incapable de te dire pourquoi, et il n'est pas facile non plus de t'expliquer comment j'en suis arrivé à cette conclusion, mais il est évident que nous sommes en danger.

Jenny le regarda, inquiète.

– Mais alors qui sommes-nous ? Pourquoi est-ce qu'il nous arrive tout ça ?

– Je ne sais pas. Tout ce que je sais, c'est que nous devons trouver Memoria avant qu'il soit trop tard… Je n'ai pas la moindre idée de ce que c'est. Ni de l'endroit où ça peut être.

– Memoria ?

– Tu n'as jamais entendu parler de cet endroit, n'est-ce pas ? demanda Alex.

Jenny s'arrêta brusquement, laissant retomber la main d'Alex. Il se tourna vers elle, et croisa son regard angoissé.

– Alex, je commence à me sentir mal à l'aise dans cette situation. J'ai peur. Et je ne comprends pas de quoi tu me parles. Trop tard *pour quoi* ?

Il s'approcha d'elle, lui passa la main dans les cheveux, puis lui tendit les bras et la laissa lui prendre les mains.

– Jenny, je ne sais pas moi non plus, mais il est évident que nous ne pouvons pas faire comme si de rien n'était. Tu as vu ce qui s'est passé tout à l'heure à la gare ?

– Oui, répondit-elle, les yeux brillants, fixant le regard du garçon dont elle avait toujours rêvé.

Elle avait douté de son existence, elle avait cru être folle. Il avait continué à la chercher quand même, et maintenant, il lui demandait à nouveau de lui faire aveuglément confiance.

– On aurait dit que le temps s'était arrêté, poursuivit-elle. Il s'est produit quelque chose… une énergie.

– Nous ne sommes pas fous, même si en nous écoutant parler, n'importe qui pourrait le croire. Tout est vrai.

– Mais en admettant que tu vives dans une autre dimension, comment es-tu arrivé là ?

– Par l'esprit. Ce n'est pas le corps qui se déplace. Je ne sais pas comment t'expliquer ! C'est comme si tu fermais les yeux dans une dimension pour traverser un passage entre deux mondes, que tu étais pris dans une espèce de tourbillon, et que tu te réveillais dans une autre réalité. Quand tu ouvres les yeux, tu es dans ton alter ego. Voilà, ce que j'ai éprouvé. Je me suis réveillé dans un vestiaire de mon lycée, ici, dans ta réalité. Peut-être que toi aussi tu seras capable de le faire.

Jenny revit le portrait de Connor, la classe avec les élèves inconnus, et la maison de ses grands-parents défiler rapidement dans son esprit.

– J'en ai peut-être *déjà* été capable.

La grille des jardins publics de Porta Venezia était ouverte. Ils décidèrent d'entrer. Une femme en manteau de fourrure qui tenait un caniche en laisse croisa leur regard tandis qu'ils pénétraient dans le jardin. Les yeux de Jenny s'égarèrent un instant sur l'allée bordée d'arbres qui s'enfonçait au cœur du parc. À gauche, plusieurs bancs, dont deux ou trois étaient libres. Main dans la main, ils firent quelques pas en direction du premier banc et s'assirent.

Chacun percevait les pensées de l'autre, comme cela s'était toujours produit pendant toutes ces années de communication télépathique. Ils n'avaient pas besoin d'ouvrir la bouche pour se parler. Mais pour Alex, il était merveilleux d'entendre enfin en direct le son de la voix de Jenny, si doux, si agréable.

– Je n'ai aucune idée de ce que ça peut signifier, mais il m'est arrivé quelque chose d'étrange, aujourd'hui : j'ai eu l'impression de lire les pensées des gens..., dit Alex en prêtant sa voix à une pensée qui tourbillonnait au milieu du pont télépathique qui les unissait.

– Ça m'est arrivé à moi aussi. Dans le train. Un enfant m'a regardée, et c'était comme s'il me racontait un de ses souvenirs.

– Des images sont apparues dans ta tête, c'est ça ?

– Oui. Comme si c'était une scène de mon passé, et non pas du sien.

– C'est incroyable. Marco me l'avait dit. Becker avait raison… nous sommes en train de développer un pouvoir.

– Mais cette Memoria dont tu as parlé, en admettant qu'elle existe, on ne sait même pas où commencer à la chercher, n'est-ce pas ? Ni pourquoi cet homme l'appelle ainsi.

« Nous le découvrirons », pensa Alex en prenant les mains de Jenny dans les siennes. Elle baissa les yeux, sourit, et lui passa les bras autour du cou.

Alex s'approcha d'elle de plus en plus pour suivre son regard. Puis Jenny leva son visage et ils se retrouvèrent tous deux les yeux dans les yeux.

Le temps d'un instant infini, Alex eut le sentiment de se perdre.

Autour d'eux il n'y avait plus de rues, de maisons, de ville. Il n'y avait plus que le vide, et eux au milieu. Leurs lèvres s'approchèrent, s'effleurèrent, leurs doigts s'enlacèrent. Ils commencèrent à s'embrasser. L'air glacial rougissait les joues de Jenny, mordait le visage d'Alex.

Pendant qu'ils s'embrassaient, il effleura le cou de Jenny et sa main toucha la petite chaîne à laquelle le triskèle était accroché. Alex ouvrit les yeux, regarda le pendentif magique et se rappela que le même symbole avait appartenu à la petite Jenny de sa dimension, morte à l'âge de six ans.

– Ce pendentif ! dit-il en repensant à la vision qu'il avait eue dans le salon de Mary Thompson, tu l'as toujours porté, n'est-ce pas ? Depuis que tu es toute petite.

– Il appartenait à ma grand-mère, c'était un cadeau de mon grand-père. Quand tu m'as parlé du triskèle, l'autre jour, j'ai compris que tu n'étais pas une hallucination.

– Je ne le suis pas du tout, dit Alex en souriant.

Jenny attendit quelques instants, fascinée par ce sourire de complicité, puis elle avoua :

– C'est si bon de t'embrasser, tu ne peux pas savoir combien de fois j'en ai rêvé. Je n'arrive pas à croire que ce soit vrai.

Alex sourit, hocha la tête, et la regarda.

– Nous nous cherchons depuis toujours, Jenny, dit-il avant de recommencer à l'embrasser.

Lorsqu'elle rouvrit les yeux, la tête appuyée contre l'épaule d'Alex, elle aperçut un peu plus loin une file de gens qui entraient dans un bâtiment surmonté d'une coupole.

– Où vont-ils ? demanda-t-elle.

Alex se tourna aussitôt.

– Au planétarium…

Jenny sourit.

– Les étoiles, elles m'ont toujours guidée.

– Les étoiles m'ont parlé de toi, ajouta-t-il, avant de se lever.

– Qu'est-ce que tu fais ? Où allons-nous ? demanda Jenny.

– Voir les étoiles, non ? répondit doucement Alex en se dirigeant vers le planétarium.

Un panneau dans le hall devant la caisse portait l'inscription : DESTINATION ÉTOILES – PROJET ÉCOLES 2014 – ENTRÉE GRATUITE. En dessous, un agrandissement photographique représentait la bande lumineuse de la Voie Lactée qui coupait la voûte céleste en diagonale.

Tandis que les gens s'éparpillaient à l'intérieur de la salle, Alex continuait d'éprouver ce sentiment particulier de dépaysement, sans comprendre d'où cela provenait. Jenny lança un rapide coup d'œil aux rangées de sièges rouges disposés en cercle, de façon que le regard de chaque spectateur soit dirigé vers l'estrade du commentateur située au centre. Elle repéra deux sièges qui paraissaient un peu à l'écart, et prit Alex par la main. La salle pouvait contenir jusqu'à trois cents personnes, mais ce jour-là, il n'y en avait pas plus d'une quarantaine. Jenny s'assit et regarda Alex, les yeux rayonnants.

Dans le tourbillon d'émotions que toute cette aventure faisait naître, il sembla presque absurde à Alex de pouvoir se ménager un moment semblable à celui que vivrait une personne normale. Il passa le bras autour des épaules de Jenny, tandis que les lumières s'éteignaient et que les spectateurs découvraient la voûte céleste au-dessus d'eux.

Le commentateur prit place sur l'estrade, et fixa un petit micro au revers de sa veste.

C'est alors qu'Alex se souvint de tout.

– Nous sommes déjà venus ici, dit-il à voix basse, en fermant les yeux et en retrouvant dans un passé désormais enseveli la scène qui depuis quelques minutes produisait en lui un sentiment de déjà-vu sans précédent.

Dans ce souvenir, ils étaient là, Jenny et lui. Mais les contours étaient flous, les personnes semblaient beaucoup plus grandes qu'eux et les regardaient de haut. Les étoiles n'étaient qu'une collection de lumières anonymes, et des enfants faisaient du bruit à l'autre bout de la salle, couvrant les paroles du commentateur. Les explications de l'homme étaient difficiles à comprendre, les sujets qu'il traitait, ennuyeux.

Alex essaya de s'orienter dans ce souvenir. Soudain, il devint si vif, si bien défini, qu'il aurait pu l'analyser comme la photo d'un vieil album. Jenny pressait sa main dans la sienne. Alex se tournait vers elle et la voyait, le nez en l'air, qui disait :

– Celle-là, je la connais, c'est Andromède.

Mon papa me raconte toujours l'histoire des étoiles.

Alex essayait de distinguer les traits de son visage, mais ils étaient plongés dans le noir. Seule la voûte céleste laissait passer une faible lumière qui tombait sur leur tête. Cette lueur était suffisante, cependant, pour qu'Alex comprenne que Jenny et lui n'avaient pas plus de quatre ans, ce jour-là.

Ils étaient deux enfants, main dans la main, assis dans le même planétarium que celui dans lequel ils se trouvaient actuellement.

« Mais dans un autre coin du Multivers, pensa Alex dès qu'il rouvrit les yeux. Nous étions dans ma dimension d'origine. Celle dans laquelle, à six ans, Jenny est... »

Il s'arrêta. Il essaya de tout effacer. Jenny était à côté de lui et pouvait percevoir chacune de ses pensées. Il n'avait aucune intention de lui faire savoir que, dans le monde d'où il venait, elle était morte depuis dix ans.

« Pense à autre chose, allons, pense à autre chose. »

Heureusement, Jenny observait les étoiles reproduites sur l'écran du planétarium, et elle ne s'aperçut de rien, mais l'effort que fit Alex produisit soudain une vibration intérieure qui lui parcourut le dos comme un frisson glacé. Sa tête tomba sur le côté, tandis que son corps restait bien droit, à sa place. Comme s'il s'était brusquement endormi en essayant d'effacer tout souvenir de sa mémoire, pour éviter de le partager avec Jenny.

L'esprit d'Alex fut soudain happé par le tourbillon, et il traversa le tunnel d'émotions, d'images, de sons indistincts. Loin de Jenny, loin de ce monde. Lorsqu'il sortit de ce kaléidoscope confus, il rouvrit les yeux et s'efforça de nouveau de distinguer la réalité qui l'entourait. Il ne lui fallut que quelques minutes. Dans sa réalité d'origine, il avait abandonné son corps sur la plage de Melbourne.

À présent, cependant, il n'y avait pas de sable autour de lui. Il n'y avait pas d'océan.

« Où ai-je donc atterri ? »

24

Alex regarda autour de lui.

Il était dans la rue, dans un endroit à moitié désert, semblable à celui qui, dans sa réalité, était devenu depuis quelques années un terrain de basket géré par la mairie. De temps en temps, il y rejoignait des copains d'autres classes, malgré l'avertissement de l'entraîneur qui avait interdit les petits matchs entre amis un peu partout dans la ville, de peur que ses joueurs ne se fassent mal et compromettent la saison.

Alex baissa la tête et observa son corps.

Il portait un jean et une chemise déchirée. Il se passa la main sur la nuque et sentit qu'elle était rasée. Il sortit un portefeuille de la poche arrière de son pantalon. À l'intérieur, il trouva des billets de banque qu'il ne parvint pas à reconnaître, et quelques papiers. Il vit sa photo sur une carte d'identité qui portait le nom de Karl Weser.

Complètement abasourdi, l'esprit confus, il chercha instinctivement des renseignements sur cette vie parallèle, comme il l'avait fait dans le vestiaire. Il se mit à marcher, en quête d'indices. Il s'engagea dans une rue et vit qu'au loin, elle passait sous un pont. Tout autour, des tas de ruines donnaient l'impression qu'une bombe avait explosé un peu plus tôt. Alex remarqua aussi des failles dans le terrain d'où sortait de la fumée, comme si le bitume avait éclaté après un violent tremblement de terre. Plus loin, des voitures rangées dans la rue étaient en flammes.

« On dirait ma ville... mais dans quel état ! »

Alex commença à se *rappeler* quelque chose sur cette nouvelle identité parallèle. Brusquement, des renseignements confus sur une guerre civile, des affrontements de rue, des attentats et des massacres affluèrent dans son cerveau. Il se souvint d'un Milan en proie à une sorte de révolution populaire qui avait bouleversé la ville et renversé le pouvoir en assassinant les principaux dirigeants politiques du pays. Tandis qu'il marchait vers le pont, puis passait en dessous, il *apprit* que la Cité du Vatican, à Rome, avait été incendiée. Toutes ces informations qui lui venaient à l'esprit étaient un véritable choc pour lui. Il aurait voulu s'enfuir, mais il ne savait où. Soudain, il commença à entendre des voix à une certaine distance, derrière lui.

C'étaient des cris. Alex se retourna, mais ne

vit pas âme qui vive. Un rideau de fumée lui masquait la vue. Il ne pouvait apercevoir nettement que le pont derrière lui. Il ressemblait beaucoup à celui de la gare de Lambrate.

Lorsqu'il commença à distinguer des silhouettes humaines, il s'arrêta net. Son sang se figea dans ses veines.

Une horde d'individus marchait dans sa direction. Ils étaient tous vêtus de noir, portaient des capuches, et tenaient toute sorte d'armes : fusils, bâtons, pistolets, chacun avait réussi à récupérer quelque chose. Ils criaient en chœur des chants impossibles à comprendre.

Alex n'hésita pas longtemps. Il se mit à courir. Il avait au moins deux cents mètres d'avance sur eux. Il se retournait souvent pour vérifier que cette espèce d'armée ne gagnait pas de terrain, mais la distance semblait rester la même. Soudain, il remarqua des marches qui descendaient vers un niveau inférieur. On aurait dit une entrée de station de métro, même si elle n'était plus signalée. Alex se rappelait que le passage souterrain traversait la place et ressortait devant la gare de Lambrate. Dès qu'il descendit l'escalier, il se rendit compte de ce qui se passait réellement dans cet univers parallèle : le souterrain était envahi par des dizaines de cadavres.

Partout où il regardait, Alex découvrait les corps de personnes mutilées, défigurées, massacrées. Les cadavres s'entassaient jusqu'à la sortie du souterrain. Et les voix approchaient. La horde l'avait presque rejoint, les plus rapides étaient déjà dans l'escalier. Alex se mit à trembler et à avoir des sueurs froides. Ses jambes refusaient d'avancer, ne répondaient plus. Il était terrifié. Il tomba à genoux, s'attendant au pire.

Il ferma les yeux et, pendant un instant, il tenta de s'isoler, de penser à Jenny, à sa beauté. Il imagina ses yeux, essaya de revivre leur premier baiser. Il revit rapidement les images de ce voyage incroyable qui l'avait d'abord conduit jusqu'à l'autre bout du monde, puis dans une dimension inconnue, pour la rencontrer. Soudain, il sentit une main sur son épaule.

– Réveille-toi, Alex, murmura Jenny.

La tête du garçon était penchée sur le côté. Le présentateur expliquait l'origine des taches solaires, quand Alex rouvrit péniblement les yeux dans la salle obscure. La main de Jenny était posée sur la sienne.

– Enfin ! Qu'est-ce qui t'est arrivé ? demanda-t-elle à voix basse.

– Qui... qui es-tu ? Qu'est-ce que tu me veux ? répondit-il en s'étirant et en tournant son cou comme dans un exercice de stretching.

Jenny retira sa main, stupéfaite.

– Comment ?

– Où suis-je ?

– Alex... je suis Jenny. Nous sommes au planétarium. Tu as dû t'endormir.

– Attends, attends ! On avait éducation physique, nous avons joué, ensuite, nous sommes allés nous changer...

– Mais de quoi parles-tu ? Tu plaisantes ou quoi ?

Alex se leva brusquement, il paraissait agité. Le commentateur interrompit un instant son explication, tandis que le garçon se faufilait entre les sièges et sortait de la salle. Jenny le suivit aussitôt. Elle le rejoignit à l'extérieur du planétarium.

– Tu peux m'expliquer qui tu es et ce que tu me veux ? lui cria Alex, en se retournant.

Jenny le regardait, stupéfaite, effrayée.

– Comment peux-tu ne pas...? Nous étions là, ensemble, tu ne t'en souviens pas ? Sur ce banc (elle le lui indiqua d'un signe de tête), nous nous sommes même...

– Je ne te connais pas. Je me rappelle que j'étais en train de me changer dans le vestiaire avant de retourner en classe pour le dernier cours de la matinée. Et voilà que je me réveille dans une salle du planétarium avec une inconnue qui affirme me connaître. Qu'est-ce que tu m'as fait ? Quelqu'un m'a drogué ? Que s'est-il passé ?

Alex fit aussitôt demi-tour et s'éloigna à

grands pas. Il franchit la grille des jardins publics de Porta Venezia.

– Alex, je t'en prie… tu ne peux pas me faire ça ! s'écria Jenny.

Il ne se retourna même pas.

C'est alors qu'il entendit la première sirène.

Son hurlement venait de la piazza San Babila et se propageait dans tout le quartier, attirant les curieux, qui sortirent du jardin et se déversèrent sur le trottoir de l'avenue. Quand la sirène eut résonné trois fois, une voix métallique retentit, diffusée sans doute par haut-parleur :

– Les citoyens sont priés de rentrer immédiatement chez eux, ordre du gouvernement. Gardez votre calme et regagnez vos habitations. À partir de dix-sept heures ce soir, le couvre-feu est décrété. Je répète…

Les gens se regardèrent, stupéfaits. Certains réécoutèrent le communiqué deux ou trois fois avant de se diriger rapidement vers l'escalier de la station de métro Palestro. Des groupes de passants se formèrent dans la rue, s'interrogeant sur ce qui avait bien pu se passer.

Jenny, immobile, observait la scène.

Personne ne comprenait la raison de cette déclaration, mais l'angoisse se lisait sur les visages. Pendant les quelques minutes où les gens se dispersèrent, laissant la rue déserte, Jenny les entendit parler de guerre, d'attentat terroriste, de virus pandémique et d'autres hypothèses catastrophiques. Personne n'avait de réponse et chacun se lançait dans les conjectures les plus fantaisistes.

Lorsque la zone fut complètement évacuée, Jenny se mit à marcher vers le corso Buenos Aires, qui était quasiment vide. Chacun rentrait chez soi, obéissant aux ordres du gouvernement.

Jenny ne savait ni que faire, ni où aller. Elle savait seulement qu'elle devait trouver un endroit où se réfugier. Elle avançait dans le silence irréel, interrompu uniquement par la sirène puis par le communiqué, jusqu'à ce qu'en arrivant à la piazza Lima, elle voie un groupe de soldats de l'autre côté de l'avenue. Elle s'arrêta.

L'un d'eux la vit et agita sa mitraillette en l'air.

– Hé, la fille, là-bas, tu as entendu les ordres ? Rentre immédiatement à la maison !

« Mais je n'ai pas de maison, ici », pensa Jenny sans savoir que répondre.

– J'ai été clair ? Écoute mon conseil, rentre chez tes parents, ça va chauffer dans le coin.

Jenny acquiesça d'un signe de tête, mais ses jambes tremblaient.

– Oui, oui, ça va..., répondit-elle en changeant de direction. J'y vais, à la maison. J'habite près d'ici.

Les militaires recommencèrent à parler entre eux et à l'ignorer.

« Où est-ce que je vais bien pouvoir aller, maintenant ? » se demanda-t-elle en se faufilant dans une rue plus étroite, au fond de laquelle elle apercevait l'enseigne lumineuse d'un café.

– Hé, l'ami, tu veux te faire massacrer ? Partons d'ici !

Alex leva les yeux et vit un garçon de couleur, rasé comme lui, qui portait un jean et un sweat noir. Il lui tendit la main, Alex la prit et se leva, avant de le suivre dans sa fuite. Ils parcoururent le souterrain à toute allure, passant par-dessus des tas de cadavres, comme dans un effroyable jeu vidéo d'horreur. Il y avait du sang partout, et derrière eux, la masse indistincte de ceux qui semblaient les poursuivre gagnait du terrain. Toutes les dix ou quinze secondes, les hommes entonnaient un chœur lugubre qui accompagnait leur marche. Alex essaya de deviner ce qu'ils disaient, et s'aperçut qu'ils ne parlaient pas italien, mais une langue dure et nordique. Il était presque sûr que c'était de l'allemand.

Lorsqu'Alex et le garçon de couleur ressortirent du souterrain, montant l'escalier quatre à quatre, et qu'ils se retrouvèrent de nouveau à l'air libre, l'inconnu lui fit un signe de la main, comme pour dire : « Par là ! » L'enseigne rouge et jaune d'une pompe à essence KRAFT-GAS brillait au-dessus d'eux. Ils se faufilèrent rapidement dans le petit magasin, où des rayons d'accessoires pour téléphones mobiles et déodorants pour voitures avaient été réduits en miettes, tout comme l'ordinateur. La caisse était ouverte et vide, ce qui restait des produits était renversé sur le sol.

– Qu'est-ce qui peut bien se passer dans cette ville ? s'écria soudain Alex, pendant que l'autre s'agenouillait sous le comptoir à la recherche de quelque chose.

– Je m'appelle Jamil. Toi aussi, tu es des nôtres, bien sûr ?

– Des nôtres *qui* ? Je...

Jamil sortit la tête du petit meuble dans lequel il était en train de fouiller et posa sur Alex un regard inquisiteur.

– Tu es italien, non ?

Alex avait presque peur de répondre.

– Mais quel genre de question tu me poses ? Est-ce que j'ai l'air d'être chinois ?

– Dis, tu te fous de moi ou quoi ? Tu es *italien* ou pas ? Tu fais semblant de ne pas comprendre ?

La horde des individus à capuches s'arrêta près de la pompe à essence. Un homme, qui semblait être leur chef, sortit de la foule pour se tourner vers les autres et leur crier des instructions. Chacun de ses délires en allemand était suivi d'une réponse qui rappelait l'ardeur emphatique d'un chant militaire.

Alex fit un immense effort pour chercher

dans ses souvenirs un indice qui lui permette de répondre à la question, mais en vain. Jamil avait de nouveau fourré sa tête dans le petit meuble, et marmonnait quelque chose dans le genre : « Pourtant, c'était là, c'est forcément là… »

– Écoute… je… j'ai peur d'avoir perdu la mémoire. Est-ce que tu peux me dire où je suis et m'expliquer ce qui se passe ?

– Cette crise de merde…, grommela Jamil. J'en ai rien à foutre de ta mémoire. Tout ce que je veux, c'est sauver ma peau. Ils tuent tout le monde, il paraît que le pape a été assassiné, et maintenant ils veulent massacrer tous les Italiens.

– Mais pourquoi les Italiens ?

– Les Italiens ! Les neutres, comme ils appellent ceux qui sont comme toi ou moi. Mais pourquoi je te raconte ça ? Va te faire tuer, de toute façon, c'est qu'une question de temps.

Et il se remit à chercher dans sa petite armoire.

– La voilà ! Je l'ai trouvée ! Je savais bien qu'elle était là !

Alex resta bouche bée, immobile devant le comptoir, tandis que Jamil sortait une grenade et la posait à côté de l'écran de l'ordinateur éventré.

– Pourquoi est-ce qu'ils parlent tous allemand ?

– Et quelle langue devraient-ils parler ? On est à Milan, mon pote, t'es pas au courant ?

– Et à Milan, on parle allemand ?

– Allemand et italien. Depuis plus de soixante ans.

Jamil secoua la tête, se leva, puis jeta un coup d'œil par les petites fenêtres du magasin : le chef s'était mêlé à son groupe de factieux. Ils semblaient prêts à donner l'assaut.

Alex regarda autour de lui, mais ne vit pas le moindre trou où se réfugier. Il n'y avait aucun moyen de s'échapper, et les explications du garçon de couleur n'avaient aucun sens. Ou plutôt, elles n'en avaient un que si dans cette dimension parallèle du Multivers, la Seconde Guerre mondiale avait eu une issue différente. Jamil ricana, fit un clin d'œil, puis prit la grenade et sortit du magasin.

Alex le vit à travers la vitre, et pria pour qu'il ne fasse pas ce qu'il semblait justement sur le point de faire.

– Et ça, c'est pour vous, sales fils de pute ! cria Jamil de toutes ses forces, tandis qu'il dégoupillait la grenade, l'anneau lui restant dans la main, et la lançait vers la horde furieuse.

Alex était pétrifié.

Dès que l'engin explosa et que les cris de douleur ou de colère des factieux se mêlèrent en un chœur assourdissant, il sortit par la porte du magasin, et tourna immédiatement à droite, derrière la silhouette fière et triomphante de Jamil qui jouissait du spectacle. Alex courut à toutes jambes, mais il n'était pas passé inaperçu malgré le rideau de fumée qui avait suivi l'explosion.

Certains le virent et le poursuivirent aussitôt. Alex sauta par-dessus une série de buissons, comme si c'étaient des obstacles sur une piste d'athlétisme, et se lança dans une course effrénée. Il ne se retourna qu'en entendant une rafale de mitraillette derrière lui et il vit alors au loin le corps de Jamil s'effondrer sur le sol.

Il courut de toutes ses forces. Il avait au moins six hommes à ses trousses. Plus robustes, plus vieux que lui, et peut-être moins rapides. Mais armés. Quelques coups de feu retentirent en l'air, tandis qu'une voix hurlait, menaçante :

– *Wir werden dich toten,* Italien !

Quelques secondes plus tard, le coup qui l'atteignit en pleine cuisse, arracha à ses entrailles un cri déchirant de douleur. Il sentait le projectile brûler sa chair comme un tison ardent.

Le petit groupe qui le suivait se jeta aussitôt sur lui, tandis qu'il se tordait de douleur par terre, ses mains ensanglantées comprimant sa blessure.

– Non ! Laissez-moi tranquille, je n'ai rien fait ! cria-t-il, en larmes, terrorisé.

Six hommes à capuche le fixèrent en silence pendant un instant interminable. Puis l'un d'eux se mit à parler à voix basse à son voisin, penchant sa capuche à gauche, et murmurant quelque chose d'incompréhensible.

Il sortit un long couteau d'un étui accroché à sa taille.

La lame qui transperça la poitrine d'Alex pénétra lentement. Elle s'enfonça dans sa chair, tandis qu'allongé sur le sol, il sentait ses yeux sortir de leurs orbites, sa respiration devenir suffocante dans sa gorge, et qu'il voyait soudain le monde plat et gris. Sa douleur à la jambe disparut complètement. En quelques secondes, toute sensation physique sombra dans une étreinte lugubre et glacée.

Le visage de Jenny était devant lui, comme une vision qui recouvrait le ciel. Le sang coulait de sa poitrine et se répandait sur le bitume pendant que les six agresseurs s'éloignaient. L'explosion sourde et amortie d'une bombe fut le dernier bruit qu'Alex parvint à entendre. Le reflet du soleil sur les vagues de l'océan fut la dernière image qui l'accompagna.

Puis ce fut le néant.

Une porte s'ouvrit soudain derrière Jenny, la faisant sursauter.

– Hé toi ! Tu n'as pas entendu le communiqué ? demanda un homme d'une soixantaine d'années, qui avait gardé son tablier sur lui. C'était sans doute le gérant du café.

– Si… monsieur. Je rentre à la maison.

– Alors ne reste pas devant ma vitrine. Il faut que je ferme. Tout le monde doit fermer.

Jenny s'éloigna sans répondre. Elle se mit à courir sans savoir où aller, ni comment arriver à se mettre en relation avec Alex.

Elle essaya de se concentrer, mais elle ne percevait plus la pensée du garçon.

Elle coupa par deux ruelles désertes qui pénétraient à l'intérieur du quartier. Les avenues principales étaient sans doute contrôlées par les militaires, elle risquerait gros s'ils la trouvaient encore dans la rue, errant sans but. Elle regardait autour d'elle en marchant. De temps en temps, elle apercevait des gens qui se précipitaient vers une porte, puis disparaissaient derrière. Plusieurs commerçants fermaient leur boutique, et sur les façades des immeubles, les fenêtres étaient toutes fermées, les stores baissés.

Lorsqu'elle passa devant la vitrine d'un magasin d'appareils électroménagers, elle vit un téléviseur à écran plat allumé, devant lequel était posé un écriteau FULL HD – SUPER OCCASION, et qui diffusait un journal télévisé. Le son était désactivé, mais il suffit à Jenny de voir les mots ÉDITION SPÉCIALE et l'image d'un char armé pour comprendre qu'il était arrivé quelque chose de grave.

Elle se mit à courir, en se demandant sans cesse ce qui était arrivé à Alex. Pourquoi ne l'avait-il pas reconnue, pourquoi l'avait-il traitée ainsi ?

Elle était seule, désormais.

25

Le sable doré par les derniers rayons du soleil de l'après-midi prit forme peu à peu. Le fracas des vagues qui se brisaient sous la jetée et le souffle du vent frais qui sifflait à ses oreilles accompagnèrent son réveil. Ses paupières tressaillirent quelques secondes avant de s'ouvrir péniblement. Le soleil allait se cacher derrière l'horizon, son disque orange s'abîmait dans l'eau, tandis que tout autour, de grands coups de pinceau violets, rouges et jaunes se confondaient dans la palette envoûtante du crépuscule australien. Un chien surgit devant lui, soulevant du sable, pendant qu'Alex se levait lentement.

– Je suis vivant, murmura-t-il en regardant autour de lui. Je suis vivant.

Marco avait fait allusion à l'hypothèse d'univers alternatifs dans lesquels la société aurait perdu tout contrôle sur les événements, mais Alex n'aurait jamais pu imaginer que sa ville puisse se retrouver dans cet état. Il essaya de se rappeler la sensation qu'il avait éprouvée lorsque la lame avait pénétré dans sa chair. Il avait du mal à le faire, il craignait presque de définir trop précisément les contours d'une photo qu'il valait mieux brûler pour toujours, en enterrant ses cendres dans les replis les plus profonds de sa mémoire.

Il était mort, il n'avait aucun doute là-dessus. Les factieux l'avaient laissé à terre exhaler son dernier soupir, un projectile dans la cuisse et un couteau planté dans la poitrine. Il était mort, mais il avait survécu. Et cela n'avait aucun sens.

Sa première pensée, après avoir constaté qu'il était vivant, fut pour Jenny. Il l'imagina toute seule dans une ville qu'elle ne connaissait pas, même si elle appartenait à sa réalité. Comment parviendrait-elle à revenir à Melbourne ? Comment arriveraient-ils à se rencontrer de nouveau ? Il avait besoin de parler à Marco.

Il chercha des yeux son sac à dos. Il était encore là, à côté de lui. Il sortit son téléphone de la poche de sa veste.

– Toujours éteint, bon sang !

Il remonta les marches qui menaient à la première partie de la jetée et avança le long de l'Esplanade. En arrivant à un feu rouge, il attendit quelques minutes sur le trottoir, appuyé contre un palmier. Puis il aperçut un taxi au bout de la rue, et agita les bras pour attirer son attention.

La voiture s'arrêta et Alex monta à bord.

– À l'aéroport ! dit-il sans hésiter.

L'avion pour Abu Dhabi décolla à onze heures quinze de l'aéroport Tullamarine de Melbourne et atterrit le lendemain matin à six heures vingt-cinq. Pour Alex, ce furent sept heures de sommeil quasi ininterrompu. Une fois dans l'aéroport des Émirats arabes, il prit une navette pour rejoindre le terminal d'où partait sa correspondance pour Heathrow. Il ne lui restait qu'une heure quarante à attendre avant d'embarquer pour la deuxième escale de son voyage.

Alex patienta en mangeant une part de pizza dans la zone d'enregistrement des bagages, et à huit heures quinze précises, il décolla vers le Royaume-Uni.

Pendant le vol, il garda presque tout le temps les écouteurs de son iPod sur les oreilles et parvint à se reposer. Il ne se réveilla qu'au moment où l'hôtesse d'Etihad Airways servit le déjeuner : un blanc de poulet caoutchouteux garni de petits pois froids, un café très allongé et un gâteau au chocolat qui se révéla être le seul aliment comestible du repas.

À midi vingt, l'avion atterrit sur le sol britannique.

La correspondance pour Milan était prévue à dix-sept heures quarante. Alex se promena dans le hall bordé de boutiques, son sac à l'épaule, le visage las. Il avait besoin d'étendre ses jambes éprouvées par le long voyage.

« Qui sait si Marco a découvert quelque chose de plus », pensa-t-il en s'asseyant sur un banc situé dans la zone wi-fi. Il étendit les jambes et posa les pieds sur une petite table devant lui. Un homme en uniforme lui lança un regard mauvais. C'était probablement un vigile de l'aéroport, qui ne semblait pas apprécier la façon dont il se tenait. Mais Alex ne bougea pas. Il était épuisé. Il vit au loin la vitrine éclairée d'une agence de voyages. La photo d'une famille heureuse était affichée sous la gigantesque inscription : GO TO EUROPE ! NOW !

Ce message semblait lui être adressé personnellement.

En arrivant enfin devant la porte de son immeuble, Alex inspira longuement.

Il ne savait pas comment ses parents allaient réagir en le voyant réapparaître, comme s'il revenait simplement d'une journée passée à l'école.

C'était l'heure du dîner. Valeria et Giorgio étaient certainement à la maison. Une fille sortit, et lui laissa la porte ouverte. Alex la remercia, puis monta l'escalier.

En priant pour que ses parents ne soient pas trop furieux contre lui, il appuya sur la sonnette.

Il attendait qu'on lui ouvre, lorsqu'il vit sortir un vieux monsieur de l'ascenseur, sur le même palier que lui. Le vieil homme prit sa clé et ouvrit la porte de son appartement, après lui avoir lancé un coup d'œil interrogateur.

Au même moment, tandis que l'homme rentrait chez lui, le laissant seul sur le palier, la porte qui était devant Alex s'ouvrit.

– Tu es un ami de Paolo ? demanda une femme brune, un tablier noué autour de la taille.

Alex la regarda, perplexe. Puis il vit l'étiquette à côté de la sonnette :

– Mancini, dit-il avant de se tourner de nouveau vers la femme. Excusez-moi, j'ai dû me tromper d'étage.

– Où habites-tu ?

– Au deuxième.

– Tu es au deuxième. Tu ne te serais pas aussi trompé de numéro, par hasard ?

Alex baissa les yeux, essayant de ne pas avoir l'air trop décontenancé.

– Excusez-moi, madame, j'ai dû faire une erreur.

Il fit demi-tour, et descendit rapidement l'escalier jusqu'au rez-de-chaussée.

Une fois dehors, il vérifia le numéro de la porte : 22, viale Lombardia. C'était bien chez lui. Depuis seize ans.

« Oh non, ça recommence... »

Alex regarda autour de lui.

Les choses semblaient être telles qu'il les avait laissées. La même ville, la même rue qu'il avait parcourues des milliers de fois. Mais son appartement était habité par une autre famille.

– Je suis revenu dans mon corps là-bas sur la plage… je me suis levé, j'ai pris trois avions et je suis arrivé ici. Ici, l'endroit d'où je suis parti. Qu'est-ce que ça peut bien signifier ?

Très agité, il se mit à courir vers la piazza Piola.

L'immeuble de Marco n'était qu'à une centaine de mètres, juste avant le début du viale Gran Sasso.

En deux minutes il fut devant l'interphone.

– Oui ? répondit la voix.

– Marco, c'est moi !

– Alex, bonjour ! Quelle surprise… Monte !

La porte du bas s'ouvrit, Alex entra, mais il ne se sentait pas tranquille. Son ami ne semblait pas attendre son retour. Au premier étage, la porte de l'appartement des Draghi était entrouverte. Alex la poussa et entra. Dès qu'il eut franchi le seuil, il se sentit désorienté. Là où se trouvait habituellement la table sur laquelle étaient posés les trois ordinateurs, il y avait un divan en coin.

La rampe de néon bleu fixée au mur avait disparu, remplacée par une étagère couverte de photos encadrées. Marco arriva dans le couloir, derrière lui.

– Alex !

Celui-ci se retourna et resta ébahi.

Souriant, les bras tendus vers lui comme pour le serrer dans ses bras, Marco était debout, sur ses jambes.

– Tu as enfin trouvé le temps de passer ! dit-il en l'étreignant.

Alex répondit gauchement à ses marques d'amitié.

– On ne te voit plus, en ce moment.

Alex, le regard fixé sur les jambes de son ami, resta muet.

– Qu'est-ce qui te prend ? Tu te sens bien ?

– Oui, je…

– On dirait que tu as vu un fantôme !

– Alors… tu marches…

– Ben quoi ? Tu voudrais que je me mette à genoux ? Je suis content de te voir, d'accord, mais il ne faut pas exagérer !

Marco éclata de rire, et disparut à toute vitesse dans la cuisine. Il revint quelques secondes plus tard, deux canettes de Coca-Cola à la main.

– Tu veux boire quelque chose ?

– Marco, j'ai des problèmes.

– C'est-à-dire ?

– Je ne sais pas comment te l'expliquer, dit Alex, les idées confuses, en regardant autour de lui. (Ses yeux tombèrent sur une des photos posées sur l'étagère). Excuse-moi, mais… c'est bien ta mère ?

– Bien sûr, quelle question ! Tu étais là, toi

aussi, quand on a pris cette photo l'année dernière… dans la maison en Toscane, tu te souviens ? Tu devrais voir ce qu'elle est devenue, maintenant qu'ils ont fini de la retaper.

Alex ferma les yeux, il sentait qu'il perdait connaissance. Le garçon qui se trouvait devant lui semblait vivre la vie qui avait été refusée à son ami.

– Qu'est-ce qui te prend ?

– Non, rien. Dis-moi une chose… Mes parents à moi, comment vont-ils ? Ils n'habitent plus viale Lombardia ?

Marco fronça les sourcils et scruta le visage d'Alex.

– Dis donc, tu m'inquiètes… tu as perdu la mémoire ?

– Bonne question. Je ne sais même pas quoi te répondre.

– Alex, mais tu es sérieux ?

– Tout à fait sérieux.

– Tes parents vivent en Suisse depuis cinq ans. Comment peux-tu me demander ça ? Tu ne t'en souviens vraiment pas ?

Marco posa une des canettes sur la table.

– Tu as eu un accident ? Tu t'es cogné la tête ?

– Rien de tout ça. C'est trop compliqué à expliquer. Il faut que je m'en aille, maintenant.

– Attends, je pense que tu as besoin d'aide. Il a dû t'arriver quelque chose…

– Laisse tomber. Oublie les questions idiotes que je t'ai posées.

Alex se leva et fit quelques pas vers la porte.

– Mais comment… ?

Marco resta immobile, sa canette à la main.

– Excuse-moi, une dernière chose, reprit Alex en se tournant vers lui. Est-ce que tu connais une certaine Jenny ?

Marco le regarda, perplexe.

– Qui ?

Alex ne répondit pas. Il quitta rapidement l'appartement des Draghi, ferma énergiquement la porte, et s'enfuit.

Une fois dans la rue, il regarda autour de lui. Il se mit à marcher dans la foule, comprenant peu à peu qu'il était en voyage entre les routes infinies, les myriades de possibilités du Multivers. Au milieu de tous ces gens normaux, il avait l'impression d'être un alien : il pouvait voyager, il pouvait aller partout, sonder chaque éventualité et chaque destinée.

Mais pour le moment, il avait besoin de retrouver la voie qui le ramènerait chez lui.

26

« Je n'arrive pas à contrôler ce maudit pouvoir ! »

Alex récapitula tout ce qu'il avait fait à partir du moment où il s'était isolé sur la plage, depuis qu'il avait traversé le tourbillon pour se réveiller dans le vestiaire du lycée, dans la réalité de Jenny.

Il revit chaque instant de son incroyable voyage. Les images des cadavres qui jonchaient le souterrain du Milan alternatif étaient encore gravées dans son esprit et se heurtaient aux souvenirs du premier baiser qu'il avait échangé avec Jenny. Ces souvenirs se mêlaient à leur tour à ceux de l'expérience qu'il avait vécue au planétarium au moment où il s'était rappelé qu'il avait déjà rencontré Jenny autrefois au même endroit, quand ils étaient petits, dans des circonstances qui lui demeuraient obscures.

Alex repensa au jour où il avait pris un taxi pour se rendre à l'aéroport de Tullamarine, à son vol pour les Émirats arabes, et à son décollage pour la Grande-Bretagne.

« Milan n'a pas changé, mais la vie de mes proches et de Marco est complètement différente. Je ne sais même pas où j'habite. Une autre famille vit chez moi, mes parents sont en Suisse, et Marco marche ! Il faut que je revienne en arrière… mais comment ? »

Une horloge montée sur un pied indiquait dix heures du soir. Quelques mètres plus loin, des immigrés parlaient à haute voix devant un marchand de kebab.

« C'est probablement arrivé pendant le voyage. Sans doute alors que je dormais. »

Il jeta un coup d'œil circulaire, et remarqua un détail important. Il n'avait plus de sac à dos.

« C'est logique. Mon alter ego n'a pas de sac à dos dans cette dimension, il ne revient pas de voyage. Je suis entré dans sa réalité alors qu'il allait prendre le métro. Mon sac à dos, quand l'ai-je vu pour la dernière fois ? »

– Mais bien sûr ! s'exclama-t-il en attirant l'attention des immigrés. C'était à Heathrow !

Il se mit à marcher en essayant de rassembler ses idées. Il devait retourner immédiatement à l'aéroport de Londres.

Il revint vers la piazza Piola et descendit l'escalier du métro. Il n'avait pas un sou pour acheter un ticket, mais la cabine des contrôleurs était vide. Il n'y avait qu'un seul homme en uniforme, de dos, suffisamment loin pour ne pas poser de problème. Il passa donc par-dessus le tourniquet et se dirigea vers le quai.

Quelques personnes attendaient la prochaine rame. Certaines regardaient avec insistance le panneau lumineux qui indiquait les temps d'attente, d'autres lisaient un livre, d'autres encore marchaient de long en large.

Alex parcourut le quai jusqu'au bout, s'assit sur un banc et se concentra. « Je sais où je dois aller… je sais où je dois me réveiller. Il faut que j'arrive à contrôler mon voyage. »

Il s'efforça de se remémorer tous les détails qui pouvaient le ramener à Heathrow. Il focalisa ses pensées sur son sac à dos qu'il avait vu pour la dernière fois à côté du banc où il s'était assis, près de la porte d'embarquement. Il essaya de se rappeler certains visages, les inscriptions, les enseignes lumineuses de l'aéroport.

Deux ou trois rames passèrent, et il était toujours là.

Soudain, le regard d'un homme émergea des méandres de son esprit. Sa grosse moustache, ses yeux minuscules, son menton prononcé. Il portait un uniforme.

« Mais oui, c'était un vigile de l'aéroport. Il m'a regardé de travers quand j'ai mis les pieds sur la petite table, dans la salle d'attente. »

Le cerveau d'Alex se raccrocha à ce souvenir et ne le laissa pas échapper. Il se sentait guidé par un instinct qui lui disait ce qu'il devait faire. Il se concentra sur certains détails, comme les rangers noirs du vigile, sa matraque à la ceinture. Derrière l'homme, l'enseigne d'un magasin de chaussures. Puis la photo de la famille heureuse apparut dans son esprit, ainsi que l'inscription : GO TO EUROPE ! NOW !

Aussitôt tous ses muscles s'engourdirent, son corps s'affala de côté, et sa tête heurta le banc.

Les visages, les couleurs, les voix et les odeurs d'un univers se mêlèrent à ceux d'une autre réalité. Le tourbillon emporta sa pensée loin de là où il se trouvait, dans cette ville de Milan si semblable à celle qu'il connaissait, et en même temps si éloignée. Il eut l'impression de parcourir un tunnel de souvenirs à la vitesse de la lumière, sans avoir le temps d'en distinguer aucun. Ce n'étaient pas seulement *ses* souvenirs. C'étaient ceux de n'importe qui.

Lorsqu'il rouvrit les yeux, il était allongé.

Il se redressa, les muscles douloureux, et la vue encore trouble. Quelques lumières confuses prirent forme peu à peu. Elles venaient de la publicité lumineuse devant ses yeux. L'inscription était en anglais. Alex regarda autour de lui et sourit, laissant échapper un soupir de soulagement. Il était bien là où il espérait être : à l'aéroport de Heathrow.

Exactement à l'endroit où il s'était endormi cet après-midi-là, en attendant son vol pour Milan. Exactement là où il voulait revenir.

« J'ai peut-être compris comment ça marche... »

Il se retourna aussitôt, voulant immédiatement vérifier quelque chose. Il regarda sous le banc et le vit.

– Mon sac !

Il fouilla à l'intérieur, et trouva l'un des sandwichs qu'il s'était fait préparer à Melbourne. Il était resté dans le même sachet depuis plus de deux jours et devait être immangeable, mais Alex avait tellement faim qu'il le sortit de son papier et mordit dedans.

L'horloge électronique sur le mur d'en face indiquait deux heures du matin. Une femme de ménage tirait un petit chariot jaune et bleu vers les toilettes. Les couleurs rappelèrent à Alex le maillot de son équipe de basket.

« J'ai intérêt à faire attention, cette fois », pensa-t-il en se mettant à marcher sans but dans l'aéroport britannique, désormais désert. Il avait le pouvoir de franchir les frontières entre différentes dimensions, il n'avait plus aucun doute là-dessus, mais c'était un pouvoir qu'il ne contrôlait qu'en partie, et qui se manifestait la plupart du temps sans qu'il puisse rien y faire.

Il jeta un coup d'œil à l'écran lumineux qui signalait les départs du matin : un vol pour l'aéroport Linate de Milan était prévu à six heures cinquante. Dans la poche de son sac, il avait toujours la carte prépayée avec l'argent que Marco lui avait donné. Cette fois, cet argent lui permettrait de rentrer chez lui.

Après avoir passé en revue toutes les vitrines des magasins, Alex retourna près des portes d'embarquement et s'assit. Ses pensées volèrent aussitôt vers Jenny.

Elle devait être encore au planétarium avec un Alex identique à lui, mais qui n'était pas lui. Il se demanda ce qui arriverait au réveil de l'autre Alex, celui qui, selon toute probabilité, même s'il ne pouvait en être certain, ne savait rien ni de Jenny ni du Multivers.

Vers six heures du matin, il se présenta au guichet et paya son billet, en espérant que cette fois le voyage ne lui réserverait pas de surprise.

– Enfin, *ma* ville ! s'exclama Alex en quittant l'aéroport de Milan.

Mais ses craintes se réveillèrent aussitôt. Il ne pouvait pas encore être sûr d'être au bon endroit. Il fallait d'abord qu'il parle à ses parents. Et à Marco.

Fatigué, l'esprit encore confus, il utilisa l'argent qui lui restait pour prendre un taxi jusqu'à chez lui.

– Pourvu que je sois bien dans le Milan que j'ai laissé en partant pour Melbourne, murmura-t-il tandis que le chauffeur de taxi prenait le boulevard périphérique en donnant des coups de poing dans son autoradio, qui semblait ne vouloir se régler sur aucune fréquence et se contentait de produire un bourdonnement agaçant.

Lorsqu'il arriva devant la porte du 22, viale Lombardia, Alex poussa un soupir de soulagement en lisant le nom Loria parmi ceux de l'interphone.

Il sonna, bien qu'il eût les clés dans son sac à dos.

– Oui ? répondit la voix de sa mère.

Il ne s'attendait pas à trouver ses parents à la maison, car il était presque dix heures du matin.

– Maman, c'est moi.

– Oh, mon Dieu ! Alex !

Ses parents l'accueillirent comme s'il avait été enlevé et tout juste relâché. Dès qu'il franchit le seuil, Valeria se jeta sur lui, et le serra contre elle, l'étouffant à moitié. Tout en sanglotant et en bafouillant quelque chose d'incompréhensible, elle saisit la nuque de son fils par les cheveux, dans un geste où se mêlaient l'affection, le soulagement de le retrouver sain et sauf, et la colère accumulée pendant tous ces jours d'attente.

Giorgio assistait à la scène les bras croisés, debout, la cigarette à la bouche. Son regard exprimait le tumulte de ses émotions. Son front plissé montrait qu'il exigeait des réponses. Quand Valeria relâcha son étreinte, le père d'Alex laissa échapper la fumée de sa cigarette, les lèvres pincées, une expression sévère sur le visage.

– Maintenant, tu vas nous dire où tu étais. Et tu n'as pas intérêt à inventer des histoires.

– Oui… d'accord, répondit Alex, sonné.

En posant son sac à dos par terre, il aperçut un exemplaire du journal *Corriere della Sera*, posé sur la table de la cuisine. Il datait de la veille, et un titre se détachait en gros caractères : *LA TERREUR DE L'INCONNU*. Une photo qui représentait une bagarre au parlement occupait toute la page. Elle était précédée de deux lignes en italique : « *Après le blocage d'Internet, la tension monte. "Que le gouvernement donne des réponses aux citoyens !" demande la population. Tensions et affrontements dans le monde entier.* »

Alex s'assit à la table de la cuisine, tandis que Giorgio prenait le quotidien et l'agitait furieusement.

– Non, mais tu as vu ce qui se passe ? Tu imagines dans quel état nous pouvions être ?

– Je vous demande pardon.

– On n'en a rien à faire de tes excuses,

reprit Giorgio. Maintenant, tu vas me dire où tu étais !

Alex essaya d'éviter le regard de son père. Il se rendait compte qu'il n'avait pas prévu la moindre ébauche d'explication plausible.

– J'ai dû...

Il baissa les yeux vers ses mains jointes sur ses jambes. Ses doigts tambourinaient nerveusement les uns sur les autres.

– J'ai fait un voyage. C'était nécessaire.

Valeria s'assit en face de son fils, tandis que Giorgio restait debout, les mains crispées sur le dossier de sa chaise en bout de table.

– Un voyage ? Pour aller où ? Tu es devenu fou ou quoi ?

Alex s'éclaircit la voix pour gagner quelques secondes.

– Je ne sais pas quoi vous dire. Non, je ne crois pas être devenu fou.

– Alors explique-toi, maintenant !

Giorgio tapa du poing sur la table. Le rouge lui monta aux joues. Il desserra son nœud de cravate, puis recommença :

– À moins qu'on doive aller interroger ton ami Marco ? Parce que nous savons qui t'a aidé. J'étais sur le point d'appeler la police, on avait très bien compris que derrière tout ça il y avait ce dingue !

– Arrête ! éclata Alex en défiant son père du regard. Marco n'est pas dingue. C'est un génie.

Vous ne pouvez pas comprendre, vous ne savez rien de rien.

– Eh non, c'est trop facile. Essaie de comprendre, toi aussi ! dit Valeria en se levant.

– Je ne veux plus vous parler. Je n'ai plus rien à vous dire.

– Tu nous dois une explication, intervint Giorgio, écumant de rage. Tu vas nous la donner, ou je jure que je t'enferme dans ta chambre jusqu'à la fin de l'année scolaire !

Alex garda le silence, le regard perdu dans le vide, comme si les menaces de ses parents glissaient sur lui, le laissant parfaitement indifférent.

– Tu veux faire le dur, hein ? reprit Giorgio. Fiche le camp si tu ne veux pas que je lève la main sur toi.

Alex se remit lentement debout, sans répondre. Il prit son sac à dos et quitta la cuisine. Il se dirigea vers la salle de bains, tout en essayant de décider ce qu'il allait faire.

Quand il fut devant le miroir, il posa les mains sur le bord du lavabo et baissa la tête. Les yeux fermés, il sentit le poids d'une situation qui commençait à le dépasser. Mais ce n'était pas le moment de trembler ni de pleurer. C'était le moment de s'en aller.

Il leva la tête et croisa son propre regard dans le miroir.

« Je reviendrai vers toi, Jenny, pensa-t-il en

faisant couler de l'eau et en s'aspergeant le visage, comme il le faisait chaque matin au réveil. Je reviendrai », continua-t-il à se répéter mentalement, comme une rengaine.

– Attends-moi, Jenny, murmura-t-il, comme s'il parlait à son reflet.

À ce moment, derrière la porte entrouverte de la salle de bains, les yeux de Valeria Loria étincelèrent dans l'obscurité du couloir.

Elle avait entendu le nom qu'avait prononcé son fils.

Giorgio et elle savaient bien de qui il s'agissait. Alex ne pouvait s'en souvenir.

Des recoins les plus profonds de la mémoire, franchissant la porte barricadée et inaccessible du couloir le plus obscur des souvenirs d'Alex, Jenny était revenue.

Lorsqu'il sortit de la salle de bains, il n'y avait plus personne dans l'entrée. Son sac à l'épaule, il se dirigea vers la porte blindée. Il entendait les voix assourdies de ses parents qui s'étaient isolés dans la cuisine pour discuter.

Alex serra fortement la poignée de la porte et l'ouvrit d'un geste décidé. Il poussa un long soupir après l'avoir refermée. Puis il descendit l'escalier à toute vitesse, sortit de l'immeuble, et se rendit chez Marco.

27

– Ce n'est pas possible.

La voix de Valeria trahissait son incrédulité et son inquiétude.

– Que ça recommence *encore une fois* ? demanda Giorgio en s'affalant dans le fauteuil en cuir du salon.

– Le médecin nous avait dit qu'on ne pouvait pas exclure cette éventualité, tu te rappelles ?

– Comme si c'était hier. Comme je me rappelle les murs de la maison avant qu'on les fasse repeindre pour effacer les inscriptions, pour effacer ce satané nom qui était partout... Jenny ! Et ce maudit symbole...

– Mon Dieu, Giorgio. Ça fait combien d'années ? J'ai tellement prié !

– Dix. Dix ans.

– Attends-moi là, j'ai quelque chose à faire. Je reviens tout de suite.

Valeria sortit de la cuisine et prit un petit porte-clés dans une maisonnette en bois accrochée à côté de la porte blindée. Le mot CAVE était inscrit sur l'étiquette.

Elle descendit l'escalier vers le sous-sol, l'air glacé pénétrant dans ses narines. Ses souvenirs remontaient l'un après l'autre, ramenant à la surface une histoire qu'ils avaient eu tant de mal à enterrer.

Valeria se souvenait parfaitement bien de cette période.

Alex était au cours préparatoire. Les autres enfants dessinaient des paysages verdoyants, des maisons, des arbres, et transformaient le soleil en un petit visage souriant. Alex peignait seul dans sa chambre, illustrant des scènes apocalyptiques, des villes en flammes, des immeubles qui s'effondraient. Lorsqu'on lui demandait pourquoi il dessinait ça, il répondait simplement : « Parce que je l'ai vu. »

Valeria tourna la clé dans le cadenas qui fermait la porte de la cave, et entra. L'espace qui leur était réservé était au fond à droite. En y arrivant, elle revit le visage candide, angélique d'Alex avec son petit casque de cheveux blonds, qui continuait à répéter comme une rengaine : « Jenny existe, Jenny existe, Jenny existe… »

Chaque épisode de la période la plus noire de leur vie familiale était consigné dans le journal que Valeria avait tenu à l'époque. Elle avait commencé à l'écrire le lendemain de son accouchement, et l'avait refermé, puis caché, à la fin de cette terrible histoire. Quand Giorgio et elle avaient décidé d'agir, parce qu'il le fallait. Parce qu'il fallait emmurer vivant un monstre qui dévorait l'enfance de leur fils.

Pendant que Valeria sortait un gros carton de la cave, Giorgio était resté dans le salon. Il avait pris un vieil annuaire et l'avait ouvert à la lettre C. Il avait parcouru les noms jusqu'à ce qu'il trouve celui qu'il cherchait : clinique privée Enrico Paolo.

Juste en dessous, le numéro de la consultation privée du docteur Siniscalco était écrit au crayon, suivi du mot « neurologue » entre parenthèses.

Giorgio s'assit sur le canapé, prit le téléphone sans fil et composa le numéro du médecin.

Au bout de deux ou trois sonneries, la voix d'une secrétaire répondit à l'appel. Quelques secondes d'attente, puis le médecin prit la communication depuis son cabinet.

– Allô !

– Docteur Siniscalco, bonjour. Giorgio Loria à l'appareil.

Au bout du fil, il y eut un silence à peine interrompu par la profonde respiration du médecin.

– Il y a dix ans, vous avez soigné mon fils, Alessandro.

– Quel genre de traitement ?

La voix du neurologue était celle d'un homme qui fumait depuis son adolescence.

– Nous étions venus vous voir de la part d'un psychiatre, le docteur Moriggia.

– Ah !

Giorgio sentit, en entendant cette réponse monosyllabique, que le neurologue venait sans doute de se souvenir non pas d'une partie, mais de toutes les circonstances douloureuses de leurs rencontres. Pour Giorgio, parler de nouveau au docteur Siniscalco, repenser à cette période si sombre de sa vie, c'était comme allumer une torche dans une pièce oubliée de sa mémoire.

Les flashs du passé déferlèrent sur lui, le frappant avec la violence d'un cyclone.

Les murs de l'appartement couverts de peinture à la bombe. Le parquet de la chambre d'Alex où il avait gravé au couteau les trois demi-lunes en spirale dont Giorgio et Valeria ignoraient le sens. Son petit carton à dessins plein d'illustrations dignes d'un musée des horreurs.

– Monsieur Loria, vous êtes toujours là ?

– Oui, excusez-moi… je vous demandais si vous vous en souveniez. Nous étions venus vous voir pour…

– Une électroconvulsiothérapie, compléta le médecin.

– Oui. Alors, vous vous souvenez d'Alex ?

– Blond, avec un visage angélique, c'est ça ?

– Oui, angélique... mais tourmenté.

– Si ma mémoire est bonne, le traitement a eu les résultats espérés.

C'était vrai, Alex avait recommencé à dessiner des arbres, des enfants et des maisons, comme tous ses amis. Après le traitement, il semblait avoir retrouvé la vie d'un enfant normal de six ans.

– Oui, il avait également cessé de parler de son amie imaginaire.

– Vous ne l'avez plus envoyé chez le docteur Moriggia, si je ne me trompe. Tout est rentré dans l'ordre.

– Exactement, docteur.

– À entendre le ton de votre voix, j'imagine que le problème s'est de nouveau présenté. Comment va Alex ?

– Docteur Siniscalco, j'ai peur que ça recommence, il a disparu pendant quelques jours, il est parti la chercher.

– Est-ce que c'est lui qui vous l'a dit ?

– Non, il n'a rien voulu dire, il est revenu aujourd'hui et a refusé de s'expliquer, mais ma femme l'a surpris pendant qu'il parlait tout seul devant le miroir. Il continue à s'adresser à cette fille. Le problème, c'est qu'il ne sait pas de quoi il s'agit. Il ne se rappelle rien, il ne comprend pas qu'elle n'existe que dans sa tête.

– Soyez plus clair.

Le médecin alluma un cigare et se leva de sa chaise pour s'approcher de la fenêtre et observer la ville. Dans les rues qu'il apercevait du sixième étage de son immeuble, via Melchiorre Gioia, régnait la plus grande confusion. Les feux de signalisation étaient apparemment éteints, mais il n'y avait pas d'agent de la circulation. Le docteur remarqua une file de gens exaspérés devant un distributeur automatique de billets de banque. Certains agitaient les bras, d'autres vociféraient, et quelques-uns en étaient venus aux mains.

Pendant ce temps, Giorgio lui racontait tout ce qui s'était passé.

– Comment est-il possible qu'il ne fasse pas le rapprochement entre le nom de Jenny et son enfance ?

– Ce n'est pas si étonnant, en réalité, monsieur Loria. Dans la plupart des cas, l'électroconvulsiothérapie ne produit pas de dommages à long terme, du moins d'après les études qui ont été faites sur le sujet. Par ailleurs, la récupération des fonctions mnémoniques varie d'un individu à l'autre. Votre fils, après l'ECT pratiquée sur lui quand il était petit, a perdu tout fragment mémoriel relatif aux deux années qui ont précédé cette période de sa vie, du moins en ce qui concerne les aspects délirants de la maladie. Il a donc oublié les cauchemars, les visions, et il a également effacé de sa mémoire cette amie imaginaire dont il parlait continuellement.

– Il ne se contentait pas d'en parler, son nom était partout à la maison. Il le gravait dans les meubles, il l'écrivait sur les murs… Vous ne pouvez pas imaginer ce que nous avons vécu.

– Étant donné mon travail, je vous assure que j'entends assez souvent parler de ce genre d'histoires.

– Oui, bien sûr, excusez-moi. Donc, d'après ce que vous me disiez, cela dépend de chaque cas.

– En effet. Il est évident que, dans le cas qui nous intéresse, le problème s'est de nouveau présenté. Et il a refait surface à partir du retour de ce personnage imaginaire.

Des rides sillonnèrent le front de Giorgio. Son visage s'assombrit, et il attendit quelques instants avant de reprendre, d'une voix sèche et grave :

– Docteur, je ne veux pas que ce calvaire recommence. Qu'est-ce que nous devons faire ?

La réponse du neurologue arriva, aussi impitoyable que la sentence d'une condamnation à perpétuité, au moment où Valeria rentrait, poussant du pied la grande boîte en carton dans l'entrée.

– Il faut recommencer le traitement, dit la voix dans le récepteur du téléphone sans fil, tandis que les yeux de Giorgio se fermaient, comme pour bloquer le passage à cette éventualité.

– Un autre électrochoc, murmura-t-il résigné, après quelques secondes d'un lourd silence, tandis que Valeria appuyée contre le montant de la porte qui séparait le salon de l'entrée le regardait, les yeux écarquillés.

Giorgio appuya sur la touche rouge du téléphone et le posa sur le petit meuble où il avait pris l'annuaire. Il se leva, s'approcha de sa femme, la serra contre lui et essaya de la réconforter.

Tandis qu'il l'embrassait, les yeux perdus dans le vide, il voyait réapparaître tout autour de lui les inscriptions sur les murs, les dessins terrifiants éparpillés dans la maison.

Giorgio continuait de regarder devant lui, incapable de faire la différence entre la réalité et le film transparent de souvenirs qui se superposait à elle. Il voyait son enfant lever la tête vers lui et le fixer d'un regard impitoyable et froid. Cet enfant qui lui répétait sans cesse, comme dans une rengaine hallucinée : « Jenny existe… Jenny existe… Jenny existe… »

28

– Tant pis, il faut que je voie ce qui se passe dans la ville, s'exclama Marco, à la fenêtre de la cuisine, avant de faire demi-tour, de conduire son fauteuil électrique vers l'entrée, et de prendre son blouson sur le portemanteau, à côté de l'interphone.

Il le mit, prit son trousseau de clés et ouvrit la porte.

Marco dirigea son fauteuil vers la rampe qui longeait les marches et descendait jusqu'à la porte de l'immeuble, puis sortit. Il fut aussitôt giflé par un vent glacial qui fit pleurer ses yeux derrière les verres épais de ses lunettes.

La première chose inquiétante qui le frappa, ce fut le brouhaha dans la rue. Des groupes de personnes, rassemblées en cercle comme pour protéger le contenu de leurs conversations, discutaient à haute voix. La colère, la tension étaient palpables. Certains n'arrivaient pas à avoir accès à Internet sur leur téléphone portable, d'autres se disputaient devant une banque qui avait fermé avant l'horaire prévu.

Un vieil homme édenté agitait sa canne vers les passants, en criant sans cesse :

– C'est la troisième guerre mondiale, je l'ai toujours dit !

Marco parcourut le trottoir du viale Gran Sasso jusqu'au croisement avec la piazza Piola. Les muscles de ses bras étaient raides, comme atrophiés.

« C'est ma faute, je suis resté trop longtemps à la maison... »

Il apprit quelques nouvelles importantes, en entendant les gens qu'il croisa sur son chemin : tout d'abord, les quotidiens n'avaient pas paru. Il remarqua d'ailleurs que les kiosques à journaux étaient fermés, sans qu'il y ait même un écriteau pour justifier leur fermeture. D'une petite poubelle verte sortait un exemplaire du *Corriere della Sera* datant de la veille. Marco le prit et parcourut la première page. Il lut, en gros titre : *La Terreur de l'inconnu*. Après avoir jeté un rapide coup d'œil aux titres de l'éditorial et des autres articles qui continuaient dans les pages intérieures, il plia le journal et le fourra sous son blouson.

Il semblait donc, comme Ricky le lui avait déjà confirmé, qu'il soit impossible d'avoir accès à Internet dans toute la ville. Ou plutôt dans toutes *les* villes. Et à ses yeux, c'était l'aspect le plus sinistre de cette situation alarmante.

Par ailleurs, plusieurs établissements importants pour les habitants de la ville, comme les banques et la poste, n'étaient manifestement plus opérationnels, les terminaux qui permettaient de retirer de l'argent ayant été désactivés et fermés. D'où les protestations et les affrontements devant les distributeurs.

L'élément clé qui provoquait la panique chez les gens était l'absence d'explications.

Tandis qu'il dirigeait son fauteuil électrique vers la piazza Piola, Marco entendit parler de guerre, de terrorisme et même d'une attaque d'extraterrestres. Devant l'impossibilité d'avoir accès au réseau pour se renseigner, les citadins se déversaient dans les rues pour exprimer leur peur, et essayer d'obtenir des informations que personne ne voulait leur fournir.

En arrivant devant le feu de signalisation, à l'endroit où le viale Gran Sasso aboutit sur la place, Marco attendit qu'il passe au vert et actionna la manette qui faisait avancer son fauteuil. Quelques voitures venaient de sa gauche par la contre-allée et la voie réservée aux taxis et aux autobus. Exactement au milieu du carrefour, Marco leva les yeux et vit que le feu était éteint. Il regarda rapidement à droite, puis à gauche. Les voitures qui arrivaient du viale Gran Sasso ne semblaient pas freiner. Des conducteurs commencèrent à klaxonner avec insistance.

– Arrêtez-vous, nom d'un chien ! s'écria Marco en voyant le chauffeur d'une camionnette des postes italiennes venir de la place pour aller s'engouffrer dans le viale Gran Sasso sans regarder, convaincu que le feu de signalisation fonctionnait.

Il allait heurter Marco de plein fouet.

Marco ne pouvait que continuer à avancer en espérant que la camionnette l'éviterait, et essayer d'arriver au feu avant que les voitures venant du viale Gran Sasso foncent sur lui. Ou alors, il pouvait faire marche arrière, laisser passer la camionnette au risque d'être renversé par les voitures.

– Putain ! hurla-t-il avant de choisir instinctivement la deuxième solution.

L'important n'était pas dans quel sens aller, mais de le faire vite. Les freins des voitures hurlèrent tandis que la première pilait et que les suivantes rentraient les unes dans les autres.

C'était le chaos le plus total.

La camionnette tourna dans le viale Gran Sasso, tandis que Marco reculait, attendant le choc.

En cet instant, comme dans un film, il vit toute la scène au ralenti, avant d'être éjecté de son fauteuil et d'atterrir sur la chaussée : la camionnette des postes italiennes qui s'éloignait, le télescopage des véhicules à sa gauche derrière la BMW qui avait freiné d'un coup, puis le taxi qui, pour éviter de rentrer dans les voitures devant lui, avait fait une manœuvre hasardeuse en les dépassant et en se dirigeant tout droit vers le carrefour.

La dernière chose que vit Marco avant la collision entre le phare du taxi et son fauteuil, ce fut la silhouette d'Alex de l'autre côté de la rue, son sac à l'épaule, qui lui criait quelque chose.

Tout devint brutalement noir, tandis qu'il atterrissait par terre, le visage sur le bitume.

Alex traversa rapidement le carrefour, où la situation était délirante. Quelques personnes étaient descendues de voiture pour protester contre celles qui s'étaient arrêtées net en tête de file. Tandis que d'autres véhicules arrivaient et freinaient à leur tour, le chauffeur de taxi sortit de son Opel blanche pour s'approcher craintivement du corps de Marco.

– Jésus ! Je ne sais pas comment c'est arrivé, je..., commença-t-il à balbutier, pendant qu'Alex s'agenouillait à côté de son ami, qui avait été projeté à plusieurs mètres de son fauteuil roulant.

– Marco ! Marco ! Réponds, je t'en prie ! cria Alex.

Il essaya de le ranimer en lui donnant de petites claques sur les joues, mais Marco avait le visage plein de sang, et ses yeux restaient fermés.

– Mon Dieu ! Non ! Tu ne vas quand même pas mourir ! Réveille-toi, bon sang !

Son regard tomba sur la main droite de Marco : ses doigts avaient commencé à bouger. Ses paupières frémirent légèrement, il ouvrit les yeux et vit Alex.

– Je suis là, Marco. Tu veux me faire mourir de peur ou quoi ? Qu'est-ce que tu foutais au milieu de la rue ? Dis-moi où tu as mal, je ne sais pas si je peux te soulever.

– Je… je ne sais pas.

Alex passa les bras autour de la taille de son ami, le hissa sur son dos et l'amena près de son fauteuil.

– Il est foutu, dit péniblement Marco. Regarde la roue.

– On va appeler une ambulance. Il faut que tu ailles à l'hôpital. Mon téléphone ne marche plus.

– Prends le mien, il est là, dans ma poche intérieure.

Alex fouilla le blouson de Marco et en sortit le Nokia.

– Il n'y a pas de réseau, dit-il en hochant négativement la tête.

– Ramène-moi à la maison. Nous appellerons de là-bas.

Alex installa Marco comme il le pouvait dans

son fauteuil, qu'il essaya ensuite de mettre en marche, mais le circuit électrique était hors d'usage. Il commença donc à le pousser, malgré la résistance de la roue arrière gauche, complètement tordue par la collision avec le taxi.

Le chauffeur du taxi s'était d'ailleurs volatilisé, laissant son véhicule au milieu de la rue. Les protestations des conducteurs des voitures prises dans le carambolage avaient dégénéré en bagarres. La circulation était congestionnée, et le concert de klaxons avait atteint un niveau insupportable.

Une fois arrivés chez Marco, Alex laissa le fauteuil roulant dans le couloir et courut chercher le téléphone sans fil.

– Mais qu'est-ce qui se passe, à la fin ? éclata-t-il. Il n'y a pas de tonalité.

– Ça ne marche pas non plus, commenta Marco d'une voix faible et résignée, comme s'il s'y attendait. Le professeur avait raison.

– Qu'est-ce qu'on fait ? Il faut que tu ailles à l'hôpital.

– Alex, viens voir. Je ne suis pas en si mauvais état. Je me suis cogné la tête, c'est sûr. Je saigne, mais je peux me soigner tout seul. Ça aurait pu être pire.

Il se fit pousser jusqu'à la salle de bains et indiqua à son ami la petite armoire à pharmacie. Alex en sortit de l'eau oxygénée, de l'alcool, du coton, de la gaze, des pansements, et commença à le soigner.

– Mon fauteuil est hors d'usage, et ça c'est un sacré problème.

– Je vais réparer la roue, il faut au moins qu'il puisse rouler convenablement.

– Mais comment se fait-il que tu sois arrivé juste à ce moment-là ?

– Je vais tout t'expliquer. Je viens de vivre beaucoup de choses que tu dois savoir.

Tandis qu'il s'improvisait infirmier, Alex raconta ce qui lui était arrivé pendant ses voyages. Tout, sauf sa rencontre avec un Marco heureux auprès de ses parents, comme s'il avait voulu le protéger en lui évitant de se faire trop d'illusions. Son ami l'écoutait avec stupeur et un enthousiasme grandissant. Chaque mot d'Alex semblait confirmer les hypothèses qui s'étaient développées dans l'esprit de Marco depuis le jour de l'accident.

Ces expériences que lui révélait Alex ne laissaient place à aucune autre interprétation : le Multivers était une réalité.

Alex répara comme il le put la roue du fauteuil, la redressant, et la rendant utilisable.

Marco lui demanda ensuite de sortir un vieux téléviseur à tube cathodique qu'il avait rangé dans un carton plusieurs années auparavant et qu'il avait quasiment oublié. Il se dit qu'il pourrait servir dans cette situation, et qu'ils pourraient peut-être obtenir quelques informations supplémentaires.

Alex chercha le câble de l'antenne qui sortait du mur du salon, près du minibar, et le brancha derrière l'appareil. Il prit alors la télécommande dans un petit logement à droite de l'écran, et la passa à Marco.

– Rien à faire... commenta Alex, pendant que son ami zappait d'une chaîne à l'autre, en tombant à chaque fois sur le même fond bleu sur lequel se détachait la même phrase :

VEUILLEZ NOUS EXCUSER
POUR CETTE INTERRUPTION
NOS PROGRAMMES REPRENDRONT DÈS
QUE POSSIBLE.

– Il y a des gens qui savent, mais ils ne nous expliqueront jamais ce qui se passe, marmonna Marco en essayant de contenir sa colère.

Les mains tremblantes, il eut un rictus sarcastique, et regarda fixement devant lui. Puis il prit la télécommande, la jeta de toutes ses forces contre le mur, où elle se brisa en morceaux.

– Les salauds !

– Becker te l'avait dit, n'est-ce pas ?

Marco se tourna vers son ami, puis fit avancer manuellement son fauteuil et s'arrêta à quelques centimètres de lui.

– Exactement. La fin est proche. Tu dois

retourner auprès de Jenny. Peut-être que vous, vous aurez une chance.

– Mais comment trouver cette Memoria ? Je n'ai aucune idée de ce que c'est, je ne sais pas où elle est. Et quel rapport avec ce qui arrive ?

– C'est ce qu'il faut découvrir, répondit Marco avant de désigner d'un signe de tête la fenêtre du salon. Même si c'est la dernière chose que je ferai avant de mourir en même temps que tous ces gens.

Alex eut un hochement de tête négatif, mais il ne sut que dire. Il serra fort Marco dans ses bras, et le tint contre lui quelques instants. Les yeux clos, il réfléchit, se demandant quelle pouvait être la cause de cette panique générale, mais il ne trouva pas de réponse.

« Merci, mon ami », pensa-t-il, sans avoir la force de le dire à haute voix.

Le silence qui accompagna ces instants de tristesse et de résignation était lourd de sens. Il était inutile d'ajouter quoi que ce soit. Comme Marco s'écartait de son ami, voulant essuyer les larmes qui avaient commencé à mouiller son regard, Alex vit soudain en lui.

Le souvenir le frappa avec violence, comme s'il le clouait sur place face à la scène qui défilait dans son esprit sans qu'il puisse s'opposer à la force des images.

Il vit la Jeep du père de Marco déraper dans les virages avant d'enfoncer la glissière et de tomber dans le vide, tandis que la tourmente de neige faisait rage, couvrant la route d'arbres et de rochers. Il vit tout cela dans les yeux de son meilleur ami, coincé sur le siège arrière, pendant qu'à quelques centimètres de lui deux vies allaient s'éteindre. Les plus importantes. Celles qu'il avait toujours eues auprès de lui. La terrifiante sensation de vide due à la chute libre de la Jeep fit vaciller Alex. Ses jambes se mirent à trembler, tandis que son corps était secoué de frissons. Il avait l'impression d'être sur le siège arrière. C'était comme s'il voyait la fin de sa vie.

Un bruit banal et stupide, mais en même temps inattendu et sinistre, brisa l'évocation du souvenir de Marco qui s'était emparé, tel un sortilège, de l'écran mental d'Alex.

C'était la sonnerie de l'interphone, à quelques pas des deux garçons. Alex et Marco se regardèrent un instant, ahuris, comme si Marco avait vécu la même expérience déconcertante qu'Alex, pendant que celui-ci creusait involontairement dans la mémoire de son ami.

Marco tendit la main vers l'interphone.

– Oui ? dit-il d'un ton inquiet, puis il attendit quelques secondes et se tourna vers Alex.

– C'est ton père.

29

Giorgio Loria entra à grands pas, l'air pressé.

– Je savais que je te trouverais là.

Le ton que son père avait employé était singulier. Il n'était pas accusateur. Pas menaçant non plus. Il était presque plus compatissant qu'agressif. Alex recula sans même s'en rendre compte, comme s'il craignait que cette étrange façon de faire cache des intentions encore plus inquiétantes.

– Je… j'ai secouru Marco et…

– Tu dois venir avec moi, maintenant. C'est important. Nous appellerons quelqu'un pour aider ton ami.

– Oui, mais…

– Allons !

Giorgio prit Alex par le bras et l'entraîna à l'extérieur.

Ils n'ouvrirent pas la bouche pendant le bref trajet à pied qui séparait les deux immeubles. Ils se contentèrent d'échanger un regard inquiet quand ils dépassèrent l'enchevêtrement de voitures accidentées ou bloquées entre le viale Gran Sasso et la piazza Piola.

En arrivant chez eux, ils trouvèrent Valeria assise sur le canapé, les yeux embués, le visage dans les mains, les coudes plantés dans ses jambes serrées l'une contre l'autre.

– Tu l'as trouvé...

Son regard s'éclaira un instant.

– Oui. Assieds-toi, Alex. S'il te plaît.

Alex obtempéra et se dirigea vers le fauteuil placé en face du canapé. Il s'assit. Giorgio prit place près de Valeria, en face de la boîte en carton sur laquelle le mot CADRES était écrit de chaque côté.

– Nous savons pourquoi tu as agi comme tu l'as fait. Maintenant, écoute-nous attentivement. Ce que je vais te dire a sans doute été enfoui au fin fond de ta conscience. Certains souvenirs que tu avais effacés remonteront peut-être à la surface.

Alex ne voyait pas du tout où son père voulait en venir. Il lisait cependant une profonde angoisse sur le visage de ses parents.

– C'est-à-dire ?

Giorgio le regarda fixement.

– Tu ne te rappelles rien de tes cinq... six ans, n'est-ce pas ?

Son fils fit non de la tête, puis esquissa une grimace qui signifiait « pas grand-chose ».

– Eh bien, quand tu étais tout petit, intervint

Valeria, tu as eu une sale maladie. Il est très probable que tu ne gardes aucun souvenir de cette période, de ce qui te tourmentait. Disons que ces tristes épisodes ont été…

– … refoulés, compléta Giorgio.

– Qu'est-ce que vous êtes en train de me raconter ?

– Voilà, reprit sa mère, tu as été sérieusement malade. Une grave dépression accompagnée d'épisodes de schizophrénie et de psychose.

– Vous plaisantez ?

Alex fronça les sourcils et se pencha en avant.

– Pas du tout, répondit Giorgio.

Il sortit une paire de ciseaux du tiroir du meuble à côté du canapé.

– Nous avons cru que ce genre de crise ne se produirait plus, poursuivit-il. Nous l'avons espéré de tout notre cœur… jusqu'à aujourd'hui.

– Pourquoi ? Qu'est-ce qui s'est passé aujourd'hui ?

– Je t'ai entendu quand tu étais dans la salle de bains. Tu as dit son nom, répondit Valeria.

Alex resta immobile, perplexe, l'esprit confus.

– C'était ton idée fixe, continua-t-elle. Une sorte d'amie imaginaire. Tu écrivais son nom partout, tu ne parlais que d'elle. D'habitude, les enfants vivent ces choses-là comme un jeu. Mais pour toi, c'était une véritable obsession.

Alex fut bouleversé par cette révélation. Ils parlaient de Jenny.

– Mon amie imaginaire..., murmura-t-il.

– Tu prétendais qu'elle te parlait continuellement. Un jour, tu as même couvert tout l'appartement de peinture rouge, en écrivant « Jenny » sur les murs et en dessinant un symbole bizarre.

Alex frissonna. Sa mère parlait du triskèle. L'amulette dont Jenny ne se séparait jamais.

Giorgio coupa des rubans adhésifs, ouvrit le carton, puis en sortit des chemises, des dessins, des photos et un journal. Le journal que Valeria avait tenu sur la maladie.

– Regarde toi-même, dit-il en tendant quelques dessins à son fils. Voilà ce qui te passait par la tête à l'époque.

Alex les prit, et les posa sur ses jambes pour les examiner.

Une jetée.

Une plage.

Une femme aux cheveux roux qui regardait dans un télescope.

Un souterrain jonché de cadavres.

Toute une série de scènes de destruction et de mort, de sang et de douleur.

« Ce n'est pas possible », pensa Alex, pétrifié devant ces images. Un frisson lui parcourut le dos, et se raidit d'un seul coup.

Il était muet de stupéfaction. Certains

dessins représentaient les situations dans lesquelles il s'était débattu les jours derniers. Il y avait la plage d'Altona et la jetée où il devait rencontrer Jenny. Mary Thompson, la nounou-astrologue avec son fidèle télescope.

Et le souterrain rempli de cadavres qu'il avait traversé dans la réalité parallèle où Milan était dévasté par une révolte sanglante.

Tout cela était dans son cerveau depuis des années. Comment était-ce possible ?

« Je suis déjà allé dans ces endroits... J'ai déjà vu tout ça. »

– Je parlais à Jenny..., dit Alex, tandis que sa mère feuilletait le journal qu'elle avait tenu au moment de la maladie de son fils.

– Mon trésor, nous avons peur qu'il t'arrive de nouveau la même chose, dit-elle d'une voix basse, presque résignée. Nous ne voulons pas que ça recommence.

– Je parlais *déjà* à Jenny ! Bon sang, je communiquais avec elle !

Valeria se tourna vers son mari.

– Oh, mon Dieu, ça y est... il croit de nouveau qu'elle existe vraiment.

– Maman, Jenny existe ! Elle existe ! Et comment ! s'écria Alex en agitant les dessins qu'il avait à la main.

« C'est la même phrase qu'il répétait quand il était petit, et le même regard glacial », pensa son père.

– Est-ce que tu te rends compte de ce que tu dis ? lui demanda-t-il.

– Vous ne pourriez jamais me croire. Il se passe quelque chose qui va au-delà de tout ce qu'on peut imaginer. Je sais donc que ce que je vous dirai vous semblera absurde. Mais regardez autour de vous ! Vous ne trouvez pas bizarre qu'Internet soit complètement bloqué ? Vous ne trouvez pas bizarre que plus rien ne fonctionne, ni les télévisions ni les téléphones portables ?

Valeria se tourna vers Giorgio, l'air inquiet.

– Mais quel rapport avec Jenny ? lança Giorgio. Le neurologue m'a bien expliqué que...

Alex haussa les sourcils.

– Le neurologue ?

– Le médecin qui s'est occupé de ton cas, quand tu étais petit.

– Mais que m'avez-vous donc fait quand j'avais six ans ? Comment l'avez-vous effacée de mon esprit pendant si longtemps ? demanda-t-il en se levant brusquement.

– Alex..., commença Valeria, tu as pris des médicaments pendant des mois et des mois. Mais la situation ne faisait qu'empirer. Chaque nuit, tu te réveillais en proie à d'horribles cauchemars. Tu nous parlais d'événements catastrophiques. Tu nous décrivais des villes en flammes, tu disais que tu continuais à voir la Terre réduite à un désert de cendres fumantes...

– Le traitement pharmacologique n'a pas marché, poursuivit Giorgio, et ton psychiatre nous a envoyés voir un de ses collègues, un neurologue, le docteur Siniscalco. Il est intervenu de façon beaucoup plus efficace… il a résolu ton problème.

– Par quel moyen ?

– Une électroconvulsiothérapie.

Alex fronça les sourcils et sentit ses mains trembler.

– C'est-à-dire ?

Son père le regarda droit dans les yeux. Il ne pouvait plus cacher la vérité.

– Des électrochocs.

Alex resta muet pendant quelques instants. Son regard tomba sur les dessins qui sortaient du carton. Ils étaient très nombreux. Ils étaient noirs. Visions terribles de scénarios futurs, pleins de souffrance et de douleur.

– Vous plaisantez, ou quoi ?

– Quelques séances seulement d'électrochocs. C'était nécessaire. Après ce traitement, on aurait dit que tu renaissais. Tu ne parlais plus de Jenny, tu es redevenu un enfant plein de joie de vivre, tu as commencé à te faire des amis…

– Je n'arrive pas à le croire ! Vous ne parlez pas sérieusement… J'avais un don, moi, je…

– De quel don est-ce que tu parles ? l'interrompit Valeria. Tu étais en proie à une forme très grave de dépression et de schizophrénie. On pensait que c'était sans issue, et heureusement...

– Vous ne savez pas ce que vous avez fait !

Alex s'approcha du carton et s'agenouilla pour fouiller à l'intérieur.

Valeria et Giorgio ne savaient que répondre aux accusations de leur fils. Ils se dirent que c'était peut-être la maladie qui le faisait parler ainsi.

– Je dois partir, s'exclama Alex en soulevant le carton.

– Alex ! Arrête-toi ! Reste là où tu es !

Giorgio se leva brusquement, les yeux gonflés, pleins de désespoir, les mains tendues, striées de grosses veines apparentes.

– Ne me touchez pas ! Vous n'êtes plus mes parents.

– Je t'en prie, Alex ! s'écria Valeria, toujours assise sur le canapé, les mains dans les cheveux, en proie à une crise d'hystérie.

Giorgio tendit un bras vers son fils pour essayer de le retenir. Ils échangèrent un regard chargé d'angoisse et de colère, puis le père s'immobilisa.

Et Alex vit.

Il vit le petit lit blanc.

Il vit ses poignets et ses chevilles serrés dans un étau et fixés aux côtés du lit.

Il vit un large sparadrap collé sur sa bouche.

Il vit les blouses blanches et les lumières au néon.

Lorsqu'il chassa ce souvenir, Alex regarda ses parents avec horreur. Ils restèrent pétrifiés par son regard.

– Adieu, dit-il, avant de leur tourner le dos, de prendre la boîte en carton, et de disparaître.

Seul Marco pourrait l'aider à y comprendre quelque chose.

30

– Je reste sans voix, constata Marco après les révélations de son ami. Tu as *toujours* eu ce don ! Maintenant, je comprends le sens de cette cassette vidéo que tu as enregistrée quand tu étais petit.

– Il faut qu'on étudie les dessins. Qu'on y trouve d'autres renseignements.

– Oui. Laisse-moi y jeter un coup d'œil.

Marco sortit plusieurs feuilles et des blocs-notes du carton. Pendant ce temps, Alex examinait la peinture qui représentait Mary Thompson, avec ses épais cheveux frisés, et le trait de pinceau qui débordait des contours de son corps trapu et grassouillet. À côté d'elle, un canapé et un tableau figurant le sol de la Lune en premier plan. Le même tableau que celui qu'il avait vu chez la nounou de Jenny.

– Ce que je n'arrive pas à comprendre, c'est pourquoi moi. Qu'est-ce que je suis ? Qu'est-ce que nous sommes, Jenny et moi ?

– Alex, ce n'est peut-être pas toi, ce n'est peut-être pas vous.

– Qu'est-ce que tu veux dire ?

– Je veux dire qu'il n'est pas sûr que vous soyez seuls. Il y a peut-être d'autres personnes. Il est même raisonnable de penser que vous n'êtes pas seuls. Becker est l'un de vous.

Alex regarda son ami, les yeux pleins d'angoisse, tandis qu'un bruit croissant montait de la rue : klaxons, hurlements, sirènes, comme une vague qui recouvrait la ville.

– Laisse-moi fouiller encore dans tes papiers, dit Marco, en prenant un autre bloc dans le carton.

Alex, de son côté, sortit un agenda à la couverture de cuir violet. Il l'ouvrit et reconnut aussitôt l'écriture de sa mère. C'était son journal. Il commença à le feuilleter. Après quelques notes sur son poids et sa taille à sa naissance, et sur les moments les plus importants de ses premiers mois, le journal était surtout centré sur sa maladie.

Il leva les yeux vers la fenêtre. La ville était nimbée de gris, un brouillard opaque était tombé sur les rues comme une couverture épaisse. Alex entrevit la silhouette d'une femme dans l'immeuble d'en face. Le buste penché en avant, elle retirait le linge qu'elle avait étendu. Un geste quotidien qui rappela à Alex combien sa vie avait été bouleversée cette dernière semaine, et combien la vie de chacun allait peut-être basculer d'un moment à l'autre.

– Tiens, ça c'est intéressant, dit Marco qui examinait déjà d'autres documents.

– « J'ai rêvé que Jenny partirait, commença-t-il à lire sur la feuille qu'il tenait à la main, qu'elle m'abandonnerait. Mais ce n'est pas sa faute. Un jour, nous nous reverrons. »

Alex n'en croyait pas ses oreilles. « Tout est déjà arrivé. »

– Marco, mais qui étais-je donc quand j'étais petit ?

– Tu étais quelqu'un de spécial, répondit son ami en continuant de fouiller dans les papiers.

Soudain, il s'arrêta, comme s'il avait une illumination.

– Peut-être que les dimensions infinies sont simultanées, dit-il en fermant à demi les yeux pour saisir une pensée fuyante. Comme un CD.

– Quel rapport avec un CD ?

– Il y a plusieurs théories à ce sujet. Je suis tombé sur l'une d'elles quand j'ai commencé à m'intéresser au Multivers. Un CD a un début et une fin, si tu l'écoutes, il a une durée. Mais si tu l'enlèves du lecteur, tu as tout l'arc temporel du disque entre les mains dans l'instant présent. Peut-être que les univers aussi sont simult...

Marco s'interrompit, les yeux écarquillés.

– Qu'est-ce qu'il y a encore ?

– Regarde ça ! dit-il en tendant une feuille de papier à Alex.

Le dessin représentait deux garçons, stylisés, dans une pièce. L'un était assis dans un fauteuil, et il était écrit ALEX en dessous. L'autre était assis sur une chaise avec une grosse roue en premier plan, et le nom de MARCO était inscrit à côté. La silhouette dans le fauteuil tenait une feuille à la main sur laquelle le même dessin était reproduit en petit. Dans le coin en bas à droite de la page, il y avait une date : décembre 2014.

Alex était pétrifié, muet de stupéfaction. Son esprit était paralysé à l'idée que, quoi qu'il dise à présent, il l'avait probablement déjà dit.

– Est-ce que tu te rends compte ? lui demanda Marco, tandis que le vacarme de la rue était couvert par le bruit de la pluie battante qui tombait sur la ville.

– C'est nous qui sommes dessinés là. C'est nous… en ce moment ! J'ai dessiné cette scène il y a dix ans !

Alex resta paralysé quelques instants, les yeux fixés sur le dessin prophétique. Puis il secoua la tête, le regard rivé sur le sol. Marco se mit à feuilleter frénétiquement les autres dessins. Leur destin était peut-être là dans ces papiers, et peut-être pas seulement le leur. Il s'arrêta bientôt sur une feuille chiffonnée.

– Non… pas ça !

– Qu'est-ce que tu as trouvé ? lui demanda Alex.

Marco ne répondit pas, il se contenta de lui tendre le dessin pour qu'il voie lui-même.

Lorsqu'il l'eut sous les yeux, Alex pâlit.

À droite de la feuille, un cercle avec à l'intérieur quelques formes marron entourées de grandes zones bleues. Le trait du crayon de couleur à grosse pointe sortait du contour bien appuyé. On aurait dit une planète, qui pouvait très bien être la Terre.

Alex déplaça son regard vers la gauche du dessin.

Un autre disque rond, de couleur rouge vif, était précédé d'un sillage comme pour donner une idée de la direction vers laquelle il se dirigeait : tout droit vers la grande sphère bleue.

En dessous, tout en bas à droite, une date.

– Demain, dit Marco, sur la Terre. C'est déjà arrivé, et ça arrivera de nouveau.

– Ce n'est pas vrai, je n'y crois pas. C'est une erreur.

– Alex, ce n'est pas une erreur !

Marco reprit les différents dessins, en les montrant un par un à son ami.

– Tu as dessiné les réalités parallèles dans lesquelles tu t'es trouvé ces derniers jours. Et puis la jetée, Mary Thompson...

– Est-ce qu'on va mourir ? demanda Alex d'une voix faible.

Marco le regarda dans les yeux avec une expression soudain mélancolique.

– Oui, j'en ai bien l'impression.

À cet instant, Alex fut envahi par une image qui se projeta devant ses yeux. Il vit comme s'il était là à quelques mètres de lui dans la pièce, à côté de Marco, le voyant malais assis derrière sa petite table, ses cartes à la main.

Les paroles que cet homme avait prononcées retentissaient dans sa tête comme plusieurs cloches carillonnant un jour de fête, tandis que son regard pénétrant de visionnaire l'hypnotisait.

« Nous tous en grand danger… Toi important. »

– Ce n'est pas possible, murmura Alex en observant le dessin tombé par terre. Comment se pourrait-il que personne ne l'ait repérée ? Tu en avais entendu parler ?

– Il arrive qu'on observe une météorite de petites dimensions quelques jours seulement avant son impact avec la Terre. Mais ce genre-là ne pourrait pas provoquer la fin du monde prédite par Becker. Là, il s'agit manifestement d'un gros astéroïde.

– Mais alors ? Alors, il y a une erreur, ce dessin n'est pas…

– Alex, un astéroïde de grandes dimensions peut être repéré avec beaucoup d'avance. Mais… c'est une observation qu'on peut garder secrète.

– Qu'est-ce que ça signifie ? Tout le monde doit mourir et on ne nous dit rien ?

– Imagine que certaines personnes aient aménagé une ville-bunker, ou quelque chose d'approchant, elles ne peuvent pas se permettre de créer la panique sur toute la planète.

– Mais la planète panique déjà ! Même si on ignore tout d'un éventuel impact...

– Bien sûr. Parce que les gens qui savent, eux, se sont rendu compte qu'au troisième millénaire il est difficile qu'une nouvelle de ce genre ne filtre pas. C'est pourquoi, pendant les jours qui précèdent la catastrophe, ils ont préféré supprimer tous les moyens de communication.

– Mais qui sont ces gens ? De qui parles-tu ?

– Je ne sais pas qui c'est ! Je sais simplement qu'Internet ne disparaît pas du jour au lendemain par hasard. Il se passe quelque chose. Certains pourront sauver leur vie, d'autres auront l'illusion de pouvoir le faire. Et toi, Alex... Jenny et toi, vous avez peut-être une chance.

Tandis qu'il prononçait ces mots, Marco repensa à ce que le professeur lui avait dit.

« Ils pourront être sauvés, mais la mort les frappera quand même. »

Alex avait les yeux perdus dans le vague. Tout ce qu'il avait vu et vécu jusqu'à ce jour allait cesser d'exister. Marco tapa du poing sur la table et reprit :

– Becker n'est pas fou. Tout se tient. Et si en arrivant à Memoria, vous pouvez avoir la vie sauve, n'hésitez pas ! Il faut que tu trouves cet endroit.

– Je ne sais même pas par où commencer.

– Retourne auprès de Jenny, alors. Ce qui est sûr, c'est que vous devez le découvrir ensemble. Quant à savoir si quelqu'un d'autre pourra avoir la vie sauve, je n'en ai pas la moindre idée. Ce qui est certain, c'est que moi, je suis foutu.

Alex continuait de fixer le vide. Puis, incapable de retenir plus longtemps ses larmes, il se leva, se pencha en avant et serra son ami dans ses bras.

– Non.

– Je suis foutu, Alex. Je ne peux pas passer dans une autre dimension. Je ne vois pas l'avenir. Je suis une personne normale, et je mourrai, comme tout le monde.

Alex ne dit rien. Il savait que son ami avait raison. Et il pensait que son destin ne serait probablement pas différent. Mais il lui restait une chance : retourner auprès de Jenny et trouver cette mystérieuse Memoria.

– Je tiens tellement à toi, Marco ! Mais tu pourrais…

Marco secoua la tête pour le faire taire.

– Tu dois y aller. C'est ta voie. Tu peux la retrouver. Tu peux passer d'une dimension à l'autre. Et peut-être que dans sa réalité, il ne se passera rien. C'est peut-être ça le sens de ton don : échapper à ce qui va arriver ici. Moi, je suis condamné de toute façon. Vas-y, Alex. Il n'y a pas de temps à perdre.

– Je ne peux pas le supporter. Vraiment. Je ne peux pas.

– Va-t'en ! Ne me mets pas en colère. Je ne veux pas de ta compassion !

Alex regarda Marco, les yeux gonflés de larmes.

– Adieu, mon ami. Quoi qu'il arrive, tu ne t'en iras jamais d'ici, dit-il en posant délicatement la main sur son cœur.

Puis il fit demi-tour, et se dirigea en silence vers la porte.

Marco le regarda s'éloigner. Toutes les années de leur amitié défilèrent rapidement devant ses yeux, l'envahissant avec la force d'un cyclone. Il revit leurs fous rires devant les jeux vidéo. Il revit les nuits passées à lire des histoires d'horreur à la lumière des bougies. Il revit les embrassades et les larmes à l'enterrement de sa grand-mère, quand Alex, le seul de ses amis à être venu, se tenait à ses côtés. Comme il l'avait toujours fait. Celui qui était plus qu'un frère pour lui allait sortir pour ne plus jamais revenir.

– Attends ! s'écria-t-il, alors qu'Alex refermait la porte derrière lui.

Il avait crié ce seul mot avec un enthousiasme inattendu.

Alex se retourna aussitôt, surpris, et revint sur ses pas. Il fut dans le salon en quelques secondes.

– Tu as eu une idée ?

Marco l'observait d'un air décidé, le regard rayonnant.

– Memoria ! j'ai peut-être compris ce que c'est.

31

– Tu l'as compris comme ça, tout d'un coup ? demanda Alex, debout devant son ami.

Marco fixa sur lui un regard intense.

– Il y a des gens qui savaient très bien que tu étais quelqu'un de particulier. Et qui l'ont toujours su.

– Tu veux parler de mes parents ? En fait, eux, ils pensaient que j'étais déprimé.

– Mais comment est-ce possible ? Comment une mère peut-elle permettre qu'on fasse des électrochocs à un enfant de six ans ?

Alex regarda autour de lui sans répondre, mal à l'aise.

– Tes parents t'ont brûlé la cervelle à l'aide d'une thérapie apparemment correcte et efficace, en prétextant ta dépression pour justifier une intervention aussi radicale. Ça te paraît normal ?

Alex baissa les yeux, contrarié, et réfléchit aux paroles de Marco.

– Où veux-tu en venir ?

– Pendant que tu sortais et que je repensais à notre passé, mes yeux sont tombés sur cette page du journal de ta mère. Je l'avais déjà lue, mais là, j'ai remarqué un détail qui pourrait tout expliquer.

– De quoi s'agit-il ?

– À cette page, ta mère parle d'un endroit que tu citais souvent. Un « endroit magique », comme tu disais. Cette partie de son journal concerne la période qui a immédiatement suivi les séances d'électrochocs. Elle écrit que tu as – ce sont ses propres mots – « cessé de faire des cauchemars, de parler de Jenny, de prononcer des phrases apocalyptiques, de dessiner des symboles étranges ou des scénarios de fin du monde ». Mais ce n'est pas tout... il y a surtout une phrase qui m'a frappé, qui m'a lancé un signal. C'est la clé de tout. Regarde toi-même, dit Marco en tendant le journal à Alex.

– « Mon enfant a arrêté de parler de cet endroit magique. Il ne le verra plus, il n'ira plus, il restera toujours ici avec moi », lut-il à haute voix.

Marco sourit, l'air satisfait.

– Tous les enfants parlent d'endroits magiques, ils inventent et créent des endroits imaginaires. Toi aussi, évidemment. Ta mère t'avait souvent entendu parler de cet endroit. Or, après le traitement, elle a écrit : « Il n'ira plus, il restera toujours ici avec moi. » Ça n'a pas de sens. Quel parent pourrait jamais penser que si son enfant parle, je ne sais pas, moi, d'un château hanté, il puisse *effectivement* y aller ? C'est évidemment le fruit de l'imagination de l'enfant. Il ne peut pas en être autrement. À moins que...

– À moins que cet endroit existe vraiment. Memoria était mon endroit magique ? C'est ce que tu veux dire ?

Marco ne répondit pas. Il suivait un raisonnement qui pouvait transformer une simple hypothèse en certitude.

– Tes parents ont agi comme si c'était pour ton bien, comme des gens ordinaires. Je ne sais pas pourquoi ils l'ont fait, mais ils l'ont fait. Ils se sont adressés à un spécialiste qui a résolu ton cas. Tout s'est accompli dans les règles. Insoupçonnable. Mais tes parents savent très bien ce qu'est cet endroit magique, tu en parlais il y a dix ans. Maintenant, il faut que tu retrouves ce que tu disais d'autre sur cet endroit. Il faut que tu le leur demandes, puisque tes propres souvenirs ont été effacés.

Alex réfléchit un instant. Le raisonnement de Marco se tenait. Il devait essayer.

– D'accord.

– Quoi que tu découvres, il faut que tu suives ton intuition et que tu ailles vers Jenny.

– Mais toi, que vas-tu faire ?

– Alex, tout est déjà arrivé. Moi aussi, je suivrai ma voie.

Alex tendit la main droite à son ami. Leurs regards se croisèrent une dernière fois, énergiques et décidés, tandis que leurs mains se serraient avec force. Ce n'était plus un triste adieu, fait de larmes et de désespoir. C'était un défi lancé au monde.

Lorsque Alex poussa la porte d'entrée de son immeuble, au 22, viale Lombardia, il fut immédiatement frappé par un détail : l'absence totale de bruit.

Dans la rue, la panique se répandait partout, se traduisant par des épisodes de violences et des manifestations. Accidents, embouteillages aux carrefours, bagarres, foules de manifestants qui marchaient dans la ville sans comprendre qu'aucune caméra de télévision ne les filmerait jamais, qu'aucun journal ne leur réserverait le moindre espace.

Mais dès qu'Alex eut refermé la lourde porte en bois, il eut l'impression d'être entré dans un abri antiatomique. Silence total. Au rez-de-chaussée, on n'entendait même pas le boucan habituel qui venait de l'appartement à droite après les trois marches, celui qui était habité par un fou de *heavy metal* de vingt-cinq ans qui passait ses journées à écouter à plein volume Testament, Slayer, Megadeth, et autres groupes semblables, en laissant même parfois sa hi-fi allumée quand il sortait.

Il ne filtrait aucun bruit non plus de l'appartement de la vieille dame du premier étage, qui mettait d'habitude sa télévision à un volume assourdissant. Ses appareils auditifs ne lui suffisaient pas, il fallait qu'elle appuie sur la touche « + » de sa télécommande jusqu'à ce que le numéro 99 s'affiche sur l'écran. Les voisins devaient supporter tout le programme à n'importe quelle heure du jour ou de la nuit.

Un hurlement déchira le silence irréel qui enveloppait le hall. C'était la plainte désespérée d'un chien qui, selon toute probabilité, avait été laissé seul à la maison.

Alex monta l'escalier, tandis qu'un petit courant d'air glacé s'insinuait sous son sweat. L'air passait, contrairement aux voix. Comme si le monde extérieur à cet immeuble avait été *éteint*.

Devant la porte blindée des Loria, Alex se rendit compte qu'il n'avait plus sa clé dans son sac à dos. Il devait l'avoir laissée chez lui lors de sa récente dispute avec ses parents. Il décida donc de sonner.

Pas de réponse.

Il insista, gardant son doigt sur la sonnette, mais il s'aperçut qu'aucune sonnerie ne retentissait.

Il se mit alors à frapper avec la paume de sa main droite sur la porte en bois, sous le judas.

– Ouvrez, bon sang ! C'est moi !

Personne ne répondit. Alex appuya l'oreille contre la porte pour essayer de capter un bruit à l'intérieur. Il entendit des coups. L'un après l'autre, en série, suffisamment éloignés pour penser qu'ils devaient venir du salon.

– Papa ? Maman ? Ouvrez !

Alex recula et baissa les yeux, pensif. Puis il appuya de nouveau son oreille contre la porte, et remarqua que les coups qui ressemblaient à des coups de marteau avaient cessé. Il recommença à taper violemment à la porte, en criant de toutes ses forces.

La clé tourna dans la serrure et débloqua de l'intérieur le mécanisme qui verrouillait la porte.

– Mon Dieu… Tu es revenu. Entre, viens, dit sa mère à mi-voix, en entrouvrant à peine la porte.

Alex se glissa à l'intérieur, visiblement contrarié. Valeria referma aussitôt, fit tourner quatre fois la clé dans la serrure centrale, puis quatre fois dans celle du bas. Alex ne l'avait vue tout verrouiller ainsi qu'en été, avant de partir en vacances.

– Mais qu'est-ce que vous fabriquez ? demanda-t-il.

– Ton père en a décidé ainsi, répondit-elle sèchement, tandis qu'il se précipitait dans le salon.

Marteau à la main, Giorgio ne daigna pas dire un mot à son fils qui le regardait, les yeux écarquillés. Il recommença à taper. Les fenêtres étaient condamnées : son père était en train de clouer la dernière planche.

Ses parents se barricadaient chez eux.

– Pourquoi ? demanda Alex à sa mère, qui soufflait sur ses mains pour les réchauffer.

– Il a peur qu'une guerre éclate, ou quelque chose comme ça, répondit Valeria. (Elle jeta un coup d'œil vers le bouton qui réglait le chauffage indépendant de l'appartement.) Il ne marche plus. Depuis hier, peut-être, vu que les murs et le sol sont déjà froids. Nous nous en sommes rendu compte tard, mais j'ai quand même pu prendre les couvertures de grand-mère dans la cave. Et nous avons plein de provisions. Nous pouvons résister…

– Moi, je ne reste pas dans ce bunker. Je ne suis pas revenu me cacher. J'ai simplement besoin d'une réponse.

Au moment où il parlait, la lumière s'éteignit. L'appartement, avec ses stores baissés et les planches clouées devant chaque fenêtre, fut englouti dans l'obscurité. Valeria, Giorgio et Alex se retrouvèrent plongés dans un silence glacial. Aucun d'eux n'osa souffler mot pendant quelques secondes. Puis, Valeria réagit la première, comme si elle s'était préparée à l'éventualité qu'après le chauffage et la ligne téléphonique, l'électricité manquerait à son tour.

– Je vais chercher les bougies, dit-elle.

Alex fit quelques pas dans le couloir, à la recherche de son sac à dos, et finit par trébucher sur lui. Il le prit et le mit à son épaule, pendant que Valeria frottait les allumettes contre le bord de la boîte. Quand elle revint dans le couloir, en portant un chandelier avec huit petites flammes qui s'agitaient pour éclairer la scène, Alex vit combien ses yeux étaient las et éprouvés. Il se demanda pour quelle raison Giorgio et elle avaient pu accomplir un acte aussi violent à son égard, alors qu'il n'était qu'un enfant. Peut-être quelqu'un les avait-il poussés à le faire.

Giorgio s'approcha, et un faisceau lumineux frappa Alex en plein visage. Son père avait dû récupérer une torche dans le tiroir d'une commode de la salle de séjour. Il baissa la lumière.

– Tu ne vas nulle part, dit-il d'une voix autoritaire, la condensation transformant son souffle en un petit nuage blanc qui se perdait dans l'air.

Alex le fixa alors dans les yeux, et il n'eut besoin d'aucune lumière artificielle pour pénétrer son regard.

– Qu'est-ce que c'est, l'endroit magique ? lui demanda-t-il, avant de sentir un frisson descendre de sa nuque jusqu'en bas de sa colonne vertébrale. Il eut la sensation d'entrer dans un tunnel sans issue. Il pénétra dans les souvenirs de son père comme s'il était poussé par une force magnétique à laquelle il ne pouvait résister. Comme si une main sortait de la mémoire de Giorgio, l'attrapait et l'entraînait dans ses profondeurs. Comme cela était survenu à la gare Cadorna, quand il avait involontairement vu dans le passé d'un inconnu, le découvrant avec une prostituée. Ou comme cela lui était arrivé avec Marco, quand il avait été projeté dans le terrible souvenir de l'accident à la montagne.

Valeria assistait à la scène, impuissante, décontenancée par l'invisible aura d'énergie qui entourait son fils tandis qu'il ouvrait tous les tiroirs de souvenirs de son père. Giorgio, pétrifié, laissa tomber sa torche. Ils restèrent tous les trois immobiles, à la faible lueur des bougies qui éclairaient le couloir.

Alex, pendant ce temps-là, était dans sa petite chambre. Il se voyait, enfant, en train de jouer avec ses feutres et une feuille de papier. Sa mère l'appelait pour qu'il vienne dîner, mais il lui répondait qu'il peignait l'avenir et qu'il n'avait pas faim. Son père arrivait, le soulevait, puis l'emmenait dans la cuisine après lui avoir donné une petite fessée indulgente.

– Ça suffit, cette histoire d'avenir, tu n'auras aucun avenir si tu ne manges pas ! Quand maman dit que le dîner est prêt, on va à table !

Alex battit involontairement des paupières pendant quelques instants. Il ne sentait plus aucun de ses muscles, mais il resta quand même bien droit, d'aplomb sur ses jambes, en face de Giorgio.

À présent, il y avait un jardin, quelques chiens se poursuivaient et des enfants jouaient sur une balançoire. Lui, il se promenait autour d'un manège, et paraissait heureux.

Aucune trace de dépression. Il semblait être un enfant comme les autres. C'était une très belle journée, et Valeria lisait une revue de mode, assise sur un banc. De temps en temps, elle criait à Alex de ne pas trop s'éloigner.

– Reste là où je peux te voir, petit voyou ! Et prends garde de ne pas te faire mal !

L'enfant revenait régulièrement vers le banc, il pointait le nez derrière la revue de sa mère et lui souriait. Giorgio était assis à côté d'elle, maintenant.

– Je suis allé dans l'endroit magique, et Jenny était là. Je voudrais jouer ici avec elle, comme ça vous pourriez la voir, vous aussi, mais elle dit qu'elle ne peut pas venir. Il n'y a que nous deux qui pouvons nous voir.

Valeria avait soudain l'air contrarié.

– Tu n'aimes pas que je te parle de l'endroit magique. Pourquoi, maman ?

Valeria ne répondait pas à la question et regardait tristement le petit, tandis qu'il continuait son récit avec enthousiasme :

– Jenny dit que l'endroit magique existe seulement quand nous sommes ensemble, et qu'il est seulement pour nous, c'est notre monde.

– Ça suffit maintenant, Alex.

– Quand nous sommes ensemble, nous sommes comme le soleil.

Alex ferma les yeux, les rouvrit, puis détourna son regard de celui de son père, se détachant de ce flot de souvenirs et d'images du passé.

– J'ai eu la réponse que je cherchais, dit-il d'un ton décidé.

Il se tourna vers la porte blindée, tandis que ses parents échangeaient un regard de stupeur où n'arrivaient à percer ni colère ni autorité. Comme si quelque chose bloquait en eux toute réaction. Quelque chose qu'ils n'auraient jamais pu décrire.

– Je t'en prie, Alex, implora Valeria, la voix brisée, les larmes aux yeux.

Elle tendit un bras vers son fils, presque sans force. Giorgio continuait de hocher la tête, impuissant, le regard perdu dans le vide.

Leur fils tourna la tête vers eux une dernière fois, mais resta de dos, tandis qu'il déverrouillait la porte.

– Adieu.

Il se retrouva aussitôt à l'extérieur de ce qui avait été pendant trop d'années sa prison dorée, prêt à abandonner pour toujours les personnes qu'il avait le plus aimées et qui l'avaient le plus entravé, pour des raisons qu'il n'était pas en mesure de comprendre. Mais ce n'était pas le moment de chercher des responsabilités, ni de reconstituer cette partie de son histoire.

La fin était proche. Et maintenant, Alex savait ce qu'était Memoria.

– *Partout où nous sommes toi et moi, Jenny. Ensemble. J'arrive.*

32

Dès qu'il se retrouva dans la rue, Alex s'aperçut que le silence irréel qui régnait dans l'immeuble était étroitement lié à ce qui se passait au-dehors.

Il n'y avait plus la moindre émeute devant les banques. Il n'y avait plus de cris.

La panique, sous sa forme la plus folle et hystérique, s'était calmée.

Elle avait été remplacée par la terreur.

Alex se dirigea vers la piazza Piola. Peu à peu, il fut frappé de voir que les gens faisaient tous la même chose.

Ils regardaient fixement le ciel.

Il leva les yeux à son tour, tandis que se peignait sur les visages autour de lui la première prise de conscience d'une fin imminente. Tous étaient dans la rue, le teint pâle, les yeux écarquillés, la bouche figée en une grimace de stupeur, tous observaient l'amas informe qui planait au-dessus de leur tête.

L'astéroïde était encore loin, mais menaçant.

Il ressemblait à une pierre grise plantée dans le ciel, à une tache qui fendait la voûte céleste. Il arrivait sur une merveilleuse toile de fond où se conjuguaient les plus belles couleurs du coucher de soleil, des déchirures scintillantes griffant le rouge et le violet, tandis que les nuées tout autour s'enchevêtraient sans cesse en écheveaux bleus et gris.

Mais aucun nuage n'osait s'interposer entre le nouveau Seigneur du destin et les yeux de la foule. Aucun d'eux n'avait l'audace d'obscurcir la vision la plus extraordinaire et la plus effrayante à s'être présentée depuis l'aube des temps. Les masses nébuleuses se dispersaient dans le ciel puis se rassemblaient, s'étiraient et se retiraient.

Celui qui portait le manteau noir dominait la scène. Il allait envelopper l'humanité dans des siècles et des siècles de silence. Il était le dernier juge des hommes, venu dicter la dernière loi. Pour la première fois, elle serait vraiment la même pour tous. Personne n'y échapperait, ni ceux qui possédaient un refuge antiatomique, ni ceux qui s'étaient réfugiés dans un souterrain. Même les villes-bunkers, réservées aux hommes politiques, aux hommes de religion, de sciences, et aux cobayes humains, les élus prêts à tout faire repartir après la catastrophe, même eux seraient engloutis dans le néant. La planète Terre allait subir l'impact le plus dévastateur de son histoire, il n'y avait d'issue pour personne.

Désorienté, Alex dépassa la piazza Piola, fendant la foule qui observait le ciel. Il savait que, pour rejoindre Jenny, il n'avait qu'une seule possibilité : reconstruire mentalement sa dimension, comme il l'avait fait lorsqu'il avait voulu retourner à Heathrow. Mais son esprit était comme une chambre qu'on a mise sens dessus dessous. Toutes sortes d'images, de souvenirs, d'émotions se bousculaient en lui. Il n'y avait qu'un seul endroit où il pouvait espérer retrouver le pont qui l'avait mené jusqu'à Jenny : l'observatoire astronomique des jardins de Porta Venezia.

Il n'était pas sûr que cela marcherait, qu'il parviendrait à la rejoindre par ce moyen. Mais il devait essayer.

Alex se mit à courir dans la foule.

Il parcourut le viale Gran Sasso, se dirigeant vers le croisement avec le corso Buenos Aires. Les voitures abandonnées le long des rues, les vélos et les scooters laissés par terre, les feux de signalisation éteints, et les passants pétrifiés par la vision apocalyptique qui s'offrait à eux, créaient un cadre sombre et silencieux. Le genre humain avait déposé les armes.

Le brouhaha reprit doucement, craintif et prudent. Comme si les gens avaient réellement porté cet astéroïde au rang d'un dieu et craignaient de troubler son avènement.

Alex était déjà sur la piazza Argentina. Les vitrines des magasins, représentations muettes du matérialisme superficiel de l'homme, se succédaient, les unes à côté des autres, sans avoir plus rien à offrir. Alex voyait défiler devant ses yeux les regards perdus des enfants, les visages résignés des vieux, l'expression atterrée des adultes. L'hystérie reprenait, comme si le moment d'immobilité que la ville avait vécu n'avait été que le calme avant la tempête.

Près de la piazza Lima, un garçon torse nu, une batte de base-ball à la main, les cheveux longs jusqu'en bas du dos, criait, le regard levé vers le ciel :

– Viens, fils de pute ! Je t'attends ! Tu ne me fais pas peur !

Alex l'évita, se faufilant derrière lui. Quelques mètres plus loin, il remarqua des personnes qui tenaient leur téléphone portable à la main comme une caméra, et filmaient le spectacle. Images mémorables, pensa Alex, qu'aucun journal télévisé ne retransmettrait jamais dans l'édition spéciale du soir.

Il continua de courir vers Porta Venezia, entendant les commentaires les plus divers à mesure que les gens retrouvaient leur voix. Certains affirmaient qu'il n'y avait rien à craindre, que les États-Unis avaient certainement prévu l'arrivée de l'astéroïde, et que des missiles seraient bientôt lancés vers lui, dès qu'il serait à leur portée. D'autres pensaient que, les heures passant, la Terre aurait suffisamment tourné pour que l'astéroïde tombe dans l'océan Atlantique, provoquant l'inondation de toute la péninsule Ibérique.

– Tant pis, disaient-ils, du moment que le tsunami n'arrive pas jusqu'ici !

Alex ne s'arrêta pas. Quand il arriva devant l'entrée du jardin public, il s'aperçut que les grilles étaient fermées. Il fallait passer par-dessus.

Il se hissa de toutes les forces qui lui restaient. Les brindilles sèches d'un arbre au-dessus du mur de pierre se prirent dans ses cheveux. Il prit son élan et atterrit sur les graviers.

Le dôme du planétarium se dressait devant lui.

La porte d'entrée était ouverte. Alex fit quelques pas prudents, passa devant des pancartes qui annonçaient une conférence pour les écoles qui n'aurait jamais lieu, franchit la deuxième porte, écarta un petit rideau, et entra à l'intérieur.

La salle était plongée dans l'obscurité, mais ne semblait pas déserte. Au-delà de l'estrade, un peu plus loin, des sans-abri étaient allongés sur trois ou quatre chaises. Heureusement, ils dormaient.

– Il faut que j'y arrive, murmura-t-il, en s'asseyant dans un coin où les clochards ne le verraient pas, même s'ils se réveillaient.

Quand il ferma enfin les yeux pour essayer de se concentrer et effacer les stimulations extérieures, ce fut l'image froide et puissante de l'astéroïde qui se présenta avec insistance à son esprit. Il essaya de la chasser mais elle restait là, comme une diapositive coincée dans une visionneuse.

Il appuya sa nuque contre le dossier de sa chaise et entrouvrit les paupières, observant le plafond. La reconstitution artificielle du ciel était désactivée, mais c'était sur ce plafond qu'il avait vu la Ceinture d'Orion la première fois, quand il était petit. C'était cette même voûte qu'il avait admirée avec Jenny peu auparavant, dans la dimension où il s'efforçait désespérément de retourner.

Il revit soudain toute la scène. Les yeux de Jenny. Leur premier baiser. Le triskèle. La Voie lactée. Leurs doigts entrelacés.

Le tourbillon l'emporta avec une force extraordinaire, le projetant dans un tunnel de voix et de couleurs sans contours, tandis que des milliers de visages sans nom lui tombaient dessus et passaient à travers lui.

Il se réveilla avec une douleur aiguë du côté droit du front.

Il était assis sur un lit.

Lorsqu'il réussit à voir nettement la réalité qui l'entourait, il comprit qu'il se trouvait dans sa chambre *alternative*. Son regard s'arrêta sur l'étagère à côté du bureau. Son trophée d'athlète de l'année n'était plus là. En revanche, il y avait une médaille d'or fixée au mur. Il se leva pour lire l'inscription : TOURNOI RÉGIONAL DE BASKET – PREMIÈRE PLACE.

Alex eut un petit sourire. Dans sa dimension, son équipe avait perdu cette finale d'un point, à cause d'un de ses tirs à trois points qui avait heurté le panneau à la sirène et était sorti : tout s'était joué à quelques centimètres près. Dans la réalité de Jenny, ces centimètres s'étaient légèrement déplacés en faveur de son équipe.

La voix de la jeune fille résonna brusquement dans son esprit :

– *Alex, je sens ta présence ! Tu es revenu ! Je t'en prie, dis-moi que c'est vrai !*

– *Oui, je suis là. Je viens de me réveiller dans ma chambre. Pourquoi est-ce que nous ne sommes pas ensemble ?*

– *Je me suis enfuie. Tu ne me reconnaissais plus, tu es devenu terriblement agressif au planétarium.*

– *Je n'étais plus moi-même, Jenny. J'avais perdu le contrôle. Où es-tu en ce moment ?*

– *Je suis cachée. Il y a une sorte de couvre-feu dans toute la ville.*

– *Comment ça ?*

– Chacun est enfermé chez soi, je ne sais pas pourquoi, mais le ciel est devenu bizarre, on dirait qu'un ouragan ou quelque chose d'encore pire se prépare.

– Ça va arriver ici aussi, bon sang ! Où est-ce que je peux te retrouver, Jenny ?

– Qu'est-ce qui va arriver ici aussi ?

– Je t'expliquerai plus tard. Où est-ce que je te rejoins ?

– Je ne sais pas. J'ai tellement marché ! Je suis arrivée en face d'une gare. Il était écrit « Lambrate » sur un panneau bleu. Après, j'ai continué tout droit.

– Tu as vu le nom de la rue ?

– Oui, via Rombon. On dirait qu'on est en guerre. L'armée est partout…

– L'armée ?

– Oui, des haut-parleurs ont donné l'ordre de rester chez soi. C'est une décision du gouvernement, à ce qu'il paraît. Pour la sûreté nationale.

– C'est dingue…

– Viens, je t'en prie. Tu me verras sous un pont, près d'un panneau indiquant une autoroute.

– J'ai compris, tu es en contrebas de l'entrée du périphérique.

– Dépêche-toi, Alex. J'ai peur. Il y a des buissons au bord de la route. C'est là que je me cacherai si des véhicules militaires passent.

– J'arrive le plus vite possible.

Alex se précipita dans la rue, et se mit à

courir à perdre haleine. Il courut vers la piazza Piola, prit la via Pacini, en direction de la gare de Lambrate. Le silence qui planait sur la ville lui glaçait le sang, lui donnant une impression de mort. En levant les yeux vers le ciel, il ne vit que de gros nuages noirs qui s'amoncelaient et l'empêchaient de voir l'astéroïde. Une sirène déchira soudain le silence, suivie d'une annonce incompréhensible, criée dans un mégaphone. La voix venait d'assez loin derrière lui.

Alex entrevit bientôt la façade de la gare. Lorsqu'il coupa la place en diagonale, il remarqua que tous les stores des fenêtres étaient baissés. Il repensa à ses parents, barricadés chez eux, dans sa dimension d'origine.

La ville déserte ne lui renvoyait que l'écho de ses pas et le bruit de sa respiration haletante. De temps à autre, une sirène se remettait en marche, suivie du même avertissement. Alex ne ralentit pas aux croisements, il ne s'arrêta pas aux feux pour voir s'ils étaient au rouge ou au vert. Ce n'était pas la peine. Il n'y avait pas l'ombre d'une voiture dans la rue. Quand il se faufila sous le pont, au début de la via Rombon, il entendit des cris. Il ralentit et essaya de comprendre d'où les cris pouvaient venir. À sa gauche, il apercevait la rue qui menait à la piazza Udine. La voix venait de là. C'est alors qu'il le vit : un homme complètement nu, les cheveux longs, un fusil à la main. Il se tenait au milieu de la chaussée, à deux cents mètres au moins de lui. Alex s'assura qu'on ne le voyait pas, puis il regarda de nouveau l'homme, se demandant ce qu'il pouvait avoir en tête.

– Et l'heure du jugement dernier viendra, criait-il, en proie à l'hystérie, les chars du Seigneur viendront prendre les âmes damnées ! Et viendra l'ange de la rédemption ! Accueille-moi, ô Jésus-Christ, accueille-moi dans tes bras, et mes frères avec moi, et mes proches...

Alex n'eut pas le temps d'entendre la fin de cet appel : un fourgon de l'armée surgit de nulle part, et deux soldats ouvrirent le feu sur l'homme qui s'écroula sur le sol.

– Bon sang ! murmura Alex avant de se retourner et de reprendre sa course.

Il continua de courir le plus vite possible, dépassant une station-service, un marché et plusieurs magasins. Il arriva enfin au pont dont Jenny lui avait parlé. Il regarda derrière lui. Le fourgon était au début de la rue. Il se dirigeait vers lui. Les militaires l'avaient vu.

– Jenny ! Jenny ! Je suis là, Jenny ! cria-t-il de toutes ses forces.

Jenny sortit de derrière un buisson, mais Alex vit, au-delà de sa silhouette, un autre fourgon qui venait de la direction opposée.

Alex et Jenny coururent l'un vers l'autre.

Il la serra contre lui, tandis que le véhicule avançait vers eux. Elle s'abandonna dans ses bras, et aperçut, derrière l'épaule d'Alex, à une centaine de mètres, le fourgon des soldats qui avaient tué l'homme.

Ils étaient encerclés.

Dans le paysage désert de ce quartier de la ville, deux jeunes enlacés se trouvaient pris entre deux engins de l'armée prêts à faire feu sur eux.

Un individu en uniforme sauta à bas du premier fourgon, suivi de plusieurs soldats qui se disposèrent en demi-cercle autour d'Alex et de Jenny.

– Tirez ! ordonna l'homme.

Alex regarda Jenny dans les yeux. On voulait les tuer. Mais pourquoi ? Ils n'étaient pas des fous ou des fanatiques qui hurlaient dans la rue. Ils n'étaient pas armés. Ils étaient jeunes, et ils cherchaient un abri, rien d'autre. C'était absurde. De même qu'il était absurde que des parents fassent subir des électrochocs à leur fils de six ans. Ces deux pensées s'ajoutèrent l'une l'autre, tandis qu'une nouvelle vérité apparaissait dans l'esprit d'Alex. Qu'est-ce que ses parents et un groupe de soldats avaient en commun ? Rien. Et la réponse était peut-être là. Il n'avait pas d'ennemi, c'était la fin elle-même qui le poursuivait comme un trou noir qui engloutit tout.

Jenny écarquilla les yeux, ses genoux tremblaient, et ses mains s'accrochèrent à Alex.

– *Regarde en moi,* pensa-t-il.

Ils plongèrent leur regard l'un dans l'autre, tandis que les militaires pointaient leur arme sur eux, le doigt sur la gâchette, prêts à les exécuter.

Une lumière soudaine jaillit de leur étreinte et se propagea tout autour d'eux. Des faisceaux lumineux explosèrent dans toutes les directions, créant en quelques instants une immense coupole blanche qui illumina les rues, les maisons et le ciel au-dessus de leur tête.

– Qu'est-ce qui se passe ? balbutia un soldat.

– Je ne comprends pas, répondit le commandant qui avait donné l'ordre de tirer.

Le soleil s'était déjà couché en ce froid après-midi de décembre, mais la lumière qui émanait de l'union d'Alex et de Jenny éclairait tout le quartier.

Les militaires restèrent immobiles, les yeux dans le vide. En un instant, tous les ordres qu'ils avaient reçus, leur formation, les serments qu'ils avaient prêtés, les codes qu'ils devaient respecter, ne devinrent que de pâles souvenirs enfouis dans le temps. Il n'y avait plus que cette force incroyable qui paralysait tous leurs membres. Aucun d'eux ne fit feu, et au bout d'un moment, ils laissèrent tomber leurs mitraillettes à terre. Les bras le long du corps, le regard perdu dans l'aura lumineuse, ils restèrent debout les uns à côté des autres, immobiles. Ils sentaient leurs muscles lourds, comme paralysés. La force qui les pétrifiait ne pouvait être combattue par aucune sorte d'entraînement.

Ils étaient dans l'endroit magique.

L'endroit magique, c'est Jenny et moi, tous les deux ensemble.

33

Jenny et Alex contemplèrent la scène irréelle qui les entourait pendant quelques secondes, puis après avoir échangé un signe de connivence, ils se précipitèrent tous deux dans la même direction, s'éloignant du pont et laissant les soldats sur place, occupés à essayer de comprendre ce qui se passait.

« Incroyable, on dirait que nous les avons drogués », pensa Alex en courant vers la zone industrielle. Ils coupèrent par une rue à sens unique qui, de la route principale, menait directement à quelques maisons, des hangars et des bâtiments industriels.

– Où allons-nous ? demanda Jenny, à bout de souffle.

– Nous cacher.

Alex en était certain : la géographie de la ville, dans la dimension où il se trouvait actuellement, n'était pas très différente de celle où il avait vécu pendant seize ans. En tournant dans une voie privée – une impasse, comme le signalait un panneau – il vit en effet l'entrée d'un passage souterrain qu'il connaissait bien. Un escalier plongeait dans un tunnel couvert de graffitis, qui passait sous une ancienne ligne de chemin de fer, et refaisait surface deux cents mètres plus loin. Aucun engin de l'armée ne pourrait les découvrir là-dessous.

Ils descendirent les marches, puis s'arrêtèrent et s'assirent par terre, le dos appuyé contre une paroi du souterrain, où était tracé un graffiti : REBIRTH, renaissance.

– C'était Memoria, Jenny ! Nous avons eu la vie sauve grâce à Memoria. Memoria, c'est toi et moi. C'est notre union.

Alex s'agenouilla devant elle.

– Je... j'avais tout perdu, reprit-il, la plus petite trace de mon enfance, à cause d'électrochocs.

– Des électrochocs ? Qui a pu...?

– Mes parents, Jenny. Ce sont mes parents. Je sais que ça peut paraître absurde, mais je commence à y comprendre quelque chose. Il y a quelqu'un, ou quelque chose, qui veut nous détruire.

– Alex, moi... personne ne m'a fait subir d'électrochocs quand j'étais petite. Je me souviens assez bien de mon enfance, mais je n'ai commencé à entendre ta voix que depuis quelques années, pendant mes premiers évanouissements.

– Mais bien sûr !

Le visage d'Alex s'éclaira soudain, tandis que,

les yeux toujours dans le vide, il rembobinait le film de ses propres souvenirs, revoyant se dérouler leur incroyable histoire. Jenny l'observait en silence, comme si elle attendait un verdict.

– C'est évident, poursuivit-il. Nous sommes en relation depuis toujours, parce que moi, avant les électrochocs, je parlais à la Jenny de *ma* dimension. Je l'avais même rencontrée, justement au planétarium. J'ai d'ailleurs eu une très forte impression de déjà-vu quand j'y suis entré avec toi. Pourtant, j'imagine que tu n'es jamais allée en Italie...

– Jamais, que je sache, répondit Jenny. Qu'est-ce que ça signifie ?

Alex attendit quelques instants, fixa le regard perdu de Jenny et comprit que le moment était venu de lui révéler la vérité.

– Dans ma dimension, tu es morte à l'âge de six ans.

Jenny le regarda l'air ébahi, comme si ces mots n'avaient pas encore produit l'effet que cette révélation aurait dû provoquer.

– J'ai attendu pour te le dire, parce que tout était déjà tellement compliqué.

– Comment le sais-tu ? demanda-t-elle d'un ton froid, détaché, en regardant ailleurs.

– Tu te rappelles quand je t'ai dit que j'avais vu le triskèle ? Tu ne voulais plus me parler, mais c'est l'argument qui t'a convaincue.

– Oui.

– Je l'ai vu chez toi. Ou plutôt, chez Mary Thompson. Dans ma dimension, ta nounou habite chez toi, maintenant. Tu es morte à six ans, et ta famille a déménagé.

– N'importe quoi ! Mais qu'est-ce que tu racontes ? C'est impossible ! Ça n'a aucun sens ! Et… comment est-ce que je serais morte ?

– Crois-moi, je n'invente absolument rien. Quand j'étais encore un enfant, c'est avec elle, la petite Jenny, que j'étais en relation. Pas avec toi. Je sais que c'est absurde, on dirait que je parle de deux personnes différentes.

Jenny se rongea nerveusement les ongles, puis elle tourna le dos à Alex. Sur la paroi, en face d'eux, elle lut un autre graffiti – FOREVERLOVE, en un seul mot, en immenses lettres arrondies.

– Et moi, qui suis-je, alors ? demanda-t-elle en se tournant de nouveau vers Alex.

– Quand j'ai récupéré mes facultés télépathiques, six ans après les électrochocs, je n'aurais pas pu me remettre en relation avec la Jenny de ma dimension, puisque tu étais… qu'*elle* était morte. Mais il y a évidemment quelque chose d'elle en toi, ou bien vous avez quelque chose en commun qui m'a permis de continuer à communiquer avec toi, après sa mort.

Jenny se releva d'un bond, comme si elle avait voulu s'en aller.

– Jenny, l'appela Alex, en devinant sa peur, son refus de cette réalité inconcevable, nous n'avons plus beaucoup de temps.

Elle l'ignora, et il la rejoignit, la prit par les épaules, la forçant à se tourner vers lui, plus brusquement qu'il ne l'aurait voulu. Leurs regards se croisèrent un instant, plongeant profondément l'un dans l'autre.

La vue d'Alex se brouilla. Ses paupières se mirent à trembler, tandis qu'une photo prenait forme dans son esprit. Une photo dans un cadre. Les contours d'une personne apparurent peu à peu dans le cadre. C'était une fille. Elle portait un maillot de bain une pièce, bleu, avec le numéro 7 sur la poitrine. Alex regarda plus bas. Il y avait un podium. La fille était sur la plus haute marche. C'était Jenny.

Soudain, il eut l'impression d'être entraîné dans la photo. Sans comprendre comment, il se retrouva *sur* le podium. Il voyait à travers les yeux de la championne. Il admirait la foule de proches et de parents qui criaient son nom, tandis qu'une banderole au loin indiquait « 21 st SCHOOL CHALLENGE », et que derrière les gens, il apercevait une piscine divisée en huit lignes d'eau.

Alex voulut secouer la tête, mais il se sentit comme paralysé, bloqué dans son souvenir.

Puis tout devint noir, et il dut attendre plusieurs secondes avant qu'un contour bien défini réapparaisse.

Il y avait un arbre. Une rangée d'arbres. En tournant son regard vers la droite, il vit un couple d'âge moyen, bien habillé. Derrière eux, des enfants, élégants eux aussi, en vêtements noirs de cérémonie. Plus à droite encore, un prêtre traînait sa soutane dans la boue et y enfonçait ses chaussures. Entre ses mains, il tenait un récipient en métal qui laissait échapper de l'encens. Il s'arrêta près de deux fosses. À côté de chacune d'elles gisait un cercueil, prêt à être mis en terre par un petit groupe d'adultes. Une femme s'approcha, se moucha et dit entre ses larmes :

– Tes grands-parents t'ont tellement aimée…

Tout devint de nouveau noir. Quelques images confuses se chevauchèrent. Paysages. Personnes. Paysages de plus en plus vastes. Personnes de plus en plus grandes.

Secondes de silence, d'obscurité.

De néant.

Enfin, il vit apparaître le souvenir qu'il cherchait. Cette fois, il l'observa comme si c'était la scène d'un film, il ne le vécut pas à la première personne. Les voix étaient assourdies, mais audibles, les couleurs et les contours n'étaient que trop réalistes.

– Mary, est-ce que les gâteaux sont prêts ? crie la petite Jenny agenouillée dans le salon, les bras posés sur le canapé.

Des feutres sont éparpillés un peu partout. Devant elle, une feuille de papier blanc.

– Presque, ma chérie, presque prêts, répond la femme depuis la cuisine, tandis que la petite fille entonne une comptine qui parle d'un ours et d'un écureuil.

– Mary ! crie Jenny.

– Oui, mon petit ?

– Tu sais qu'hier je suis allée dans l'endroit magique ?

– Bien sûr que je le sais, mon chou. Tu me l'as dit hier, avant de t'endormir.

– C'est pas vrai, je ne te l'ai pas dit, c'est maintenant que je te le dis ! Est-ce que tu sais que cet endroit n'est pas un vrai endroit ?

– Je crois que tu m'en as déjà parlé.

– Non, c'est pas vrai, pff... menteuse, menteuse, et menteuse ! Tu ne sais pas ce que c'est que l'endroit magique, tu n'y es jamais allée. Et puis avec toi, ça ne marcherait pas ! Il faut que ce soit forcément moi qui...

– Ah oui ? Et pourquoi ?

Mary Thompson apparaît dans le salon, en portant deux tasses de thé fumant et une assiette pleine de biscuits au chocolat.

– Les biscuits ! J'en ai très envie...

– Pourquoi est-ce que ce serait forcément toi qui devrais aller dans l'endroit magique ?

– Parce que l'endroit magique n'est pas un endroit ! Tu vois que tu ne le sais pas ! (La petite

fille éclate de rire.) Tu vois qu'il faut que je te raconte tout, parce que tu ne sais rien !

Jenny arrête de rire et trempe un biscuit dans son thé.

– Eh bien, raconte-moi alors...

– L'endroit magique est tout ce qui nous entoure, Alex et moi, quand nous sommes ensemble. Tout devient très beau. Tout se passe là, dit-elle en montrant sa tête.

– Je comprends... c'est une chose magnifique. Mais tu me l'as déjà racontée.

– Non, c'est pas vrai ! Enfin, je te pardonne. Ils sont bons ces biscuits, Mary.

– Merci, je suis contente que tu les aimes.

– Je les adore ! Mais ce thé est dégueulasse ! C'est maman qui l'a acheté ?

– Non, princesse, ce thé est une de mes spécialités. Et on ne dit pas de gros mots comme ça...

– Oui, mais il est un peu... amer... il a un drôle de goût.

– Bois, mon petit chou, bois, ça te fera du bien.

– Après, tu me raconteras l'histoire du gros chien qui... qui... Mary !

– Oui, mon petit ?

– Ma-man... Mary... je ne resp...

La petite fille se met à tousser, devient violette, la main tendue vers sa nounou qui, souriant d'un air satisfait, continue à siroter son thé. Celui dans lequel elle n'a pas versé de poison.

– Voilà le souvenir qui te manquait, dit Alex, épuisé.

Jenny l'observait, pétrifiée, comme hypnotisée. Elle se reprit peu à peu, mais sa tête était lourde comme une pierre, et des douleurs lancinantes la transperçaient de part en part.

– C'est bien ce que je pensais, dit Alex.

– Quoi… Qu'est-ce que tu pensais ?

– Maintenant, c'est dans mes souvenirs à moi, répondit-il, tandis qu'une secousse traversait leurs corps, et que leurs regards se rejoignaient encore une fois.

– Regarde toi-même, reprit-il à mi-voix. Regarde en moi.

Il savait qu'elle verrait tout.

Le souterrain s'assombrit soudain, et l'esprit de Jenny fut emporté au loin, comme si les pensées d'Alex recélaient un aimant très puissant auquel elle ne pouvait résister. Elle se vit soudain toute petite, en train d'étouffer, puis d'être terrassée, tandis que sa nounou l'observait sans bouger le petit doigt, sa tasse de thé à la main. Elle fut prise de vertige, de nausée, et s'effondra sur le sol. Puis elle rouvrit brusquement les yeux.

– Ce n'est pas possible !

– Je sais que c'est un choc !

– Non ! Non ! Ça n'a pas de sens ! Mary, elle m'a toujours adorée !

– Ils étaient peut-être sous influence. Mary, mes parents… je pense qu'il y a quelque chose de beaucoup plus vaste derrière tout ça.

– Mon Dieu, c'est fou. Dans ta réalité, j'ai été assassinée. C'est absurde !

– Calme-toi, Jenny, tu es ici avec moi, maintenant.

Elle tourna subitement la tête en entendant une sirène retentir au loin.

Elle voulut se relever, mais Alex la prit par le bras.

– Attends. Tu n'as pas tout vu, dit-il à haute voix.

Jenny le regarda, étonnée, puis leurs yeux s'unirent une dernière fois.

Jenny vit le dessin.

Elle vit le voyant malais.

Elle vit Alex et Marco, assis dans le salon devant les ordinateurs, qui discutaient de la fin du monde.

Lorsque Jenny rouvrit les yeux, elle n'eut pas la force de parler. Il n'y avait plus rien à dire.

– Tu sais tout, à présent. Partons d'ici.

34

Alex et Jenny sortirent du souterrain, tandis qu'un coup de tonnerre retentissait au-dessus de leur tête et que la pluie commençait à s'abattre sur la banlieue de Milan. Autour d'eux s'étiraient des rangées de bâtiments industriels tous à peu près semblables, avec de grosses grilles qui donnaient sur de vastes parkings remplis de camions.

Ils sortirent de cette zone industrielle sous un vent glacial mêlé de pluie, puis coururent vers la route nationale qui sortait de la ville. Ils n'entendaient que le bruit des gouttes d'eau de plus en plus insistantes qui tombaient sur le bitume. Il n'y avait pas de voitures. Il n'y avait personne.

Quelques centaines de mètres plus loin, la route passait sous un viaduc et s'étirait entre des broussailles et des étendues de champs gelés.

– Où on va ? cria Jenny, en ramenant en arrière ses cheveux trempés.

– Loin de la ville. Il y a trop de soldats.

Alex ralentit le pas en arrivant près du viaduc. Jenny retira sa main de la sienne, fouilla dans son jean et en sortit un élastique violet pour les cheveux. Elle les attacha, les yeux pleins de larmes et de pluie.

– Nous allons donc mourir ?

Alex toussa, puis il s'approcha d'elle. Ses vêtements imbibés d'eau collaient à sa peau, il commençait à se sentir faible et épuisé.

– Je... je ne sais pas, Jenny. Je n'y comprends rien. Je suis là avec toi, il aurait dû se passer quelque chose.

– Dans quel sens ? demanda-t-elle en l'observant, perplexe.

– Memoria, l'endroit magique, toi et moi ensemble... Ça devrait changer quelque chose, il devrait se passer quelque chose, je ne sais pas, moi !

Alex regarda au-delà du viaduc, vers le ciel embrasé d'où tombait une pluie acide et nauséabonde. L'astéroïde était toujours là, bien visible, amas de roches incandescentes accomplissant son dernier tour en orbite autour de la Terre avant de s'écraser. Rien n'avait changé.

– Ce n'est peut-être pas nous... peut-être que Memoria n'existe pas, reprit-il.

– Commençons par trouver un endroit où nous abriter. Une maison, quelque chose. On ne peut pas rester ici.

Alex acquiesça d'un signe de tête, puis il s'approcha de Jenny et l'embrassa sur le front, délicatement. Elle ferma les yeux et abandonna sa tête quelques instants sur sa poitrine, tandis que les coups de tonnerre se succédaient, menaçants.

Ils se remirent en marche sans parler.

Ils avancèrent rapidement sur la nationale et dépassèrent un rond-point, puis un portique de lavage automatique, en essayant de ne penser à rien, jusqu'à ce qu'ils voient se dessiner quelques maisons au loin, derrière une station-service. Ils distinguèrent aussi un panneau blanc couvert d'inscriptions noires qui devaient indiquer le nom d'un village.

– Allons-y, Alex… allons là-bas, dit Jenny.

Il leur suffit de parcourir quelques mètres sur la route qui entrait dans le village pour se rendre compte que le couvre-feu devait avoir été décrété là aussi, car les rues étaient désertes, les magasins fermés et les stores des maisons baissés. Un kiosque à journaux était resté ouvert, mais il n'y avait aucune trace du propriétaire.

Une lumière apparut soudain au bout de la rue.

– Qu'est-ce que c'est ? demanda Jenny en se serrant contre le bras d'Alex.

– On dirait que ça tourne, comme un phare… comme… bon sang ! C'est une ronde ! C'est l'armée, elle est ici aussi.

Il n'y avait pas de temps à perdre. Le véhicule était assez loin, et la lumière du gyrophare ne les avait pas encore atteints. Tandis que le faisceau lumineux tournait, éclairant une rangée d'immeubles à deux étages du côté droit de la rue, Alex prit Jenny par le bras et l'entraîna du côté opposé. À quelques mètres d'eux, une ruelle s'insinuait au cœur du village. Ils se faufilèrent tous deux dans la rue étroite et coururent sans se retourner. Ils arrivèrent sur une autre route. Là non plus, aucun signe de vie, un silence irréel, uniquement rompu par les coups de tonnerre et la pluie d'orage.

– Qu'est-ce qu'on fait ? cria Jenny.

– Il faut qu'on se réfugie quelque part.

Jenny regarda autour d'elle. De l'autre côté de la route, elle vit une rangée de petites maisons. La pluie tombait continuellement sur les jardins privés, tambourinant sur les boîtes aux lettres et rebondissant sur les toits. Les stores paraissaient tous baissés.

– Celle qui est là-bas, Alex...

– Quoi ?

– Cette fenêtre ! La lumière est allumée à l'intérieur. Tu vois ?

Alex écarta ses cheveux trempés de son front, plissa les yeux pour essayer de voir au loin, et parvint à distinguer le point que Jenny lui indiquait.

– Là, au moins, il y a encore de l'électricité…, murmura-t-il.

– Allons-y ! décida Jenny, en partant rapidement en avant.

– Il y a le couvre-feu. Personne ne nous ouvrira ! cria Alex, tandis que Jenny s'éloignait en direction de la maison.

Il la vit bientôt frapper énergiquement à la porte en bois massif, et la rejoignit.

– Qui est là ? cria une voix de l'intérieur, après quelques secondes de silence.

– Monsieur…, répondit Jenny, nous sommes deux. Une fille et un garçon. Je vous en prie, il pleut à torrent, laissez-nous entrer !

Aucune réponse.

– Monsieur ?

– Retournez là d'où vous venez ! Fichez-nous la paix, nous avons fait ce que vous vouliez, nous nous sommes enfermés à la maison !

– Monsieur, s'il vous plaît, insista Alex. Nous sommes juste un garçon et une fille, nous nous sommes perdus, c'est plein de soldats. Je vous en supplie, aidez-nous !

La porte s'entrebâilla d'un coup, et Alex entrevit le visage de l'homme. Il devait avoir environ quatre-vingts ans. Lorsqu'il s'aperçut qu'il s'agissait de deux adolescents, il ouvrit lentement la porte.

– Entrez, dit-il d'un ton brusque, en s'écartant pour les laisser passer.

Dès qu'il eut refermé vigoureusement la porte, le vieux se tourna vers eux. Il dominait Alex et Jenny de toute sa taille. Il était très grand, avait une carrure impressionnante, une grosse moustache et d'épais sourcils. Il portait un anorak et une carabine en bandoulière.

– Maintenant, videz vos poches, vite ! ordonna le vieux en épaulant son arme et en la pointant sur eux.

Jenny resta immobile, atterrée.

– Allons ! les pressa l'homme.

Alex se tourna vers Jenny tout en sortant quelques pièces de ses poches, des tickets d'autobus et les clés de chez lui.

– Fais ce qu'il te demande, ne t'inquiète pas, lui dit-il.

Mais Jenny ne parvint pas à se rassurer.

Elle éclata en sanglots et tomba à genoux, le visage dans ses mains.

– Qu'est-ce qui se passe ici ? demanda une voix féminine derrière eux.

Alex leva les yeux et vit derrière le vieil homme une femme d'une quarantaine d'années aux cheveux bouclés encadrant un visage mélancolique. Elle était vêtue d'une jupe longue vert foncé et d'un gros pull à col roulé.

La femme posa la main sur l'épaule de l'homme.

– Arrête, papa... Ils sont tout jeunes. Tu leur as fait une peur bleue.

L'homme baissa sa carabine, haussa les sourcils et soupira avec mauvaise humeur. Puis il fit un pas en arrière, tandis que sa fille s'agenouillait à côté de Jenny.

– Qu'est-ce qui t'est arrivé, mon trésor ? Tu es trempée. Viens avec moi dans la salle de bains.

Jenny se leva, puis lança un coup d'œil à Alex qui lui sourit.

– Je m'appelle Agnès. Venez, je vais vous trouver des vêtements secs. Si on ne s'aide pas les uns les autres dans un moment comme ça...

Alex et Jenny la suivirent au premier étage, et ils se changèrent. Agnès leur trouva des pantalons et des pulls nettement trop grands, mais ils pouvaient difficilement espérer mieux. Puis elle redescendit avec eux et les conduisit dans une salle qui ressemblait un peu à une taverne.

Alex entra timidement dans la pièce. Des tableaux représentant des scènes de chasse ornaient les murs, tandis que deux fusils croisés, accrochés au-dessus de la cheminée, dominaient le tout.

Au centre de la salle, une table en bois massif et six chaises. À la place d'honneur était assis l'homme qui leur avait ouvert la porte. À côté de lui, deux enfants de huit ans environ les regardaient, l'air étonné.

À l'autre bout de la pièce, une vieille dame était installée dans un fauteuil près de la cheminée.

– Voici notre famille, dit fièrement Agnès : Paolo et Stefano, leur grand-mère Ada, et leur grand-père Giovanni que vous avez déjà… rencontré. Mais qu'est-ce que vous faites dans la rue, tous les deux ? Comment se fait-il que vous ne soyez pas avec vos parents ?

Alex essaya de gagner du temps en se grattant la nuque, il toussota, puis répondit :

– Nous nous sommes perdus. Nous n'arrivions plus à rentrer chez nous et…

– Vous devez avoir faim, j'imagine, l'interrompit la femme comme si ses justifications ne l'intéressaient pas vraiment.

Jenny haussa les épaules et acquiesça timidement.

– Nous attendons papa, intervint l'un des deux enfants.

– Il est allé chercher à manger, ajouta l'autre.

Le grand-père fixa Alex et Jenny de ses yeux gonflés, fatigués.

– S'il se fait prendre, aucun de nous ne mangera. Je n'aurais jamais pensé voir une autre guerre… parce que c'est bien ce qui passe, les enfants. Vous le savez, n'est-ce pas ? Nous sommes en guerre.

Agnès s'éloigna, tandis qu'Alex et Jenny allaient s'asseoir sur un canapé à côté de la cheminée.

La femme revint dans la pièce en apportant deux tasses fumantes.

– Pour le moment, c'est tout ce que j'ai à vous donner. C'est du thé, avec très peu de thé dans l'eau mais, au moins, ça vous réchauffera.

Jenny sourit, Alex remercia, et ils prirent chacun une tasse, en l'entourant de leurs mains.

– Nous n'avons plus de bois non plus, autrement, j'aurais allumé un feu dans la cheminée. Malheureusement, les radiateurs ne marchent pas, voulut s'excuser Agnès, tandis que tous deux buvaient leur thé à petites gorgées.

Quelques minutes de silence s'écoulèrent, personne n'osait rien dire. Jenny et Alex se regardèrent un instant.

– *Nous n'avons plus d'espoir, n'est-ce pas ?* pensa Jenny.

Personne ne pouvait deviner ses pensées, en dehors d'Alex.

– *Je ne sais pas, j'ai bien peur que non. Je me demande comment on pourrait trouver Memoria. Je ne suis même pas sûr que ça existe.*

C'est alors qu'ils entendirent plusieurs coups frappés à la porte d'entrée. Des coups violents.

Le vieux se leva d'un bond, prit sa carabine appuyée contre une chaise, et la mit en bandoulière. Puis il se dirigea en hâte vers la porte. Une voix criait sans arrêt du dehors :

– Ouvrez vite ! C'est moi, Carlo !

Lorsque l'homme entra dans la maison, un

casque orange sur la tête, il avait le menton et le cou souillés de terre et de sang.

Il traînait un sac noir, semblable à un sac-poubelle. Il fit quelques pas dans l'entrée, et Agnès courut l'embrasser.

– Qu'est-ce que tu t'es fait ? demanda-t-elle la voix tremblante.

– Ne t'inquiète pas, quelques éclats de verre, mais j'y suis arrivé.

L'homme vint s'asseoir à table, tandis qu'Agnès lui expliquait brièvement qu'un garçon et une fille étaient chez eux.

– Ce soir, vous dormirez ici, dit l'homme sans sourciller. Dehors, c'est l'enfer.

– C'est-à-dire ? demanda Alex.

– Je travaille au chantier du centre commercial, celui qui est au kilomètre quatre-vingt de la route nationale. On creuse le sol. Tu vois ce que je veux dire ?

– Oui, le nouveau centre…, commença à répondre Alex, quand son regard fut attiré par le symbole représenté sur le casque que l'homme avait posé par terre.

Un petit rectangle blanc traversé par un éclair jaune. Cette image lui rappelait quelque chose, même s'il n'arrivait pas à savoir où il l'avait déjà vue.

– Nous nous sommes retrouvés là avec deux collègues. Les travaux sont interrompus depuis plusieurs jours, mais nous savons où sont les clés des excavatrices. Nous en avons conduit une vers le vieux supermarché à deux cents mètres de là et…

Agnès le regardait avec angoisse.

– Nous avons défoncé la porte. C'était le seul moyen de rapporter des vivres à la maison.

– Waouh ! s'exclama l'un des enfants, sans comprendre la portée de ce geste extrême, ni le danger que son père avait couru.

– Au moment où je chargeais le sac dans la voiture, reprit l'homme, visiblement éprouvé, un fourgon de l'armée a surgi. J'ai pu m'échapper, mais j'ai peur que ce ne soit pas le cas de mes amis. Mon Dieu…

Agnès s'approcha de lui et l'embrassa, se penchant en avant et serrant la tête de son mari contre sa poitrine.

– Va te désinfecter, mon chéri… Je m'occupe de la nourriture. Quoi qu'il arrive dehors, je vais préparer un repas digne de notre famille.

35

« Pourquoi ces gens doivent-ils donc mourir ? » se demandait Alex en buvant son thé dans une tasse ébréchée.

Agnès fouilla dans le sac que son mari avait rapporté et en sortit tout : tubes de sauce tomate, légumes en conserve, pain de mie, sachets de chips, charcuterie sous cellophane, jus de fruits.

Puis elle mit sa plus belle nappe, dressa la table avec le plus grand soin, pour éviter que les enfants ne se rendent compte de la gravité de la situation et pour offrir un repas convenable à ses invités, même s'il était préparé avec les moyens du bord.

– *Ce n'est pas juste que tout finisse comme ça.*

Jenny percevait la pensée d'Alex. Elle la partageait entièrement. Elle avait beau avoir le ventre creux, elle devait se forcer à manger. La tension était palpable. Elle prit quelques tranches de pain sur lesquelles elle étala du pâté de thon. Chaque bouchée semblait s'arrêter à l'entrée de son estomac et refuser de descendre.

Après le dîner, Giovanni et Agnès firent du café.

Comme si de rien n'était, malgré les déclarations du vieux sur la guerre, Ada, sa femme, resta tout le temps dans son fauteuil. Elle refusa de manger, un sourire doux et résigné sur le visage.

Avant de servir le café à table, Agnès appela les enfants et les accompagna au premier étage. Jenny sortait des toilettes quand, par la porte entrouverte de la petite chambre des enfants, elle vit la femme se pencher en avant et les border.

– Bonne nuit, mes petits anges, murmura-t-elle avant de leur donner un baiser sur le front.

Jenny fit demi-tour et allait s'éloigner, lorsqu'un dessin fixé à la porte de la petite chambre l'arrêta net. Il représentait, de façon stylisée, tous les membres de la famille. En dessous, il était écrit : « Nous vous aimons », signé des deux enfants. Elle eut du mal à retenir ses larmes, tandis que sa mémoire visualisait le dessin apocalyptique d'Alex, lui rappelant le destin qui attendait l'humanité.

C'était la dernière nuit pour tout le monde. C'était la veille de la fin.

– Bonne nuit, tous les deux ! Agnès va vous montrer la chambre d'amis, dit Carlo en esquissant un sourire auquel Alex et Jenny répondirent aussitôt.

– Ils vont nous envahir demain, je le sens, dit le grand-père, les coudes sur la table et le regard perdu au loin.

Agnès les conduisit dans la chambre, leur souhaita bonne nuit, puis disparut.

Alex et Jenny fermèrent la porte.

Devant eux, un lit à deux places avec une couverture roulée en guise d'oreillers et une couette blanche qui recouvrait le matelas. De l'autre côté de la pièce, une grosse armoire qui touchait presque le plafond. Tout autour, sur les murs, de petites gravures d'époque.

Jenny s'assit au bord du lit, tournant le dos à Alex, et garda le silence, pendant qu'il enlevait son pull et le posait sur une chaise près de la porte. Devant Jenny, la fenêtre au store baissé.

Des cris semblaient venir de la rue. Peut-être que des gens n'avaient pas respecté le couvre-feu. Peut-être que d'autres s'étaient mis à piller des magasins pour se procurer de la nourriture.

– Il fait froid, dit Jenny à mi-voix.

Alex posa les mains sur le radiateur éteint.

– Est-ce que tu y as déjà pensé ?

– À quoi ? demanda Jenny sans se tourner vers lui.

– À tout ça. Une maison, une famille, des enfants. Une vie normale quoi !

Jenny leva les yeux et sourit en soupirant :

– Je ne sais pas… oui, peut-être… Éteins la lumière.

Alex appuya sur l'interrupteur près de la porte et passa de l'autre côté du lit pour aller regarder par les fentes des stores.

Jenny se leva, enleva le pull en laine qu'Agnès lui avait donné, puis son pantalon.

Lorsqu'il se retourna, elle était en tee-shirt et en culotte. Les contours de son corps se fondaient dans l'obscurité.

– Tu vas voir, tout va s'arranger, lui dit Alex, trahissant un certain manque d'assurance.

Il posa ses mains sur les hanches de Jenny, qui frissonna.

– Nous la trouverons, cette Memoria.

– Et si c'était plutôt notre dernière nuit ?

Jenny mit ses mains sur celles d'Alex, les guidant jusqu'à son dos. Ils se rapprochèrent timidement, dans l'obscurité totale.

Lorsque leurs corps ne furent plus qu'à quelques centimètres l'un de l'autre, Alex baissa la tête et ses lèvres cherchèrent celles de Jenny. Elles les frôlèrent délicatement, tandis que ses mains remontaient le long du dos de Jenny pour se perdre dans ses cheveux.

– Tu crois que c'est notre dernière nuit ensemble ? demanda Alex en s'écartant légèrement.

Elle ne répondit pas, s'assit sur le matelas dur et s'allongea en enfouissant sa tête sous la couverture.

Alex appuya ses genoux contre le bord du lit et se laissa glisser en avant, posant ses avant-bras à quelques centimètres des épaules de Jenny. Ses lèvres lui effleurèrent le front, le nez et les joues, puis il l'embrassa.

D'autres cris retentirent dans la rue, puis quelques coups de feu. La voix grésillante d'un haut-parleur résonnait, provenant d'un endroit plus éloigné. Le chaos, au loin, était déjà la bande-son du moment qu'ils vivaient.

Ils roulèrent deux ou trois fois sur le lit. Les seins de Jenny encore moulés dans son tee-shirt se pressaient contre la poitrine d'Alex, comme le triskèle, glacé, qui pendait à son cou.

Jenny se mit sur lui et enleva son tee-shirt. Alex prit la couverture roulée derrière sa tête, la déploya et la passa par-dessus le dos de Jenny, formant une petite tente. Ils se cachèrent en dessous, en continuant à s'embrasser, isolés du reste du monde. Ils se déshabillèrent complètement et restèrent un instant immobiles, leur respiration soulevant leur poitrine au même rythme et ne faisant plus qu'une, leurs pensées se confondant en une seule pensée.

Un instant plus tard, ils étaient assis main dans la main dans le planétarium, la voûte céleste au-dessus de leur tête.

Ils devaient avoir environ quatre ans. La mère de Jenny était revenue voir ses parents à Rome. Son père avait organisé un petit voyage d'une journée à Milan, où ils avaient admiré le château des Sforza, les petits canaux appelés *Navigli* et la cathédrale. Ils étaient également allés au planétarium, tombant presque par hasard sur le bâtiment surmonté d'un dôme qui se dressait dans les jardins publics de Porta Venezia. Ils avaient fait la queue. Devant eux, il y avait Giorgio et Valeria Loria, ainsi que le petit Alex. En entrant dans la salle, les enfants s'étaient retrouvés assis l'un à côté de l'autre. Leurs doigts, sur les accoudoirs, s'étaient effleurés pour la première fois, et avec leur innocence d'enfants, s'étaient entrelacés. Ils étaient restés main dans la main pendant toute la conférence.

Le souvenir de cet après-midi si éloigné dans le temps les entraîna pendant quelques instants au loin, dans le passé, ne leur permettant plus de distinguer le rêve de la réalité.

Lorsqu'ils rouvrirent les yeux, ils étaient serrés l'un contre l'autre, enveloppés dans la couverture chaude et moelleuse.

Ils firent l'amour, comme ils l'avaient toujours rêvé. Pour la première et peut-être pour la dernière fois. Si quelqu'un avait pu observer le village de haut, il aurait vu une lueur intense émaner de cette maison. Mais dans le ciel, au-dessus d'eux, il n'y avait qu'un énorme astéroïde, prêt à s'écraser à la surface de la Terre.

Ils s'endormirent enlacés sous la couverture

et restèrent ainsi jusqu'au matin, tandis qu'au-dehors, les cris et les coups de feu se multipliaient.

C'était la dernière nuit avant la fin du monde.

36

Lorsque Jenny ouvrit les yeux, péniblement, la chambre était encore plongée dans l'obscurité.

Elle n'avait aucune idée de l'heure et se demandait combien de temps ils avaient dormi, Alex et elle. Elle se leva pour aller jeter un coup d'œil à travers les fentes du store. Elle ne parvint à voir qu'une épaisse nappe de brouillard qui engloutissait la campagne autour du village.

– *C'était merveilleux*, pensa Alex, les yeux encore mi-clos, en observant le corps de Jenny, de dos devant la fenêtre.

– *Pour moi aussi*, répondit-elle, avant de se retourner. Elle s'assit au bord du lit, et posa sa main sur la poitrine d'Alex.

– Qu'est-ce qui se passe dehors ? demanda-t-il.

– Je n'ai vu que du brouillard. Il vaudrait peut-être mieux descendre.

Alex se leva, les muscles des jambes endoloris, et s'habilla. Jenny l'imita. Ils savaient bien ce qui allait arriver une fois qu'ils seraient sortis de cette pièce, mais leurs pensées s'accrochaient à ce qui s'était passé entre eux pendant la nuit.

Quelques minutes plus tard, Alex déposa un baiser sur le front de Jenny, et ouvrit la porte.

Ils descendirent lentement les marches, comme s'ils craignaient de réveiller quelqu'un. On n'entendait ni bruits ni voix, seule une odeur inattendue frappa leurs narines quand ils furent au milieu de l'escalier.

– Tu ne trouves pas que ça sent le brûlé ? murmura Alex.

– Si, on dirait presque… (Jenny leva les yeux au ciel, mais chassa immédiatement ce qui lui venait à l'esprit.) Allons voir !

Elle passa devant lui, parcourut un petit couloir, dépassa une petite salle de bains et un cagibi, puis entrevit le carrelage orange de la cuisine et s'approcha prudemment.

Ce qu'elle vit en y entrant lui glaça le sang et la pétrifia. Alex, derrière elle, la vit s'arrêter net, comme au bord d'un précipice.

– Le rôti a brûlé, il ne manquait plus que ça ! s'exclama Clara Graver, en se retournant.

Son tablier noué autour de la taille, ses gants de cuisine aux mains, elle sortait un plat du four.

– Je t'avais pourtant demandé de m'aider, dit-elle d'un air triste.

« Maman, mais qu'est-ce que tu fais là ? » pensa Jenny sans pouvoir prononcer un mot.

Sa voix s'était étranglée dans sa gorge, comme si on lui avait passé la corde au cou.

Alex fit quelques pas, mais il commençait tout juste à voir la scène quand il fut distrait par un bruit derrière lui.

– Mon ami... dit une voix familière depuis le couloir. J'ai craqué un autre système cette nuit. Tu ne vas pas me croire, un travail mémorable !

Alex se retourna brusquement et le vit, en face de lui.

Debout sur ses jambes, le regard radieux et les bras tendus comme pour l'embrasser.

– Marco...

Jenny recula jusqu'à Alex, éperdue d'angoisse.

– Qu'est-ce qui se passe ? Est-ce que nous rêvons ? demanda-t-elle.

Ses mains étaient glacées, et elle tremblait de la tête aux pieds.

Alex ne sut que répondre, tandis que Clara et Marco les regardaient fixement.

– Hé, mon ami, reprit Marco, tu ne sens pas cette chaleur ?

Alex étreignit Jenny et la serra contre sa poitrine pour la détourner de la scène qui se déroulait sous ses yeux. Le corps de Marco, enveloppé de flammes, brûlait. Un sourire hébété flottait sur son visage, tandis que des lambeaux de peau et de chair se détachaient de son corps et tombaient sur le sol.

– Non ! s'écria Alex, alors que Jenny se dégageait de son étreinte.

Il se produisit la même chose dans la cuisine. Le plat tomba des mains de Clara, tandis que son tablier prenait feu et qu'elle était dévorée par les flammes.

Jenny resta paralysée, un nœud dans la gorge l'empêchait de parler. Elle mit sa main sur sa bouche, et chercha Alex de l'autre.

– Dis-moi que c'est un cauchemar, je t'en prie…, parvint-elle enfin à articuler, incapable de détacher son regard du tas de cendres amoncelées sur le carrelage de la cuisine.

– Tout ça, c'est ce qui se passera dans quelques heures, dit une voix rauque derrière eux, au loin.

Alex et Jenny se retournèrent, mais le couloir était vide. Ils le parcoururent dans l'autre sens, en évitant les restes du corps de Marco. Lorsqu'ils furent dans l'entrée, la voix recommença à parler, plus proche d'eux :

– C'est la fin qui nous attend tous, quand la roche se désintégrera dans l'atmosphère terrestre.

Alex serra la main de Jenny dans la sienne, et ils se dirigèrent vers la salle aux allures de taverne où ils avaient dîné, et d'où semblait venir la voix.

Quand ils entrèrent dans la pièce, la dame âgée qui se trouvait la veille au soir dans son fauteuil près de la cheminée n'était plus là.

– Content de vous voir, les enfants. Je m'appelle Thomas Becker.

Assis les jambes croisées, une espèce de bloc-notes et un crayon dans les mains, il ressemblait à un vieux professeur à la retraite. La faible lumière de la lampe se reflétait sur son crâne chauve. Ses joues creuses et son front sillonné de rides profondes lui donnaient l'air d'avoir au moins quatre-vingts ans. Sa voix profonde, chaleureuse, était râpeuse et envoûtante comme celle d'un acteur accompli.

– J'ai certaines réponses, oui, mais pas toutes, dit l'homme. La plus importante, vous devrez la trouver seuls.

– Mais vous..., tenta de répliquer Alex.

– Quand je suis entré pour la première fois à l'université de Dortmund, il y a de cela fort longtemps, je me suis inscrit à la faculté d'astrophysique. Mon père aurait voulu que j'entreprenne une carrière d'avocat, et j'ai hésité jusqu'au bout. Et puis, j'ai suivi mon idée.

Jenny fronça les sourcils, ce n'étaient vraiment pas les réponses qu'elle attendait.

– Deux ans plus tard, poursuivit-il, pendant une conférence, on a entendu des coups de feu devant une salle de cours. Un jeune étudiant avait assassiné un de nos camarades. Tous les journaux en ont parlé. J'étais resté à l'intérieur de la salle, malgré la curiosité qui me poussait à en sortir.

– Mais qu'est-ce que ça veut dire ? l'interrompit Alex.

– Écoutez-moi !

Becker toussota et tapa de la paume de la main sur son bloc-notes.

– Quelques années plus tard, je me suis refusé à demander la main d'une femme que j'aurais pu épouser. Kirsten était belle et intelligente, mais j'étais trop pris par mes études pour lui prêter l'attention qu'elle méritait.

– Pourquoi est-ce que vous nous racontez ça ? intervint Jenny, exaspérée. Où sommes-nous, et qu'est-ce qui nous arrive ?

– C'est la fin du monde, tu ne vois pas ? répondit Becker en regardant autour de lui.

Jenny et Alex le quittèrent alors des yeux, et s'aperçurent qu'ils n'étaient plus dans la salle.

Ils se trouvaient au milieu d'une immense étendue de terre gelée et déserte.

Becker leva les yeux vers le ciel, et ils l'imitèrent : l'astéroïde rouge, incandescent, semblait de plus en plus près. Il laissait derrière lui un sillage de débris semblable à celui d'une comète et paraissait tourner sur lui-même dans sa chute vertigineuse vers la Terre.

– Qu'est-ce que… ?

Alex saisit le poignet de Jenny.

– Ce n'est qu'un autre message, dit Becker.

Le seul moyen que j'aie de vous parler. Quand je disparaîtrai de votre esprit, nous ne nous reverrons plus.

– Mais comment échapper à tout ça ? Et Memoria, qu'est-ce que c'est ? s'écria Jenny.

– Il ne servirait à rien de vous le dire.

Alex et Jenny échangèrent un regard terrifié, perdu, avant de s'apercevoir qu'ils étaient de nouveau entre les murs de l'espèce de taverne. Les fusils du grand-père suspendus au-dessus de la cheminée leur donnèrent soudain un sentiment de sécurité.

– Pourquoi mes parents m'ont-ils fait subir des électrochocs ? demanda Alex. Et dans ma dimension, pourquoi la nounou de Jenny l'a-t-elle tuée ?

– Parce que ceux qui sont comme nous, répondit Becker, occupé à griffonner quelque chose sur son bloc-notes, ont en eux une lumière qui resplendit. Les personnes qui vous ont fait du mal n'en étaient pas conscientes. Elles l'ont fait, c'est tout. Il existe une énergie qui donne la vie et la détruit. Elle se manifeste dans la réalité qui nous entoure, circulant simplement autour de nous, invisible, indéfinissable. Elle gravite autour de nos vies et parfois s'en empare.

– Je n'y comprends rien ! s'impatienta Alex.

– Ce ne sont pas tes parents qui t'ont imposé des électrochocs. Ce n'est pas la nounou de

Jenny qui l'a assassinée, de même que toi, Alex, tu n'as pas été tué par une foule déchaînée.

Alex repensa au moment où il était mort, poignardé.

– Chacun de nous vit un nombre potentiellement infini de vies. Peu de gens en ont conscience. Vous en faites partie. Mais l'âme qui relie chacune de nos existences individuelles... est une seule. J'ai en moi tous les Thomas Becker que j'ai décidé de ne pas être. Il y a celui qui a épousé Kirsten. Celui qui a suivi le conseil de mon père et s'est lancé dans une carrière d'avocat...

Jenny eut un petit mouvement de la tête, les idées confuses. Alex continua de fixer le vieil homme.

– ... et il y a celui qui est mort jeune, en sortant de la salle après avoir entendu le premier coup de feu et s'être interposé entre les deux étudiants. Mais il en existe encore beaucoup d'autres que je ne peux même pas imaginer. Ou dont je n'arrive plus à me souvenir.

Jenny haussa les sourcils et resta sans voix, tandis qu'Alex retrouvait le raisonnement qui l'avait porté à croire qu'elle abritait une partie de l'âme de la petite Jenny assassinée par Mary Thompson.

– L'astéroïde va tout détruire, n'est-ce pas ? demanda Alex. Toutes les possibilités de notre vie seront détruites ?

Le professeur fit une pause et sourit.

– La fin fait partie du commencement. Il n'y a pas de cause à effet, c'est vous qui vous déplacez entre les causes et les effets.

Alex baissa les yeux et hocha la tête avec consternation. Une explication de ce genre aurait pu convenir à un cerveau comme celui de Marco, pensa-t-il, mais pour lui, c'étaient les divagations d'un fou.

– L'astéroïde tombera, reprit Becker. Il tombera dans tous les univers possibles. L'heure approche, maintenant. Tout ce que vous connaissez est destiné à finir.

Le professeur leva les yeux de son bloc-notes et regarda Jenny et Alex comme s'il ne voulait pas laisser échapper l'expression de curiosité qui se peignait soudain sur leur visage.

– Écoutez, dit Alex d'un ton décidé, s'il y a un moyen de nous sauver, dites-le-nous pendant qu'il est encore temps.

Becker le fixa intensément. Il ancra son regard dans le sien tandis que tout se dissolvait et disparaissait autour d'eux, comme si les murs, les tables, les chaises et le carrelage étaient aspirés dans un tourbillon, laissant le vieil homme et les deux jeunes gens dans des limbes éthérés, impalpables, où n'existaient plus que des regards et des voix. Puis il tourna son bloc-notes vers Alex et Jenny, et tendit le bras pour leur montrer ce qu'il avait griffonné.

L'inscription, appuyée et repassée avec force sur le papier, presque au point de le déchirer, était :

MEMORIA

37

La boîte était toujours restée au même endroit.

Depuis que Marco avait emménagé dans cet appartement, elle n'avait jamais changé de place. Dans la commode près de la fenêtre de la chambre, premier tiroir du haut.

Il la prit, déjà les larmes aux yeux.

Il la posa sur ses jambes, appuya ses mains sur les roues de son fauteuil, qu'il conduisit dans l'autre pièce. Dans sa bien-aimée « salle des ordinateurs », qui avait été son royaume pendant toute une période, et qui n'était plus désormais qu'un salon inutile, rempli de circuits sans vie à cause de la coupure totale du courant électrique. Marco observa ses ordinateurs, un nœud dans la gorge. « Merci. Je ne m'en serais jamais sorti sans vous. C'est la nature qui gagne. Comme toujours, d'ailleurs… »

Il jeta un coup d'œil par la fenêtre. Il observa le ciel, découvrant comme une fresque aux couleurs magnifiques. On aurait dit la grande tache de Jupiter.

Marco eut un sourire amer en regagnant sa chambre.

– Allons, conviens-en ! Tu penses que c'est une vraie tache, Alex, avait-il dit à son ami, une nuit, amusé, et fier de son savoir. En fait, ce n'est qu'une énorme tempête, un ouragan qui se déchaîne depuis des siècles à la surface de Jupiter. Quand nous la regardons, nous avons l'impression qu'elle est immobile. En réalité, c'est un véritable cataclysme naturel ! Tu vois ? Tout est relatif. L'observation peut tromper, tout dépend de la distance.

– C'est vrai, je croyais qu'il s'agissait de quelque chose d'étrange à la surface de la planète. Une sorte de dessin gigantesque sur le sol.

– Alex, Jupiter n'a pas de sol. C'est une planète gazeuse, et non pas rocheuse comme la Terre.

– Je me rends. Laisse tomber et allume la PlayStation !

Il se rappelait leur conversation comme si c'était hier.

« Comme tu me manques, mon ami ! Qui sait où tu es en ce moment. »

Marco posa la boîte sur le lit et l'ouvrit.

Les photos de son enfance.

Les cartes de vœux pour ses parents qu'il dessinait lui-même quand il était petit, avec des fenêtres en papier qui s'ouvraient sur des surprises.

Les photos de son labrador, Canon. Il l'avait perdu un an avant la mort de ses parents. Ce chien avait été comme un grand frère pour lui.

« Il doit y avoir une dimension dans laquelle ma vie s'est bien passée, où j'ai vécu avec ma famille, mon chien, mes jambes… »

Marco s'arrêta sur une photo de son père en train de pêcher, sa canne à pêche à bout de bras, la tête tournée vers son fils qui jouait avec les asticots. Quand il pouvait encore courir.

Le sourire de son père, le bonheur dans le regard de sa mère en train de préparer le pique-nique. Un nœud de nostalgie. Marco serra la photo contre sa poitrine.

– Je n'ai jamais cru en une entité supérieure, dit-il à haute voix, comme s'il déclamait devant un public invisible. J'ai toujours cru en la science. Je ne pense pas qu'il y aura de lendemain. Notre temps est arrivé à son terme, cet amas de roche sera notre générique de fin. Mais si jamais il y avait une deuxième possibilité, si jamais il y avait un *après*… j'aimerais tellement vous embrasser de nouveau !

Les larmes coulèrent le long du visage de Marco, puis tombèrent sur la photo, se mêlant aux visages de ce jour de bonheur désormais enfoui dans les abîmes de la mémoire.

L'ami fraternel d'Alex garda les yeux fermés

pendant quelques minutes. Il pleura et sanglota jusqu'à en perdre le souffle. Toutes les études qu'il avait menées, tous les miracles technologiques qu'il avait tentés, élaborés... tout allait disparaître. Il n'y aurait pas d'aube nouvelle.

Il ne se réveillerait plus en se demandant : « Qu'est-ce que je vais inventer aujourd'hui ? »

Il ne pourrait plus ouvrir cette boîte, pour pleurer et se libérer de la souffrance qui l'accompagnait depuis trop longtemps.

Marco porta les mains à son visage et les passa dans ses cheveux. Il resta encore quelques instants, la photo pressée contre son cœur. Le seul endroit que ses parents n'avaient jamais quitté.

Puis, soudain, un bruit retentit qu'il n'avait jamais entendu auparavant. Comme un coup de tonnerre suivi d'un bruit semblable à celui d'un tremblement de terre. Mais il venait d'en haut.

Marco fit rouler son fauteuil jusqu'à la fenêtre, et regarda.

Dehors, c'était la panique. Les gens se déversaient dans les rues de la ville : certains restaient immobiles, la tête levée, d'autres couraient au hasard, d'autres encore fermaient les yeux pour ne pas voir. Les cris, les hurlements des chiens, les exclamations de la foule qui regardait le ciel, créaient un vacarme assourdissant, effrayant. Mais il était couvert par le grondement plus terrifiant encore qui semblait engloutir la planète.

Il était au-dessus de leurs têtes.

Énorme.

Puissant.

Le dernier chapitre était en train de s'écrire. Il avait la forme d'une bande incandescente qui coupait le ciel en deux, et même Marco, malgré ses connaissances en physique astronomique, ne pouvait prévoir où il tomberait exactement, ni quel genre de dommages il causerait. Ce qu'il savait, c'était qu'à partir du moment où il s'écraserait sur la Terre, un puissant séisme se propagerait tout autour, dans un rayon de plusieurs milliers de kilomètres. Comme une pierre jetée dans la mer, il produirait des ondes circulaires qui atteindraient les endroits les plus reculés de la planète. Il provoquerait des tsunamis dans les océans, des séismes sur la terre ferme, des bouleversements climatiques et le déplacement de l'axe terrestre. Marco se redressa, se cramponnant à son fauteuil. Son cœur battait à tout rompre, ses yeux écarquillés fixaient l'astéroïde qui allait tout détruire.

La vitre de la fenêtre devant lui se mit à vibrer, tandis que les murs tremblaient et que ses précieux livres d'étude tombaient un à un des étagères. Les arbres commencèrent à ondoyer et à s'agiter comme les vagues d'un gigantesque océan dans la tempête, tandis que les antennes s'envolaient des toits, arrachées par la furie du vent.

L'écho des cris, des pleurs et des délires montait de la rue. Marco observait en silence, immobile, impuissant. Il ne descendrait pas dans les rues de la ville, il ne participerait pas à cet apocalyptique chœur final, qui suppliait la nature d'avoir pitié. Il assisterait à la destruction totale depuis sa fenêtre.

Il ferma les yeux.

« C'est fini », pensa-t-il, en tenant la photo du pique-nique serrée contre son cœur.

38

Alex se redressa brusquement, haletant.

Les jambes encore sous la couverture, la poitrine nue, les mains engourdies.

En face de lui, l'armoire. À sa gauche, la chaise sur laquelle il avait posé son jean et son pull la veille au soir. Le tout baignait toujours dans l'obscurité, traversée seulement par quelques faibles rayons de lumière qui passaient par les fentes du store.

– Jenny ! s'écria-t-il en se tournant vers elle.

La jeune fille, couchée à côté de lui dans le lit où ils avaient fait l'amour, avait les yeux grands ouverts. Elle s'étira lentement, puis le regarda fixement sans parler.

– Ce n'était pas un rêve, n'est-ce pas ? demanda-t-il, tandis que leurs pensées se rejoignaient.

– J'ai vu les mêmes choses que toi. Vers quoi allons-nous ?

– C'est la seule réponse qu'il ne nous a pas donnée.

– C'est la seule que nous cherchions.

– Dépêchons-nous ! Partons d'ici.

Ils revêtirent rapidement leurs propres habits, qui avaient eu le temps de sécher pendant la nuit. Ils ouvrirent la porte, descendirent l'escalier à toute vitesse, et arrivèrent au rez-de-chaussée. Il n'y avait personne. La maison était silencieuse, et ils n'entendaient plus les cris ni les coups de feu qui avaient retenti la veille au-dehors.

Ils se précipitèrent dans la cuisine, mais la trouvèrent vide. Personne dans les chambres à coucher, personne dans la salle de bains.

« La taverne », pensa Alex en courant vers la salle où ils avaient été accueillis le soir précédent.

Lorsqu'il entra, il ne vit que la vieille grand-mère assise dans son fauteuil à bascule comme si de rien n'était. Elle l'observa avec un sourire énigmatique. Puis elle hocha lentement la tête. Elle semblait sereine, et avait le regard de ceux qui ont compris qu'arrive la fin des temps.

Alex retourna dans l'entrée, prit Jenny par le bras, et ouvrit la porte.

Ils étaient tous dehors. Tous les habitants de la rue. Pétrifiés. Le regard tourné vers le ciel.

– Ça, c'est réel, dit Alex en levant les yeux.

C'était le même ciel que Marco pouvait voir dans sa dimension d'origine. Le même ciel que n'importe qui, dans n'importe quel coin de l'infini Multivers, observait à cet instant précis. Un enchevêtrement de nuages poussés sans cesse par le vent, un brassage de vapeurs qui se heurtaient dans les airs, se mêlant aux couleurs enflammées d'un coucher de soleil impossible et, au centre de cette fresque confuse, bariolée, l'astéroïde majestueux, puissant, avec son long sillage embrasé qui se perdait dans l'espace.

Jenny regarda la route où se levait une violente tempête de poussière. Les familles qui habitaient les petites maisons du village étaient là. Les femmes, les hommes, les enfants, tous s'embrassaient et se tenaient par la main. Personne ne fuyait, personne ne se laissait prendre par la panique insensée qui s'était répandue au cœur de la métropole. Cela n'aurait servi à rien.

– Qu'est-ce qu'on fait ?

Effrayé, Alex se tourna vers Jenny, tandis qu'un bruit indéterminé, lointain, mais qui devenait de plus en plus proche, brisait le silence irréel.

– Je ne sais pas. Qu'est-ce qui se passe là-bas ?

Une foule apparue au bout de la route courait vers eux, enveloppée dans un nuage de poussière et de débris. Les cris des gens se perdaient dans l'air. Ils venaient de la ville, ils étaient nombreux, très nombreux, et se rapprochaient de plus en plus.

– Jenny ! Partons d'ici ! cria Alex.

Son regard restait fasciné par la foule désordonnée qui se précipitait en avant, paniquée, mais son corps se tournait déjà de l'autre côté, prêt à s'enfuir.

– Par là ! dit Jenny, avant de s'élancer.

Dès qu'ils se mirent à courir, un grondement d'une intensité inouïe retentit, faisant trembler la terre pendant quelques secondes, et vaciller toutes les maisons, tous les bâtiments autour d'eux. C'était comme un coup de tonnerre, qui semblait marquer le début d'un spectacle, majestueux comme des timbales d'orchestre. Le vent se renforçait, la poussière dansait, tournoyait avec l'énergie d'une tornade. Les gens dans la rue se regardèrent, atterrés, puis se ruèrent dans la même direction qu'Alex et Jenny. Ils étaient suivis par la foule qui venait de la ville et approchait comme une vague qui submerge tout.

Il n'y avait plus aucune règle. Aucun couvre-feu, aucun plan d'évacuation.

Il n'y avait plus que le monde en proie au délire.

Alex et Jenny couraient à perdre haleine. De temps en temps, ils se retournaient pour jeter un coup d'œil à la masse de gens derrière eux. Certains tombaient et étaient écrasés par les autres, des vieux étaient renversés ou restaient en arrière. Tous criaient, mais les hurlements se perdaient dans le fracas qui avait suivi le grondement, un bruit sourd et terrifiant, tel celui de la terre qui tremble.

En quelques minutes, Alex et Jenny se retrouvèrent en pleine campagne.

– Regarde, regarde Milan ! s'écria Alex, tandis que ses yeux se perdaient au loin, au-delà d'une passerelle de la gare. Un manteau de fumée noire recouvrait la ville, l'engloutissant.

– Mon Dieu, il est de plus en plus près ! Qu'est-ce qu'on peut faire ? demanda Jenny en observant la course de l'astéroïde dans le ciel.

Alex ne répondit pas, il s'arrêta un instant, à bout de souffle. Il voyait dans sa tête les yeux intelligents et assoiffés de connaissance de son meilleur ami, piégé sous cette fumée, emprisonné dans un immeuble qui allait être anéanti comme tout le reste.

« Marco, mon ami », pensa Alex en fermant les yeux, et en essayant de ne pas penser à la fin qui attendait la seule personne qui avait vraiment cru en lui.

Une autre secousse terrestre sous leurs pieds s'accompagna d'un terrible grondement, plus assourdissant encore que le précédent.

– Là-bas ! s'écria Jenny en désignant une station-service qui se dressait au bord de la nationale.

Sa voix ne pouvait parvenir à Alex. Elle était étouffée par le bruit sourd qui couvrait tout. Alex réussit quand même à voir ses lèvres bouger et à suivre la direction de son doigt tendu vers la station-service. Il courut vers elle.

Ils arrivèrent derrière le bâtiment en quelques secondes. Ils en firent le tour et se trouvèrent devant la porte d'entrée du Restoroute, tandis que du ciel des grêlons commençaient à tomber furieusement, fendant la couche de fumée et de poussière au-dessus de leur tête. L'averse de grêle s'accompagnait d'éclairs rapides, comme si dans l'espace, quelqu'un voulait immortaliser à l'aide d'un énorme flash chaque instant de ce cataclysme naturel.

Dès qu'Alex eut refermé la porte derrière eux, ils virent ce qu'il se passait à l'intérieur. Six ou sept personnes se tenaient immobiles devant les fenêtres, la tête levée, le regard hypnotisé. D'autres, surtout des femmes et des vieux, s'étaient jetés à terre. Recroquevillés derrière le comptoir, ou près des étagères, ils avaient les mains sur les oreilles pour tenter de se protéger de l'explosion de décibels qui assourdissait tout le monde.

Une radio diffusait *Moon River* par quatre enceintes accrochées aux murs, mais la voix de Frank Sinatra n'arrivait pas à se faire entendre, couverte par le fracas auquel se mêlait le bruit de la tempête de grêle qui faisait rage au-dehors.

– Dieu ait votre âme…, dit une femme en s'agrippant au pull d'Alex et en braquant sur lui des yeux écarquillés, pleins de larmes. Ses paroles étaient quasiment inaudibles, tandis que les fenêtres du restaurant tremblaient, et semblaient être sur le point d'exploser en mille morceaux.

Alex interrogea Jenny du regard. Elle l'attira à elle par le bras et le fixa intensément.

– *Je ne veux pas mourir ici. Nous trouverons ce maudit endroit !*

Alex inspira profondément, puis acquiesça d'un signe de tête, et quelques instants plus tard, ils étaient de nouveau dehors.

Ils coururent tous deux le long de la route dans la direction opposée à celle qui allait à Milan. Mais surtout, dans la direction opposée à la violence du vent. Ils avaient les jambes lourdes, et la force contraire de la tempête soufflait contre leur poitrine, les empêchant d'avancer.

Ils s'arrêtèrent sous un pont, dans un endroit apparemment désert.

– Je n'en peux plus, dit Alex en posant les mains sur ses genoux et en se penchant en avant.

Son visage était couvert de poussière, cette poussière de débris qui avait désormais remplacé l'air, et qui rendait la respiration difficile.

Jenny s'approcha de lui, l'air décidé.

– Becker a dit que le seul espoir de salut était Memoria. Mais comment y arriver ?

– Si seulement il nous avait révélé ce que ça peut bien être… Nous allons tous brûler, ici !

Alex jeta un coup d'œil au-delà du pont sous lequel ils s'étaient réfugiés. Ils avaient l'impression d'être au milieu d'une tornade. Des éclairs et des coups de tonnerre se succédaient sans cesse à présent, résonnant sous leur abri.

– Marco est là-bas. Au milieu de cette fumée. Il ne pourra pas sauver sa vie.

– Nous non plus, si nous ne trouvons pas immédiatement cet endroit.

39

Alex lança un coup d'œil au-delà du pont et comprit qu'ils n'avaient plus le temps. Dans le ciel, la bande incandescente semblait annoncer la fin imminente de sa course. Faites vos jeux, mesdames et messieurs, rien ne va plus !

Tout se déclencha en un instant. Les yeux d'Alex se fermèrent, tandis que les paroles du voyant malais commençaient à tourner dans sa tête.

« Je vois toi faire grand saut… Toi grand saut dans océan noir. »

Puis un flash le ramena à la veille au soir, quand il avait vu le symbole sur le casque du père de famille qui les avait hébergés.

« Ce signe, il était sur la carte du voyant. Il me l'avait montré. C'était mon avenir. »

– Suis-moi, Jenny ! Il faut aller au chantier !

Alex la prit par la main, ils sortirent de sous le pont et se mirent à courir sur la nationale, tandis que de chaque côté de la route, les champs étaient dévorés par les flammes. De temps en temps, ils croisaient des voitures en feu et des groupes de personnes qui fuyaient aveuglément. La tempête de grêle faisait rage, soulevant des nuages et des nuages de poussière. Ils se rendirent bientôt compte que ce n'étaient pas des grêlons. Ce n'étaient que des débris. Des millions de petits fragments qui jaillissaient de partout, comme l'avancée de pions précédant l'arrivée du roi. Et le roi allait porter son dernier coup.

Alex et Jenny couraient sous cette tornade de débris minuscules qui tournoyaient furieusement, un bras replié devant leur front pour se protéger les yeux. Alex connaissait cet endroit, resté identique à celui de sa dimension d'origine : les travaux pour le nouveau centre commercial se trouvaient à quelques centaines de mètres, il le savait, il était souvent passé devant avec son père. C'était un de ces lieux qui appartenaient à la fois à sa réalité et à celle de Jenny. Dans ces deux mondes, au même endroit, une nouvelle galerie marchande allait s'élever avec toutes sortes de magasins.

Ils avancèrent à toute allure, sans s'arrêter, dépassant un petit libre-service de la chaîne Ben's Corner, dont la vitrine avait été défoncée. Tous deux se rappelèrent alors le récit que Carlo leur avait fait du pillage : ils se rendirent compte que leur dernier dîner dans cette vie avait été le fruit d'un vol dans ce magasin.

Lorsque les premières excavatrices jaunes sur lesquelles se détachait l'inscription WHITEWORKER se dessinèrent au loin, près d'une grue, Alex se mit à courir encore plus vite. Jenny accéléra à son tour, essoufflée, le cœur battant à tout rompre, ses cheveux couverts de débris et de poussière flottant dans le vent.

– Nous y sommes, dit Alex en ralentissant près d'une série de cabines bleues où était écrit TOILETTES MOBILES. Le voyant malais savait déjà où nous serions aujourd'hui. C'est incroyable…

– Pourquoi sommes-nous là, Alex ? demanda Jenny après avoir dépassé quelques barrières, tandis que devant eux s'ouvrait le gigantesque trou creusé pour bâtir le centre commercial : une cavité d'au moins cent mètres de large, deux cents mètres de long, et une cinquantaine de mètres de profondeur. Le mur de feu qui avançait de la campagne en flammes se rapprochait rapidement du cratère.

– Parce que c'est écrit, répondit-il en fixant le vide.

« Je vois toi faire grand saut… grand saut dans océan noir. » La voix du voyant continuait à résonner dans sa tête. Jenny aussi pouvait l'entendre, à présent.

– Tout ce que nous avons fait nous a conduits ici. Cela *devait* nous conduire ici.

– *J'ai peur, Alex,* pensa Jenny.

Au même moment, leur regard fut happé par le ciel : la ligne incandescente que l'astéroïde traçait au-dessus de leur tête subit une soudaine déviation vers le bas. Deux secondes plus tard, le sillage jaune et rouge qui venait de déchirer l'atmosphère s'élargit rapidement pour aller s'éteindre derrière les montagnes de la province de Bergame qui se découpaient à l'horizon. S'ils avaient déjà entendu peu auparavant des grondements capables de couvrir n'importe quel autre son, celui-ci fut cent fois plus fort. L'impact fut terrifiant, faisant trembler la terre sous leurs pieds, comme si quelqu'un, dans l'espace, *agitait* la planète à la manière d'une boule à neige. Un énorme nuage de fumée s'éleva au-dessus des montagnes, envahit le ciel, tandis qu'Alex et Jenny, serrés l'un contre l'autre, observaient la scène, pétrifiés.

– Nous n'avons plus le temps ! s'écria Alex en se tournant vers Jenny et en la regardant dans les yeux.

La violence du vent ressemblait au souffle puissant d'un géant invisible qui aurait poussé les flammes de la campagne vers eux.

– C'est la fin, murmura Jenny, en serrant le triskèle dans ses mains, le regard perdu dans celui d'Alex.

– Je t'aime, Jenny.

Alex avait les yeux brillants, et tremblait de peur.

– Moi aussi. Depuis toujours...

Elle se pressa contre lui, leurs lèvres se joignirent en un dernier baiser. C'était un instant hors du temps, une promesse d'union éternelle. Ils s'embrassèrent comme si c'était la première fois. Comme s'ils étaient sur la jetée d'Altona, silencieuse et magique, seuls, avec les vagues en toile de fond. Mais il n'y avait pas de constellation d'Orion pour veiller sur eux.

Ils rouvrirent brusquement les yeux.

– Nous allons brûler, Jenny ! Il faut sauter, dit Alex, alors qu'ils dépassaient la dernière barrière de protection devant le précipice.

Elle lui serra la main plus fort, elle ne la lâcherait pour rien au monde.

– Un...

Une vague de chaleur les enveloppa soudain, comme si l'astéroïde avait ouvert une telle blessure dans l'atmosphère terrestre qu'elle ne pouvait plus réduire la puissance des rayons solaires.

– Deux...

Alex et Jenny regardèrent l'abîme devant eux, tandis que d'autres dizaines de boules enflammées jaillissaient dans le ciel, tel un gigantesque spectacle de feux d'artifice. Elles s'étaient détachées de l'astéroïde au moment de son entrée dans l'atmosphère, et à présent elles tombaient partout à toute vitesse : des centaines de bombes atomiques prêtes à raser le continent. C'était la manifestation de la nature la plus incroyable qui eût jamais été offerte aux yeux des hommes. La dernière démonstration de force du cosmos, comme pour insister sur la supériorité écrasante des lois de l'univers sur la petitesse de l'humanité.

– Trois ! cria Alex, la main de Jenny ne faisant plus qu'une avec la sienne.

Ils prirent leur élan et sautèrent dans le vide, juste avant qu'une pluie de projectiles de roche incandescente dévaste tout autour d'eux, écrivant le mot « fin » sur l'histoire de l'humanité.

Pendant leur chute, les images et les souvenirs les plus intenses de leur vie se projetèrent dans leur tête.

Roger Graver racontait à la petite Jenny l'histoire des constellations, en faisant de drôles de gestes et en prenant toutes sortes de voix pour incarner les dieux de l'Olympe.

Marco, un grand sourire aux lèvres, ses télécommandes de couleurs différentes à la main, interrogeait Alex sur les fonctions de chacune.

Clara préparait ses délicieuses infusions pour soigner Jenny quand elle avait mal au ventre, elle la caressait et la faisait éclater de rire chaque fois qu'elle lui effleurait le nombril.

Giorgio et Valeria Loria étaient au premier rang pour voir Alex, lorsqu'il avait joué le rôle de d'Artagnan sur scène à l'école primaire, et qu'il avait été chaleureusement applaudi par l'ensemble des parents.

Puis, soudain, tout devint noir.

40

La première sensation d'Alex fut une odeur de cuir. Elle pénétra tout doucement ses narines, tandis qu'il essayait de distinguer plus nettement les ombres confuses autour de lui. Il était entouré de couleurs floues, de voix qui se chevauchaient, il avait la tête lourde et le dos écrasé contre le sol. Lorsqu'il recommença à percevoir la tension nerveuse de ses muscles, il essaya péniblement de tendre le cou. Les visages inquiets des camarades de son équipe prirent forme l'un après l'autre. Son bras droit entourait le ballon serré contre sa hanche. Il le laissa tomber et se leva lentement, une douleur lancinante passant d'une tempe à l'autre.

– Ça va, capitaine ? demanda une voix à sa droite.

Alex ne répondit pas. Ses yeux croisèrent ceux de l'arbitre, qui le fixait, préoccupé. L'air du gymnase était vicié et l'odeur de transpiration le saisit soudain, le ramenant en plein milieu d'une scène qui semblait appartenir à un passé très lointain. Le lancer franc. Le match. L'évanouissement.

« Je suis vivant, nous sommes tous vivants. »

Une fois debout, il repoussa sa mèche de cheveux blonds en arrière, tandis que l'arbitre s'approchait de lui et lui posait la main sur l'épaule.

– Que t'est-il arrivé ?

– Je ne sais pas.

Au moment où il parlait, les traits du visage de Jenny apparurent dans son esprit. Ses yeux noisette, sa peau dorée, et ce sourire qu'il ne reverrait peut-être jamais. Ou qu'il n'avait peut-être *jamais* vu.

– Je ne comprends pas...

L'homme en uniforme noir, sifflet autour du cou, haussa les sourcils, puis ramassa le ballon par terre et le tendit à Alex.

– Tu te sens capable de continuer ? Il n'y a plus que dix secondes avant la fin du match. Ensuite, je t'emmènerai à l'infirmerie.

Alex fit signe que oui, il prit le ballon et se prépara à tirer le lancer franc. Ses camarades le regardaient toujours d'un drôle d'air, perplexes. Son tir fut faible : la balle effleura tout juste le filet sous l'arceau. Elle rebondit au-delà du panier et arrêta sa course à côté des petits matelas bleus. Alex la regarda fixement, sans bouger. Le capitaine de l'équipe adverse alla la ramasser, puis reprit le jeu depuis la ligne de fond. Tandis qu'Alex restait immobile en zone d'attaque, les adversaires mirent un panier à trois points, décisif, et s'embrassèrent en exultant. Quelques secondes plus tard l'arbitre siffla la fin du match. Alex baissa la tête, étourdi, confus. Ses camarades le regardèrent de travers en quittant le gymnase. L'un d'eux hocha la tête, consterné. Un autre s'approcha de lui, l'air moins contrarié.

– Il y a quelque chose qui ne va pas, capitaine ?

– Combien de temps est-ce que je suis resté par terre ? demanda Alex, en se dirigeant vers les vestiaires.

– Heu... vingt, trente secondes... (Son ami fronça les sourcils.) Tu ne te sens pas bien ?

« Ça ne pouvait pas être un rêve, c'est absurde... »

Alex ne répondit pas et le laissa s'éloigner. Quand il vit l'arbitre s'avancer vers lui, il leva la main gauche et regarda ailleurs.

– Laissez tomber, je n'ai rien.

Le reste de l'équipe prit le passage qui menait au vestiaire, mais Alex, apercevant son sac à dos posé à côté du banc de l'entraîneur, le ramassa et disparut derrière une porte. Il monta l'escalier qui conduisait au premier étage. Les couloirs étaient déserts. « Les cours ne doivent pas encore être finis », pensa-t-il. Il passa devant les toilettes, les portes de plusieurs classes, et arriva enfin à l'escalier qui menait vers la sortie de l'école. Il le descendit lentement, revoyant défiler dans sa tête les diapositives de tout ce qu'il avait découvert à partir du moment où il s'était évanoui. Vingt, trente secondes tout au plus. Marco le lui disait toujours : « Le temps des rêves n'a rien à voir avec le temps réel. »

Mary Thompson, la jetée d'Altona, la carte prépayée de Marco, la boîte portant l'inscription CADRES, son père qui clouait une planche de bois sur la fenêtre, les fourgons de l'armée, le triskèle au cou de Jenny, le dessin qui représentait l'astéroïde, le trou du centre commercial.

Tout cela tournait pêle-mêle dans sa tête. Chaque détail émergeait peu à peu au rythme de ses pas. Pendant le trajet du lycée à la maison, il leva plusieurs fois les yeux vers le ciel. Milan était couvert de nuages, mais c'étaient les habituels nuages gris qui enveloppaient la ville l'hiver pour l'abandonner au printemps.

Pas le moindre astéroïde, pas la moindre vision apocalyptique.

Alex marchait en regardant autour de lui. Un couple de gens âgés l'observa avec curiosité. Il portait encore le tee-shirt jaune et bleu de son équipe, ainsi que son short, alors qu'il ne faisait que cinq degrés. Mais il ne sentait pas le froid. Ce qu'il sentait, c'était une impression de dépaysement. Les détails, dans la rue, lui paraissaient aussi banals qu'incroyables.

Certaines vitrines arboraient déjà les décorations de Noël. Une inscription lumineuse en ampoules LED souhaitant de BONNES FÊTES était suspendue au-dessus du croisement de la via Porpora et du viale Lombardia. La circulation était aussi chaotique que d'habitude, avec le concert inévitable de klaxons dès que le feu passait au vert. C'était toujours cette bonne vieille ville de Milan, ni plus ni moins.

« Il n'existe aucun Multivers », pensa Alex, devant le 22, viale Lombardia, en parlant à l'interphone. Personne ne répondit. C'était l'heure du déjeuner, ses parents devaient être à leur travail. Logique, réfléchit-il, en hochant la tête, la fin du monde n'était pas imminente. Les distributeurs de billets fonctionnaient. Internet n'avait pas été coupé. Les gens allaient travailler. Et lui, il continuait à se répéter sans arrêt la même phrase depuis plusieurs minutes : « Je suis un idiot. »

Il mit la main dans la poche extérieure de son sac et y trouva ses clés.

À l'endroit habituel, comme toujours.

Il ouvrit la porte de l'immeuble, et monta l'escalier en se passant la main sur le front. Avait-il vraiment pu rêver toute cette histoire en trente secondes ? Peut-être et, dans un certain sens, c'était une bénédiction. Rien de ce qui l'entourait n'était réduit en cendres. Mais cela signifiait aussi que Jenny n'existait pas.

Elle n'existait nulle part.

Il entra chez lui et aperçut le petit mot que sa mère avait posé sur le meuble, près du vestibule. « À côté du micro-ondes, il y a une tarte salée. Et surtout fais ton travail ! Bises, maman. »

Il alla dans sa chambre, laissa tomber son sac à dos près du lit, et s'assit. Il était chez lui. Rien de différent. Rien de nouveau. Rien d'étrange.

– En trente secondes j'ai réussi à rêver de la fille la plus belle que j'aie jamais vue, et de la pire catastrophe qui puisse arriver, murmura-t-il en hochant la tête, un sourire ironique sur le visage.

Mais il se rappelait tout ce dont il avait rêvé.

Chaque détail.

« C'est impossible », pensa-t-il en se levant brusquement de son lit pour aller s'asseoir devant son PC. Il l'alluma, attendit que les applications se chargent, puis tapa sur Google : « Jennifer Graver Blyth Street Melbourne. »

Parmi les premiers liens, une adresse Facebook attira son regard. La souris glissa dessus presque automatiquement.

Lorsqu'il ouvrit la photo du profil de la fille qui correspondait à ce nom, Alex appuya son coude sur le bord de son bureau et ramena en arrière la mèche blonde qui retombait sur son front.

– Je le savais, dit-il, sans parvenir à comprendre

s'il était plus heureux d'avoir découvert que Jenny existait, ou plus angoissé d'avoir la confirmation que toute cette histoire n'avait pas été un simple cauchemar.

Parmi les renseignements personnels qui concernaient la jeune fille, il y avait son numéro de téléphone portable et son adresse mail. Alex sortit son portable de son sac et composa le numéro.

Silence.

Tonalité.

– *Hello* ?

Silence. Les yeux d'Alex fermés. Les yeux de Jenny grands ouverts, pleins d'espoir.

– Alex, c'est toi ?

– Oui, Jenny, c'est moi. Alors, tu existes vraiment.

– Bien sûr. Et je me souviens exactement de tout ce qui s'est passé.

Un mois plus tard

L'air était frais, la brise légère, tandis que le soleil allait mourir derrière l'horizon sillonné de traînées semblables à des coups de pinceau rouge orangé et de nuées d'oiseaux qui se poursuivaient dans le ciel de Barcelone.

Un garçon de deux mètres de haut fila sur ses rollers devant Alex et Jenny qui quittèrent la promenade du bord de mer pour se diriger vers la jetée.

– Heureusement qu'ils nous ont laissés partir, ça va être un week-end fantastique, dit Jenny, les yeux brillants, la main serrée dans celle d'Alex.

– Et cette fois, je n'ai pas eu besoin d'inventer un prétexte, j'ai simplement demandé la permission. J'ai encore du mal à y croire !

Jenny sourit et baissa les yeux. Puis elle les leva et parcourut rapidement le paysage autour d'elle. La jetée était protégée par deux rangées de rochers, et sur la droite partait une bande de sable qui allait des alentours de Vila Olimpica, où ils se trouvaient à présent, jusqu'au port. Jenny avait déjà visité ces endroits lors de son voyage scolaire. Elle s'en souvenait bien.

– Tu sais, parfois, j'ai l'impression d'avoir rêvé tout ça, dit-elle.

– Oui...

– Je n'entends plus ta voix dans ma tête. Et je fais les mêmes choses qu'avant.

Alex acquiesça.

– Au cours de ce mois-ci, est-ce qu'il t'est arrivé de... *voyager* ? Sauts dans d'autres dimensions, vies alternatives...

– Absolument rien. Et toi ?

Alex répondit par un signe de tête négatif, le front plissé, l'air de continuer à se poser mille questions.

– Si c'était un rêve, comment est-il possible que nous ayons fait le *même* rêve ? demanda-t-il, en s'arrêtant pour contempler le dernier quartier de soleil qui disparaissait entre le ciel et la mer.

Jenny le prit par la main et fit demi-tour sans répondre. Ils parcoururent la jetée dans l'autre sens, vers le bord de mer. Lorsqu'ils atteignirent la promenade, ils s'assirent sur un banc et restèrent silencieux pendant quelques minutes, sentant l'air de la ville catalane se rafraîchir peu à peu.

– Tu vois, reprit-il, j'y ai beaucoup réfléchi ces derniers jours. Si toute cette histoire d'astéroïde avait été vraie, comment expliquer que la réalité dans laquelle nous nous sommes retrouvés soit absolument identique à celle d'où nous venions ?

– Je me le demande, moi aussi. Je vais à l'école chaque matin, le samedi j'ai mon cours de natation avec les mêmes camarades, mes parents vont bien et l'ameublement de la maison n'a pas bougé d'un fil.

– C'est la même chose à Milan. Ce mois-ci, je n'ai pas remarqué un seul détail étrange. Si nous avons échappé à la fin du monde et abouti dans un univers parallèle où l'astéroïde ne s'est pas écrasé, comment est-il possible que notre vie n'ait pas subi le moindre changement ?

Jenny avait le regard fixé sur un point au loin, tandis qu'Alex insistait :

– Ça n'a pas de sens… ça ne… Jenny ? Tu m'écoutes ?

– Moi… oui. Oui, bien sûr, je viens d'avoir une impression de déjà-vu, mais… non. Rien.

– C'est-à-dire ?

– Mais non, c'est impossible.

– Quoi ?

– Là-bas. J'ai cru voir une de mes camarades de classe donner une pièce de monnaie à cet artiste de rue. Tu le vois ?

Alex pencha la tête de côté et regarda derrière une file d'enfants qui suivaient leur maîtresse. Un homme de couleur modelait une sorte d'amphithéâtre en sable juste au-delà du muret qui séparait la plage de la promenade.

– Oui, je le vois.

– Bon, peut-être que je me trompe. C'est sans doute un sentiment de déjà-vu, parce que quand je suis venue ici avec mon école, mon amie a donné un euro à un type comme lui. Mais ça n'a aucune importance.

Alex écouta Jenny avec intérêt, puis il leva les yeux comme si un détail l'avait frappé dans ce qu'elle venait de lui dire.

– Tu sais, en fait, cette histoire de déjà-vu, ça m'est arrivé à moi aussi, depuis que je me suis « réveillé » dans le gymnase. Au moment où j'ai rouvert les yeux, par exemple, j'étais par terre, devant le panier, avant un lancer franc. Exactement là où je me trouvais quand tu m'as dit que tu habitais à Melbourne. Au début de tout ce… rêve.

– Écoute, Alex, je vais te faire une proposition.

– Dis-moi.

– Arrêtons de parler de ça. Qu'on ait fait un cauchemar ou que ce soit effectivement arrivé, quelle importance ? Nous sommes ici, tous les deux ensemble. La fin du monde n'a pas eu lieu, le ciel est splendide, et si cette affiche ne ment pas, aujourd'hui, même les mineurs ont le droit d'entrer au casino !

Alex sourit et se leva d'un bond.

– Tu as raison. Allons nous amuser !

Jenny prit la main d'Alex qui l'aida à se lever à son tour. Elle l'enlaça, leurs lèvres s'effleurèrent délicatement. Ils pouvaient profiter de chaque moment sans craindre que ce soit le dernier… Ils avaient tout le temps du monde, aucun amas de roche incandescente ne planait au-dessus de leur tête.

Ils marchèrent main dans la main vers le casino, pleins d'énergie et de curiosité.

– Quand tu es venue avec ton école, est-ce que vous y êtes allés ? demanda Alex en traversant la rue.

– Où ?

– Au casino.

Jenny rit.

– Tu plaisantes ? Connaissant les élèves de ma classe, ils auraient cassé les machines à sous, c'est tout. Non, on ne nous a même pas laissés nous en approcher.

– C'est par ici ? demanda Alex en arrivant à un croisement.

– Je pense, oui. Avec mes amis, nous nous étions arrêtés là, mais si je ne me trompe pas, c'est tout près, il suffit de tourner à gauche, un peu plus loin.

Alex serra la main de Jenny plus fort, tandis qu'ils arrivaient au bout de la rue, du côté opposé au bord de mer. Elle riait, rêveuse, insouciante. Lui, il ne pouvait arrêter de la regarder dans les yeux. Puis ils tournèrent dans la rue transversale.

Et là, ils se retrouvèrent face au néant.

– Qu'est-ce que...? Qu'est-ce... ? balbutia Jenny.

Devant elle, il n'y avait plus qu'un immense espace blanc. Comme un mur gigantesque où le regard s'égarait, sans pouvoir se raccrocher à rien. C'était le vide. Mais c'était plus effrayant que le vide. C'était comme si cette partie du monde avait été effacée, engloutie dans un épais brouillard blafard.

Jenny voulut faire un pas en avant, mais ses jambes avaient la lourdeur du plomb. Sa respiration devint haletante, tandis que devant ses yeux la réalité se transformait en une page qu'aucune encre n'avait jamais noircie. Elle ferma puis rouvrit les yeux plusieurs fois, mais cela ne changea rien.

À côté d'elle, Alex remarqua également l'absence de sons, outre celle d'images. Il fit deux ou trois pas en arrière, hypnotisé par le néant. Une sensation jamais éprouvée auparavant. Il ne savait pas où il marchait et n'avait plus aucun point de repère, à l'exception de deux certitudes aussi fondamentales qu'inexplicables :

D'un côté, il y avait le bord de mer espagnol et la jetée qui se perdait dans les vagues.

De l'autre, le néant.

– Partons d'ici, je t'en prie, murmura Jenny, le regard implorant et incrédule.

Ils firent demi-tour et retournèrent le long de la mer, à pas lents, sans parvenir à dire quoi que ce soit. Mais tous deux revoyaient tout défiler dans leur tête.

Ces trente jours.

Le chemin de la maison à l'école.

Le chemin de la maison à la piscine.

Le gymnase, l'entraîneur.

Les parents.

La chambre à coucher.

Tout, exactement comme ils se le rappelaient avant que l'astéroïde n'anéantisse la Terre.

Jenny regarda Alex, et s'accrocha à son bras.

– Ce que j'ai vu tout à l'heure, Alex... ce n'était pas un sentiment de déjà-vu. C'était la même scène. Mon amie qui donnait une pièce de monnaie à ce type. Exactement comme pendant mon voyage avec l'école.

– La même scène..., répéta-t-il d'un ton monocorde, tout en revoyant comme en accéléré le petit mot que sa mère lui avait laissé sur le meuble et qu'il avait trouvé en revenant du match de basket, les décorations de Noël dans les rues de Milan, son sac à dos, son journal intime.

– Mon Dieu, ce n'est pas possible ! hurla Jenny, les mains dans les cheveux.

Puis elle se retourna et courut vers le néant, en traversant sans même regarder autour d'elle.

Alex la vit disparaître au coin de la rue, et l'entendit crier à tue-tête. Il s'approcha, terrifié à l'idée de se retrouver devant cette vision insensée.

Jenny réapparut devant ses yeux, pâle, le visage décomposé.

– C'est absurde, dit-elle.

« Si nous avons échappé à la fin du monde et abouti dans un univers parallèle où l'astéroïde ne s'est pas écrasé, comment est-il possible que notre vie n'ait pas subi le moindre changement ? »

La question qu'Alex s'était posée passait comme un tourbillon de sa tête à celle de Jenny. D'autres phrases s'ajoutèrent peu à peu, formant un maelström où tous leurs souvenirs se mêlaient et jaillissaient, déchaînés.

« Notre esprit est la clé de tout. »

Jenny tendit la main à Alex et ferma les yeux.

– Memoria, voilà, c'est Memoria.

Lorsqu'ils se retournèrent, la petite table en bois du voyant malais était là, sur la promenade du bord de mer. Ses cheveux gris ébouriffés et agités par le vent, sa veste tachée, ses jambes croisées sous la petite table et ses cartes à la main.

Jenny et Alex restèrent ébahis, sans voix, tandis que le sourire du cartomancien devenait presque un rictus moqueur.

– Vous ne voyez que ce dont vous vous souvenez. C'est l'*après*.

Jenny essaya de libérer son esprit de la confusion et de la panique qui s'en étaient emparées pour réfléchir aux paroles de l'homme. « Je suis venue ici avec mon école, mais je n'avais pas vu la rue du casino. En revanche, je me rappelais exactement l'aéroport, le chemin jusqu'ici, le bord de mer et la jetée… »

– Réfléchissez ! Depuis un mois, vous avez vécu dans la seule réalité que vous connaissez. Les mêmes rues, la maison, la piscine, l'école, le gymnase. C'est ça, Memoria.

– Mais qui êtes-vous ? demanda brusquement Alex. Où sommes-nous donc ? Qu'est-ce qui s'est passé ?

Le voyant fixa sur lui un regard décidé et pénétrant qui le pétrifia.

– Je ne suis qu'un *message*. Quand tu étais petit, je venais te montrer comment serait ton avenir. Et tu dessinais tout. Mais tu ne peux pas te souvenir de moi. Thomas Becker aussi n'est qu'un message. Le monde, tel que vous le connaissiez, a été détruit. Ce que vous voyez n'est que l'écho de l'apocalypse, le seul fragment qui subsiste depuis la destruction. Le seul endroit où vous pouvez vivre.

– Mais moi, je ne suis jamais venu ici, je ne connaissais pas cette ville, objecta Alex.

– Tu n'en avais pas besoin. Tes souvenirs

et ceux de Jenny sont entremêlés. Depuis toujours. Ce sont vos seules cartes géographiques, vous ne pouvez pas aller ailleurs.

Alex ferma les yeux sans rien dire. Il revoyait comme si c'était filmé au ralenti leur saut dans le vide au moment où l'astéroïde s'écrasait sur la Terre. Il était donc vraiment tombé. Dans chaque dimension du Multivers.

Ce n'était pas un cauchemar.

C'était bien pire.

– Parfait. Et maintenant ? intervint Jenny sur un ton sarcastique, tandis que le vent se levait, soulevant de terre des prospectus rouges et bleus qui voletaient partout. Nous sommes emprisonnés ici pour l'éternité ?

Le voyant laissa tomber ses cartes sur la table, tourna sa main droite, montrant sa paume, puis ouvrit le bras avec l'élégance d'un comédien, comme pour montrer la réalité environnante.

Sur la plage, les camarades de classe de Jenny jouaient au ballon.

Au bout de la promenade, Valeria et Giorgio Loria, main dans la main, bavardaient, assis sur un banc.

De l'autre côté de la rue, Roger et Clara Graver marchaient tranquillement vers le port.

Soudain, tous les gens présents dans leur champ visuel se transformèrent en un fragment de leur vie passée. L'homme de couleur derrière le comptoir de la réception de l'hôtel

Saint-James. L'enfant dans le train pour la gare Cadorna. Le vieux qui mangeait tout seul et se souvenait de l'adresse des Graver. Mary Thompson. Le chauffeur de taxi d'Altona. Le militaire de Milan qui avait ordonné à Jenny de rentrer chez elle à cause du couvre-feu. Giovanni, son fusil à l'épaule, et sa famille qui les avaient hébergés tous les deux la veille de la fin du monde.

Ils étaient tous là. C'était la seule réalité possible. Ils étaient Memoria.

Le voyant malais disparut, laissant Jenny et Alex perdus dans un labyrinthe de questions.

Ils le virent apparaître au bout de la rue.

Il approchait lentement, prenant forme peu à peu sous les couleurs violettes du coucher de soleil espagnol, entre la danse des prospectus qui tourbillonnaient dans le vent et celle des personnages du passé qui se croisaient le long de la mer.

Alex écarquilla les yeux, tandis que ses contours se précisaient, et hocha légèrement la tête, comme s'il n'arrivait pas à croire ce qu'il découvrait. Jenny lui prit la main et respira profondément.

Lorsque le fauteuil électrique s'arrêta devant eux, ils virent le regard franc et radieux de Marco, accompagné d'un sourire énigmatique. Les quelques paroles qu'il prononça eurent sur Alex et Jenny l'effet d'une étincelle propre à faire exploser tout le mécanisme. C'était comme un passage secret qui aurait mené vers une issue inexplicable. Ou une phrase clé qui aurait permis d'ouvrir à nouveau les grilles du Multivers.

– Courage, les amis. Sortons de cette cage !

Remerciements

Quand j'avais six ans, j'ai écrit une histoire sur les Exogini, des petits monstres aujourd'hui remplacés par les Gormiti. Il y avait bien quatre pages de travail, et je me rappelle parfaitement pourquoi je l'avais fait : ma mère m'avait poussé à écrire, en me promettant qu'elle apporterait mon histoire à la radio. Je n'ai compris que plusieurs années plus tard pourquoi elle avait utilisé ce stratagème. Mes premiers remerciements sont donc pour elle. Elle a toujours eu confiance en mes capacités, a suivi toutes mes activités artistiques et m'a toujours apporté son soutien. La publication de *Multiversum* est également à mettre à son crédit. « Jusqu'au bout de mes bras serrés autour de toi », lui disais-je lorsque j'étais petit et qu'elle me demandait combien je l'aimais. Je décrivais ainsi ma façon de l'embrasser. C'est toujours valable aujourd'hui, maman.

Mais si ce livre existe, c'est que plusieurs personnes ont décidé de voyager à travers des réalités parallèles, donnant la parole à mes propres mondes.

Piergiorgio Nicolazzini, mon agent, que je remercie de tout cœur, ainsi que ses collaborateurs. Il n'est pas donné souvent de rencontrer une personne si loyale, sérieuse et sensible. C'est quand il a décidé de me prendre dans son écurie que j'ai réellement commencé à croire que ma passion pourrait se transformer en une profession. Cher Piergiorgio, la conquête de cet univers est notre premier objectif. Nous essaierons ensuite d'aborder les univers parallèles !

Fiammetta Giorgi et l'équipe éditoriale de Mondadori Ragazzi – tous de grands professionnels – ont su couper, coudre et confectionner ce roman, en me manifestant dès le premier jour leur affection et leur sympathie.

Une mention spéciale à Francesco Gungui, qui s'est occupé de la mise au point de mon texte, et qui a mis en danger sa santé mentale en essayant de s'orienter dans le vaste labyrinthe de l'élaboration de Multiversum. Nous savons tous deux où tout a commencé. Dans un grill, alors que le roman n'existait pas du tout, et que Francesco ne travaillait pas encore dans ce département de la maison d'édition. Cette rencontre n'était pas une coïncidence. Aucune rencontre ne l'est jamais.

Je remercie en outre tous ceux qui m'ont aidé pendant la phase d'editing, en lisant le livre en avant-avant-première, et en m'apportant des suggestions très intéressantes : Andrea et Stefano Brambilla, Eleonora Giupponi et Claudia Erba, Mirko Cioffi, Veronica Volpe, Giulia Forcolini, ainsi que Francesco Falconi, Asia Greenhorn et Simona Toma.

Mes sincères remerciements également à certains de mes amis qui, au cours des dernières années, ont dû supporter les folies narratives, les inventions, et les idées bizarres qui prenaient forme peu à peu dans ma tête. La « bande de Port Royal », et dans le désordre : Matun, Ema, Mayer, Giò, Fra, Vlad.

Pour finir, je remercie la personne qui a changé ma vie. Elle est ma psychologue, mon éditrice, ma première lectrice, mon infirmière, et je pourrais continuer ainsi jusqu'à l'infini.

Un jour, elle a décidé de me tendre la main et de marcher à mes côtés, dans cette partie du Multivers. Je l'aime vraiment, comme dit Luca Carboni. Merci, Valeria.

P.-S. Dans un univers parallèle, j'ai également remercié tous ceux que j'ai malheureusement oubliés dans cette liste !

Alex et Jenny parviendront-ils à vivre leur
amour au-delà des frontières de Memoria ?
Vous le saurez en lisant la suite de *Multiversum* :

LEONARDO PATRIGNANI
MEMORIA
– MULTIVERSUM –
« Je t'emmènerai en lieu sûr... »

Extrait

Memoria

Le ton de la voix de Marco devint sérieux, son timbre grave.

– Il existe une dimension parallèle dans laquelle les choses, pour moi, se sont passées différemment. Je ne l'ai découvert qu'à la fin. Je n'avais jamais rien connu de semblable, je pensais que tu étais le seul à pouvoir passer d'une dimension à l'autre. Mais au moment où l'astéroïde allait se briser dans l'atmosphère, j'ai vécu une expérience de voyage. Exactement comme ça vous arrivait, je crois.

Jenny s'approcha d'Alex et le prit par la main.

– J'étais devant la fenêtre, poursuivit Marco, et j'avais à la main une vieille photo qui représentait mes parents pendant un pique-nique. J'étais en train d'assister à la fin du monde quand, je ne sais pas comment décrire ça, j'ai été comme aspiré dans un autre endroit.

– Une espèce de tourbillon, on connaît cette sensation..., l'interrompit Alex.

– Oui. Quand j'ai rouvert les yeux, j'étais de nouveau revenu en moi. Mais ailleurs. Je me tenais debout sur la terrasse d'une maison de campagne. Avec mes parents. Vivants,

– – – – – – – – – – – – – – –

tu comprends ? Là-bas, ils n'ont pas été tués dans l'accident à la montagne. Là-bas, ils n'ont jamais eu d'accident !

– Marco, c'est formidable, mais...

– Laisse-moi finir. Même dans cette dimension dans laquelle je me suis retrouvé, comme dans la première, l'astéroïde était sur le point de s'écraser sur la Terre.

– Alors, c'est arrivé partout, ajouta Jenny.

– Oui. Mais là-bas, c'était différent. J'étais calme, serein. Je voyais la terreur sur le visage des gens, alors que moi, j'attendais la fin sans avoir peur.

– Comment ça ? demanda Alex en fronçant les sourcils.

Marco fixa sur lui un regard de feu. Rayonnant, résolu.

– J'étais debout, assistant au spectacle de la fin du monde, un cahier à la main, mes parents à côté de moi. Ne me demandez pas pourquoi mon premier instinct, au lieu de courir embrasser mon père et ma mère, ou de pleurer de joie parce que je tenais debout, a été d'ouvrir ce cahier. Je sais simplement que c'est ce que j'ai fait, et qu'après, je n'ai pas pu en détacher les yeux jusqu'à la chute de l'astéroïde. C'était mon journal intime, le journal de mon moi dans cet univers alternatif, où je n'étais plus seulement un hacker ou un passionné d'informatique. J'étais quelqu'un comme vous. J'avais le don de voyager et d'explorer les dimensions parallèles depuis l'âge de quatre ans. Mon journal contenait les détails de chacune de mes expériences. Naturellement, je n'ai pu en lire que quelques passages... J'aurais tellement voulu avoir eu plus de temps ! Quoi qu'il en soit, j'ai dissipé quelques doutes, même s'il reste encore de nombreux points obscurs dans toute cette affaire. Il y a une chose, cependant, qui m'est apparue clairement dès le début, en feuilletant ces pages. C'est pour ça que j'étais si tranquille.

– Qu'est-ce que c'était ? demanda Jenny en serrant plus fort la main d'Alex dans la sienne.

– J'ai compris que la mort n'existe pas.

– – – – – – – – – – – – – – – – –

www.onlitplusfort.com
Le blog officiel des romans Gallimard Jeunesse.
Sur le Web, le lieu incontournable
des passionnés de lecture
ACTUS // AVANT-PREMIÈRES //
LIVRES À GAGNER // BANDES-ANNONCES //
EXTRAITS // CONSEILS DE LECTURE // INTERVIEWS
D'AUTEURS // DISCUSSIONS // CHRONIQUES DE
BLOGUEURS...

LEONARDO PATRIGNANI est né en Italie, à Moncalieri, en 1980. Compositeur, acteur de doublage et lecteur passionné des romans de Stephen King, il écrit des histoires depuis l'âge de six ans. *Multiversum* est son premier roman.

Dans la collection

Pôle fiction

filles

Garçon ou fille, Terence Blacker
Ce que j'ai vu et pourquoi j'ai menti,
Judy Blundell
Quatre filles et un jean
Le deuxième été
Le troisième été
Le dernier été,
L'amour dure plus qu'une vie,
Toi et moi à jamais,
Ann Brashares
LBD
1. Une affaire de filles
2. En route, les filles !
3. Toutes pour une,
Grace Dent
Cher inconnu, Berlie Doherty
Qui es-tu Alaska ?, John Green
13 petites enveloppes bleues,
Suite Scarlett, Maureen Johnson
15 ans, Welcome to England !
15 ans, charmante mais cinglée
16 ans ou presque, torture absolue, Sue Limb

Le ciel est partout, Jandy Nelson
La vie blues, Han Nolan
Les confidences de Calypso
1. Romance royale
2. Trahison royale
3. Duel princier
4. Rupture princière,
Tyne O'Connell
Le journal intime de Georgia Nicolson
1. Mon nez, mon chat, l'amour et moi
2. Le bonheur est au bout de l'élastique
3. Entre mes nungas-nungas mon cœur balance
4. À plus, Choupi-Trognon...
5. Syndrome allumage taille cosmos
6. Escale au Pays-du-Nougat-en-Folie
7. Retour à la case égouttoir de l'amour
8. Un gus vaut mieux que deux tu l'auras
9. Le coup passa si près que le félidé fit un écart
10. Bouquet final en forme d'hilaritude,
Louise Rennison
Code cool, Scott Westerfeld

fantastique

Interface, M. T. Anderson
Genesis, Bernard Beckett
Nightshade
1. Lune de Sang,
2. L'Enfer des loups, Andrea Cremer

Le cas Jack Spark

saison 1 Été mutant

Saison 2 Automne traqué, Victor Dixen

Eon et le douzième dragon

Eona et le collier des Dieux, Alison Goodman

BZRK, Michael Grant

Lueur de feu

Prisonnière, Sophie Jordan

Menteuse, Justine Larbalestier

Felicidad, Jean Molla

Le chagrin du Roi mort

Le Combat d'hiver

Terrienne, Jean-Claude Mourlevat

Le Chaos en marche

1. La Voix du couteau

2. Le Cercle et la Flèche

3. La Guerre du Bruit,

Patrick Ness

Jenna Fox, pour toujours

L'héritage Jenna Fox, Mary E. Pearson

La Forêt des Damnés

Rivage mortel, Carrie Ryan

Angel, L. A. Weatherly

Les chemins de poussière

1. Saba, Ange de la mort, Moira Young

Le papier de cet ouvrage est composé de fibres naturelles, renouvelables, recyclables et fabriquées à partir de bois provenant de forêts gérées durablement.

Maquette : Nord Compo

ISBN : 978-2-07-065020-0
Loi n° 49-956 du 16 juillet 1949 sur les publications destinées à la jeunesse
Dépôt légal : mars 2014.
N° d'édition : 247122 – N° d'impresssion : 188366.
Imprimé en France par Maury Imprimeur - 45330 Malesherbes